AF218722

## *ACCESO GRATIS* a la Lectura en la Nube

Para visualizar el libro electrónico en la nube de lectura envíe junto a su nombre y apellidos una fotografía del código de barras situado en la contraportada del libro y otra del ticket de compra a la dirección:

**ebooktirant@tirant.com**

En un máximo de 72 horas laborales le enviaremos el código de acceso con sus instrucciones.

# LA PROTECCIÓN JURÍDICA DE LA INTIMIDAD Y DE LOS DATOS DE CARÁCTER PERSONAL FRENTE A LAS NUEVAS TECNOLOGÍAS DE LA INFORMACIÓN Y COMUNICACIÓN

# LA PROTECCIÓN JURÍDICA DE LA INTIMIDAD Y DE LOS DATOS DE CARÁCTER PERSONAL FRENTE A LAS NUEVAS TECNOLOGÍAS DE LA INFORMACIÓN Y COMUNICACIÓN

ALFONSO GALÁN MUÑOZ
COORD.

MÓNICA ARRIBAS LEÓN
ESTHER CARRIZOSA PRIETO
VIVIANA CARUSO FONTÁN
ALFONSO GALÁN MUÑOZ
MARÍA HOLGADO GONZÁLEZ
ISABEL VICTORIA LUCENA CID
FRANCISCO TOSCANO GIL

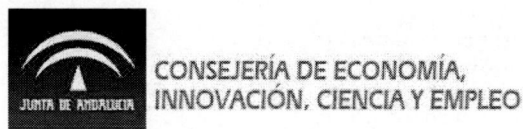

CONSEJERÍA DE ECONOMÍA,
INNOVACIÓN, CIENCIA Y EMPLEO

tirant lo blanch
Valencia, 2014

Director de la Colección:

## LORENZO COTINO HUESO

*Profesor Titular de Derecho constitucional de la Universidad de Valencia, Coordinador de Derecho TICs, Red de Especialistas de Derecho de las Tecnologías de la Información y Comunicación, www.derechotics.com*

© Alfonso Galán Muñoz y otros

© TIRANT LO BLANCH
EDITA: TIRANT LO BLANCH
C/ Artes Gráficas, 14 - 46010 - Valencia
TELFS.: 96/361 00 48 - 50
FAX: 96/369 41 51
Email:tlb@tirant.com
http://www.tirant.com
Librería virtual: http://www.tirant.es
DEPÓSITO LEGAL: V-2304-2014
ISBN: 978-84-9053-764-0
IMPRIME: Guada Impresores, S.L.
MAQUETA: Tink Factoría de Color

# ÍNDICE

# PRÓLOGO

La presente obra recoge las principales conclusiones obtenidas como consecuencia del desarrollo del proyecto de Excelencia titulado *"La protección jurídica de la intimidad frente a las nuevas tecnologías de la información y comunicación: Un análisis interdisciplinar"* (Ref. P10-SEJ-6735), financiado por la Consejería de economía, innovación y empleo de la Junta de Andalucía y que se ha venido ejecutando en los últimos años en la Universidad Pablo de Olavide de Sevilla.

No corren buenos tiempos para la investigación en nuestro país y es por ello, por lo que resulta obligado abrir el prólogo de este trabajo reseñando que el mismo no se habría podido desarrollar de no haber sido porque en su momento la citada Consejería de la Junta de Andalucía depositó su confianza en el grupo de investigadores que integran este ambicioso proyecto, otorgándonos el respaldo financiero que nos ha permitido desarrollar nuestra labor investigadora con los medios que un reto de esta categoría necesitaba.

Ambicioso es, sin duda, afrontar cualquier actividad investigadora, pero aún lo es más si lo que se pretende es analizar los múltiples y muy variados problemas que las modernas tecnologías de la información plantean a nuestro ordenamiento jurídico. Eso, precisamente, es lo que en su día propuse a un grupo de compañeros de la Universidad en la que actualmente imparto docencia, quienes no solo no se arredraron ante el reto que les estaba planteando, sino que me animaron de forma entusiasta a embarcarnos en la tarea de tratar de dar una visión amplia, multidisciplinar y coordinada de los retos que realidades tan complejas como Internet, las redes sociales o las bases de datos genéticas plantean a la protección del derecho fundamental a la intimidad y a otros derechos derivados, como el de la inviolabilidad de las comunicaciones o los que nos permiten controlar la difusión y utilización de nuestros datos de carácter personal.

Muchas han sido las reuniones, las conversaciones y seminarios realizados con el fin de coordinar nuestros trabajos para dar así una visión interdisciplinar de los problemas planteados, superando la ficticia división de materias o áreas del Derecho que se mantiene en nuestras Universidades, sin duda, con una encomiable finalidad pedagógica, pero que, también y al mismo tiempo, lleva a que en ocasiones nuestras investigaciones analicen los problemas desde la exclusiva perspectiva de nuestra concreta especialidad, olvidando así que el ordenamiento jurídico es una unidad que no entiende, ni puede entender, de las divisiones en que lo queremos diseccionar.

Precisamente, ha sido el carácter interdisciplinar de nuestro proyecto el que nos ha permitido analizar muchos de los problemas planteados desde varias perspectivas jurídicas, abriendo así un debate científico que no ha hecho sino enriquecer el resultado finalmente obtenido por todos los integrantes de nuestro equipo investigador, al tiempo que nos permitía dar una visión amplia, pero delimitada de muchos de los problemas a los que el Derecho de la denominada "Sociedad de la información" tendrá que hacer frente si quiere salvaguardar el derecho a la intimidad de sus ciudadanos.

Así, la presente obra se abre planteando uno de los más importantes problemas a los que Derecho va a tener que dar cumplida respuesta, ya que parece evidente que la tradicional definición del derecho a la intimidad, como derecho de corte exclusivamente negativo, se ha visto ya claramente superada por las posibilidades que nos ofrecen las modernas tecnologías de la información, tanto para captar, como para procesar o difundir datos que nos afectan muy directamente, lo que parece nos obligará a tener que replantearnos la tradicional conceptualización de dicho derecho fundamental o incluso a cambiarlo por uno más nuevo, amplio y adaptado a la nueva realidad de nuestra sociedad, como sería el denominado derecho a la privacidad.

Posteriormente, se analiza otro de los temas que mayores problemas y quebraderos de cabeza está generando a nuestra doctrina y nuestra jurisprudencia, como es el referido a la legitimidad y limitación de los sistemas de de control que los empresarios utilizan, cada vez con mayor frecuencia, para controlar el trabajo de sus empleados; sistemas que, si bien pueden resultar tremendamente invasivos para la intimidad de estos últimos sujetos, no han dado lugar a la aparición de una normativa general que garantice su uso legítimo y proporcionado, lo que ha obligado a que tanto nuestro Tribunal constitucional, como nuestros tribunales laborales se hayan visto abocados a tener que subsanar dicha carencia, dando lugar a una compleja y en ocasiones contradictoria jurisprudencia sobre la materia que más que resolver el problema planteado, parece hacer cada más necesaria su urgente y específica regulación.

Otro interesante tema objeto de análisis es el que nos plantean las cada vez más rápidas, amplias e informatizadas publicaciones de los actos administrativos. Indudablemente, la publicación de muchas de estas resoluciones resulta imprescindible para garantizar la transparencia y el correcto funcionamiento de la administración de cualquier país democrático. Sin embargo, el incremento de la utilización de medios informáticos para realizar tan imprescindible tarea, puede poner en tela de juicio el derecho que tienen los ciudadanos a conservar parte de su intimidad al margen del conocimiento de terceros o incluso el derecho que les permite poder controlar la distribución o difusión de sus datos personales, lo que ha dado lugar a un conflicto de intereses que solo puede ser resuelto mediante un, no siempre fácil de realizar, juicio de ponderación o proporcionalidad que, entre otras cosas, tendrá que analizar hasta qué punto la concreta forma de publicidad adoptada por la Administración, en cada caso, no se podía sustituir por otra menos invasiva de los derechos de los ciudadanos, sin que ello supusiera merma alguna a la hora de alcanzar una adecuada y eficaz difusión.

Ahora bien, no es este el único problema al que se enfrenta la administración a la hora de perseguir la eficaz consecución de sus fines respetando el derecho a la intimidad de los ciudadanos. De hecho, si hay un campo en el que la administración puede poner en cuestión este derecho fundamental con la finalidad de conseguir una correcta gestión, éste es, sin duda alguna, el tributario.

A nadie sorprende ya que los mayores ordenadores del país sean los utilizados por los organismos responsables de la determinación y el cobro de nuestros impuestos, ni que en ellos se encuentren recogidos y se procesen informaciones relativas a nuestras personas que incluso nosotros mismos desconocemos. Sin embargo, la insaciable demanda de datos de la administración tributaria parece no tener fin, como parece indicarlo el hecho de que la todavía reciente Ley 7/2012, de 29 de octubre, haya venido a ampliar aún más el deber de información que nos corresponde a todos los contribuyentes, obligándonos también a tener que comunicar, en un determinado plazo, los bienes y derechos que tengamos en el extranjero; obligación que evidentemente puede poner en tela de juicio determinados aspectos de la intimidad de los ciudadanos, lo que hacía necesario que dedicásemos un trabajo específico al análisis de los preceptos que delimitan los contornos y perfiles más controvertidos de este nuevo deber informativo.

Por otra parte, si hay una faceta protectora de la intimidad que parece estar siempre en la boca de todos, ésta es la que se refiere a la que el ofrece el Derecho penal. El hecho de que vivamos en una sociedad obsesionada con la seguridad y con la prevención de todo riesgo, parece haber convertido a este Derecho, que debería actuar como última y subsidiaria *ratio* del ordenamiento jurídico, no solo en la primera, sino parece que en la única *ratio* que puede resolver los conflictos sociales con ciertas dosis de seguridad.

No puede sorprender entonces que ante los graves peligros que las nuevas tecnologías generan para la intimidad de los ciudadanos que viven en la que Ulrich Beck denomina "Sociedad del riesgo", éstos hayan optado por volver sus miradas hacia el Derecho penal buscando respuestas protectoras adecuadas y eficaces.

Sin embargo, el Derecho penal vigente no solo no responde a estas exigencias punitivas, sino que parece presentarse como un instrumento normativo que no se ha adaptado demasiado bien a fenómenos tales como la proliferación de las redes sociales, la captación y procesamiento no autorizado de los datos que generamos al navegar por esa red de redes que es Internet o a los muy variados usos y abusos que los terceros pueden realizar con los datos que definen nuestra diversas y cada vez más numerosas identidades digitales, lo que nos ha llevado a dedicar parte de esta obra, precisamente, a analizar los problemas que nuestro Derecho vigente enfrenta a la hora de responder a dichos fenómenos, para tratar a continuación de definir las medidas normativas que se tendrían que adoptar para brindarles un más adecuado y proporcionado tratamiento penal.

Finalmente, un trabajo como el presente no podía dejar olvidada otra de las grandes fuentes de peligro que las nuevas tecnologías han planteado para nuestra intimidad, como es aquella que se deriva de los imparables avances producidos en los últimos años en relación a la genética.

Nadie cuestiona que muy posiblemente será dicha rama científica la que nos aportará muchas de las futuras soluciones a algunas de las más graves enfermedades que nos acechan. Asimismo y al mismo tiempo, la genética se ha convertido en una de las más fiables y eficaces pruebas utilizadas en la investigación de delitos. Sin embargo, ninguno de estos hechos nos debe hacer olvidar que junto a estas evidentes ventajas, la genética también plantea serios problemas a los que el Derecho ha de responder, ya que no solo puede ser la que permita que se ponga en tela de juicio el futuro de toda la humanidad, mediante la realización de manipulaciones de imprevisibles efectos, sino que también puede ser la que sirva para realizar algunos de los más severos ataques a nuestra intimidad.

Posiblemente no haya nada que diga tanto de nosotros como nuestro ADN y, por tanto, es más que probable que tampoco exista nada más peligroso y más lesivo para nuestra intimidad, ni más atractivo para los que desean lesionarla que nuestro perfil genético, con lo que la creación de enormes bases de datos, como la instaurada por la LO 10/2007 a efectos de la investigación de delitos, supone la aparición de una fuente de peligro para la dicho derecho fundamental a la que, sin duda, el Derecho penal tiene y debe prestar la debida atención para garantizar que no se utilice para fines diferentes de aquellos para las que fueron creadas.

Evidentemente, y como no podía ser de otra forma, quedan en el tintero muchos otros temas referidos a la protección de nuestra intimidad, pero creo que, sin duda, los temas tratados, su actualidad y variedad, así como la profundidad con la que los distintos autores los han analizado, permitirán al lector de esta obra tener una visión global de la complejidad y multiplicidad de problemas que nuestro ordenamiento jurídico debe afrontar y resolver si pretende realmente garantizar que los avances tecnológicos no acaben convirtiendo el derecho fundamental a la intimidad y todas las garantías e inviolabilidades que lo rodean en un simple papel mojado carente de cualquier efectividad.

Éste, y no otro, era el objetivo que perseguía el proyecto en el que esta obra colectiva tiene su origen, con lo que creo que podemos decir, sin temor a equivocarnos, que hemos cumplido con nuestra misión, como podrá comprobar el lector que a través de las páginas que siguen a este breve prólogo, se adentre en este amplio, complejo y a la par fascinante mundo que las nuevas tecnologías han abierto en relación a la protección jurídica de nuestra intimidad.

PROF. DR. ALFONSO GALÁN MUÑOZ
Investigador Principal del Proyecto de Excelencia *"La protección jurídica de la intimidad frente a las nuevas tecnologías de la información y comunicación: Un análisis interdisciplinar"*

*Sevilla, diciembre 2014*

# EL CONCEPTO DE LA INTIMIDAD EN LOS NUEVOS CONTEXTOS TECNOLÓGICOS

Isabel Victoria Lucena Cid
*Profesora Titular de Filosofía del Derecho*
*Universidad Pablo de Olavide de Sevilla*

## 1. INTRODUCCIÓN

Los cambios en la historia más reciente de la humanidad han venido siempre acompañados de la necesidad de una respuesta por parte
de las sociedades y los sistemas que los gobiernan. También el derecho y los conceptos jurídicos en los que se sustentan deben estar
en continua revisión para cumplir con su sentido y función social.
Eso es lo que Warren y Brandeis sugerían en el inicio de su opúsculo
cuando decían que "es un principio tan viejo como el *common law*
que el individuo debe gozar de total protección en su persona y en sus
bienes, sin embargo, resulta necesario, de vez en cuando, redefinir con
precisión la naturaleza y la extensión de esta protección. Los cambios
políticos, sociales y económicos imponen el reconocimiento de nuevos
derechos, y el *common law*, en su eterna juventud, evoluciona para
dar cabida a las demandas de la sociedad"[1]. En la época en la que es-

---

[1]     Warren, S., Brandeis, L. D., "The right to privacy", en *Harvard Law Review*, vol.
4, núm. 5, 1980. Edición Española a cargo de Benigno Pendás y Pilar Baselga, *El
derecho a la Intimidad*, Madrid: Editorial Civitas. 1995.

tos autores publicaron su artículo "The Right to Privacy", (*Harvard Law Review*, 1890), los medios tecnológicos de incursión en la vida privada que denunciaban eran la captura de imagen a distancia y sin permiso a través de fotografías y la distribución de las mismas en la prensa (una práctica que perdura en nuestros días). Después de más de un siglo, las denuncias se realizan contra "otras familias tecnológicas": almacenamiento y tratamiento de datos personales, transferencias y difusión de datos a través de tecnologías digitales electrónicas, Internet, redes sociales, video vigilancia de ciudadanos, etc. Estos nuevos sistemas socio-técnico-informáticos no solo han puesto de manifiesto el poder de la innovación informática y los beneficios que aportan, también han revelado nuevas amenazas y desafíos en materia de protección a la intimidad.

Muestra de esto son las informaciones que continuamente encontramos en los medios de comunicación: "*News of the World* phone-hacking scandal"[2], "EE.UU. vigila de forma 'rutinaria' sitios de noticias, Twitter y redes sociales"[3], "Un ataque informático expone los correos de centenares de militares británicos"[4], "Las redes sociales hacen perder el pudor"[5], "Anonimato, espejismo en la era digital"[6], etc. Titulares como estos aparecen diariamente en los medios de difusión alertando del potencial que representan los nuevos sistemas de comunicación e información. Nadie es indiferente a los avances tecnológicos de las últimas décadas ni a los cambios que estos han desencadenado en distintos ámbitos de la vida personal y social (económico, cultural, social, político, académico, científico, etc.). Estas transformaciones han hecho surgir nuevas formas de relacionarse con el entorno y los demás, haciendo que millones de personas compartan información en superpoblados "continentes virtuales" propiciados

---

[2]    Siddique, Haroon, Gabbatt, Adam and Quinn, Ben, "News of the World phone-hacking scandal" www.theguardia.co.uk (8/07/2011).

[3]    Hosenball, Mark, "EE.UU. vigila de forma 'rutinaria' sitios de noticias, Twitter y redes sociales" www.elmundo.es (12/01/2012).

[4]    Redacción El Mundo, "Un ataque informático expone los correos de centenares de militares británicos" www.elmundo.es (09/01/2012).

[5]    López, Celeste, Rodríguez de Paz, Alicia, "Las redes sociales hacen perder el pudor" www.lavanguardia.com (09/07/2011).

[6]    Goldman, David, "Anonimato, espejismo en la era digital" www.CNNExpansión.com (17/01/2012).

por Internet y las nuevas redes sociales, sin olvidar el papel que estas últimas han tenido y mantienen en las llamadas "revoluciones árabes" y las reivindicaciones de los nuevos movimientos sociales en todo el planeta.

Nunca como ahora se ha podido acceder a contenidos académicos y científicos, políticos, económicos, culturales, etc., y a grandes bases de datos de manera inmediata. La información generada a través de los sistemas informáticos e Internet se ha convertido en un valor sin precedentes al conseguir una inimaginable capacidad de almacenamiento, acceso y operatividad en tiempo real. Es indudable que, en general, estas innovaciones científicas y tecnológicas han permitido incrementar la capacidad de progresar en todos los aspectos de la vida humana, convirtiéndose en herramientas casi esenciales tanto para la vida pública como privada. En general, las consecuencias inmediatas del desarrollo de la sociedad de la información han hecho que el mundo sea más pequeño y asequible, pero inabarcable por la cantidad de contenidos informacionales y la velocidad a la que éstos se generan.

¿Cómo afecta a la intimidad esta constante innovación tecnológica? Si los beneficios que han proporcionado el progreso tecnológico para las sociedades contemporáneas son incuestionables, estas ventajas vienen acompañadas de nuevos desafíos que hay que abordar ineludiblemente. El mal uso de la información, sobre todo de carácter personal, en la utilización de las nuevas tecnologías se pone de manifiesto en los casos de intrusión en la intimidad de las personas. Los actuales sistemas información y la comunicación se han convertido en la mayor amenaza a la intimidad porque cuentan con sofisticadas herramientas de vigilancia generalizada, bases de datos masivas y la capacidad de almacenar y distribuir la información en todo el mundo a tiempo real. En definitiva, el poder que proporciona el acceso a la información y el control de la misma hacen que la ficción de George Orwell o el Panóptico de Jeremy Bentham encuentren su más exacta representación en la realidad de las sociedades contemporáneas más avanzadas.

Este nuevo contexto nos conduce a la revisión del concepto de intimidad y a valorar la ineludible necesidad de adaptarlo a las nuevas características de las sociedades con un alto grado de innovación y desarrollo tecnológico, especialmente en el ámbito de la información y la comunicación. Nuestro objetivo en este trabajo será aportar un poco de claridad a la actual confusión en torno al concepto de intimidad en el nuevo contexto tecnológico. Para ello, se tendrá en cuenta la amplitud y la complejidad del término sin pretender disipar plenamente la ambigüedad que acompaña a esta noción. Por otro lado, cuestionamos la difícil defensa de los límites herméticos que custodiaban lo íntimo/privado de lo público, superados hoy en día por un *ágora virtual desespaciada* que permite el tránsito y acumulación ilimitada de información y datos personales de toda índole. Exponemos brevemente algunos de los dispositivos tecnológicos de seguimiento y vigilancia, almacenamiento y tratamiento de datos y los potentes sistemas de difusión de la información como Internet. Las nuevas amenazas que atentan contra la intimidad nos llevan a examinar las tesis de algunos autores con el fin de aportar nuevos horizontes de análisis y reflexión sobre una construcción jurídica moderna que ha de evolucionar y definirse para responder ante esos nuevos desafíos.

## 2. EL CONTROVERTIDO CONCEPTO DE INTIMIDAD

Desde distintos ámbitos del conocimiento (jurídico, filosófico, psicológico, sociológico, etc.) se suele afirmar que el término intimidad adolece de una vaguedad e imprecisión que lo lleva al terreno de aquellos conceptos difícilmente definibles. De ahí que en muchos casos utilicemos, en el lenguaje común, locuciones que tienen una identidad significativa con esta noción: vida privada, confidencialidad, secreto, privado, etc. Tomando prestada la metáfora de Wittgenstein, en casos como éste, el lenguaje se parece a las palancas de la cabina de una locomotora. Las palabras se parecen unas a otras, de manera que tendemos a pensar que realizan las mismas funciones. Sin embargo, al igual que las palancas en la locomotora, esta semejanza es superficial ya que en la realidad cada una de ellas realiza una función distinta en un momento determinado: una palanca regula la apertura de una válvula, otra solo tiene dos posiciones, "abierto" o 'cerrado; la tercera es el mango de los frenos, cuanto más fuerte se tira, más fuerte es el frenado; y una cuarta, solo funciona mientras uno lo mueve de aquí para allá, continuamente[7]. Aplicada esta visión al término intimidad o privacidad, comprenderemos mejor la borrosas fronteras conceptuales en las que nos desenvolvemos.

## 2.1. Algunas precisiones lingüísticas

Una revisión de la literatura y la doctrina contemporánea pone de manifiesto que las teorías sobre la intimidad o la privacidad son demasiado generales o ambiguas para resolver casos concretos y determinar cuáles son los principales problemas que atentan contra el derecho a la intimidad de las personas en el actual contexto informático-tecnológico. En un primer esfuerzo por aportar luz al tema, intentaremos clarificar la naturaleza confusa de una noción como la de la intimidad basándonos en la teoría pragmática y la idea del "parecido de familia" (*Familienähnlichkeiten*) expuesta por el filósofo Ludwig Wittgenstein en su obra póstuma *Investigaciones Filosóficas*.

Wittgenstein ha sido uno de los filósofos contemporáneos más fructíferos a la hora de poner la filosofía al servicio de la visión global del sentido común, aquella que se expresa en el lenguaje ordinario. Esta expresión, "lenguaje ordinario", representa el lenguaje antes de que sea justificado o corregido por la reflexión filosófica. En sus *Investigaciones Filosóficas* Wittgenstein presenta un nuevo contexto para definir los límites de un concepto a partir de la teoría de los "juegos del lenguaje", esto es, el sentido o sinsentido de un término no se conciben unívocamente sino que varían de un "juego del lenguaje a otro".

El "significado" de un término se define investigando el papel que desempeña en un determinado "juego del lenguaje" (*Sprachspielen*) o según su "uso" (*Gebrauch*). El lenguaje funciona en sus usos y se entiende en sus contextos, por ello, no tenemos que "preguntar por las significaciones, sino que hay que preguntar por los usos". Pero estos usos son muy numerosos y variados; no hay propiamente un lenguaje, sino lenguajes, y éstos representan "formas de vida". Cuando aprendemos a usar palabras aprendemos a usarlas significativamente, es de-

---

[7]    Wittgenstein, L., 1953, *Philosophical Investigations. Philosphische Untersuchungen*, Oxford: Blackwell, traducido al castellano por Alfonso García Suárez y Ulises Moulines, Wittgenstein, L., 2002, *Investigaciones filosóficas*. Barcelona: Crítica, § 12, op. cit. pág. 29.

cir, en los contextos apropiados. Que el significado de un término sea
el uso que de él hacemos, se deriva del hecho de que una palabra solo
lo es dentro de un lenguaje: la palabra tiene un significado en un lenguaje; no se puede preguntar por el significado de una palabra fuera
de un juego de lenguaje particular, "entender una sentencia significa
entender un lenguaje", en este caso, el lenguaje jurídico[8].

La crítica de Wittgenstein a la noción común de significado se refiere a aquella que toma el significado de una palabra como el objeto al que se refiere la palabra o aquello que nombra. Mientras esta
noción de significado en sentido ontológico se refiere a palabras como "silla", "vaca" "mesa", etc., no nos serviría para palabras como
"dos", "¡ay!", "por tanto", "no", ni tampoco para términos como
"intimidad" "bueno", "libertad", etc. Por ello, es erróneo preguntar
qué significan las palabras, como si pudiésemos encontrar siempre un
objeto al cual señalar para decir lo que significa. En muchos casos,
como decíamos, el significado de una palabra se encuentra en "su
uso en el lenguaje". Pero no solo se encuentra el significado de un
término en el uso, o en el lugar que ocupe en el lenguaje. Va más allá,
el lenguaje es el instrumento de los propósitos y de las necesidades
humanas. Es parte de la conducta social, pertenece a nuestra historia
natural. Es creado o se configura como una institución y presupone,
por tanto, un contexto no lingüístico y múltiples prácticas sociales
extralingüísticas que nos permiten entender el contenido significativo
de una determinada locución.

Por tanto, "uso del lenguaje" y "contexto extralingüístico o juegos
del lenguaje" se convierten en dos variables que debemos contem-
plar a la hora de buscar una aproximación al concepto de intimidad
o privacidad. Antes de preguntar ¿cuál es el significado del término
intimidad?, tendríamos que preguntar ¿cómo se usa la palabra intimidad? Esto nos conduce inevitablemente a los contextos donde
aprendemos a usar la palabra apropiadamente o significativamente.
Debemos descubrir a qué "juego del lenguaje" pertenece y después en-
sayar las "reglas" de ese juego del lenguaje particular. Si por ejemplo
alguien pregunta "¿qué es un peón?", debemos responder que es una
pieza usada en el juego del ajedrez y después fijar las reglas del aje-

---

[8]    Wittgenstein, L., 2002, *Investigaciones…*, § 109, op. cit. pág. 123.

drez que ha de seguir el peón en dicho juego. "Pregúntate a ti mismo" aconseja Wittgenstein "¿cómo hemos aprendido el significado de esta palabra (bueno, por ejemplo)?, ¿a partir de qué ejemplos; en qué juego del lenguaje?"[9]. Investigar el significado de una palabra significa, finalmente, investigar el uso que esa palabra tiene en una "forma de vida". Los juegos del lenguaje o contextos lingüísticos hace referencia al "lenguaje de las ciencias", el "lenguaje de la ética", el "lenguaje de la poesía", "el lenguaje del derecho" etc. Así, cuando hablamos el lenguaje de las ciencias nos referimos a la forma en la que usamos los términos para explicar teorías científicas en contextos científicos, para describir o predecir, etc.; lo mismo podemos decir del "lenguaje jurídico". Esta multiplicidad de juegos de lenguaje, así como los usos que hacemos de ellos, no es algo acabado, que venga "dado de una vez por todas; sino que nuevos tipos de lenguaje, nuevos juegos de lenguaje, como podemos decir nacen, y otros envejecen y se olvidan"[10].

Wittgenstein pasa revista a una serie de actividades o juegos para comprobar que no existe un algo, algún elemento común a todas ellas, "...el resultado de este examen es: vemos una red complicada de semejanzas superponiéndose y entrecruzándose: a veces, semejanzas generales, a veces, semejanzas de detalle"[11]. Wittgenstein llama a estas semejanzas "parecidos de familia". Y eso es todo lo que hay en los juegos (y también en los juegos de lenguaje): forman una familia. El concepto de juego no es una suma de sub-conceptos, no es un concepto "estrictamente delimitado", no existe una clara línea divisoria que separe lo que es juego de lo que no lo es; lo cual no quiere decir que el uso de la palabra "juego" sea arbitrario, que no esté regulado; en realidad tiene reglas, pero no está regulado en todos sus detalles y pormenores. Puede decirse que se trata de un concepto *borroso*. Esta carencia de precisión no es relevante. No es necesario que existan reglas que regulen todos los casos posibles de uso de una palabra. Comprobamos que alguien ha entendido el significado de una palabra que le explicamos, si vemos que la usa como nosotros.

---

[9]   Wittgenstein, L., 2002, *Investigaciones…*, § 77 op. cit. pág. 97.
[10]  Wittgenstein, L., 2002, *Investigaciones…*, op cit. § 23 y § 18 pág. 39 y 31.
[11]  Wittgenstein, L., 2002, *Investigaciones…* § 66 op. cit. pág. 87.

Aplicada esta teoría al discurso sobre la intimidad o el concepto extensivo, la privacidad, observamos que esta locución pertenece a múltiples "juegos del lenguaje", a distintos contextos extralingüísticos que hace que su significado y definición sean tan escurridizo como apremiante la necesidad de abordarlo para establecer un marco de comprensión en la realidad de un nuevo "juego de lenguaje o contexto lingüístico y extralingüístico", en nuestro caso, el entorno de la sociedad de la información.

En este mismo sentido, Solove considera que encontrar una definición perentoria del término intimidad es imposible, considera que es "a concept in disarray"[12], o como diría Vitalis una "definition introuvable"[13]. El motivo de esto es que la intimidad es un concepto radical que abarca la libertad individual, el control sobre el propio cuerpo, la soledad en el hogar, la potestad sobre la información personal, la libertad ante los sistemas de control y vigilancia, la protección del honor y la reputación, etc. Existen conceptos diferenciables de la intimidad que se relacionan con él por sus "semejanzas de familia": interioridad, interior, privativo, privado, secreto, confidencial, reservado, personal, propio, oculto[14], y que encuentran su significado en los contextos lingüísticos y extralingüísticos en los que se usan, también dentro del nuevo "juego del lenguaje" que representan los actuales entornos socio-tecnológicos.

---

[12]  Solove, D. J., "Conceptualizing Privacy", en *California Law Review*, Vol. 90:1087, 2002.

[13]  Vitalis, a., 1981, *Informatique, pouvoir et libertés*. Paris: Económica, pág. 151

[14]  Según la Real Academia de la Lengua el término intimidad se refiere a "una zona espiritual íntima y reservada de una persona o de una grupo, especialmente de una familia". La acepción de interioridad no apela a las "cosas privativas, por lo común secretas, de las personas, familias o corporaciones"; interior por su parte nos remite "al alma como principio de la actividad propiamente humana". Privativo sería lo "propio y peculiar, singularmente de una cosa o persona y no de otras". La acepción privado se alude a lo "que se ejecuta a la vista de pocos, familiar o domésticamente, sin formalidad ni ceremonia ninguna" Lo secreto remite a "lo que cuidadosamente se tiene reservado y oculto", etc. Véase al respecto, Rebollo Delgado, L. 2000, *El derecho fundamental a la intimidad*, Madrid: Dykinson, págs. 48-50.

## 2.2. De la intimidad como valor moral a la intimidad como valor jurídico

La configuración de la noción de intimidad, tal y como la entendemos hoy, tiene su origen en el nacimiento de la burguesía y se fundamenta en la dogmática "iusprivatista" burguesa sobre los derechos de la personalidad, entendidos como objetos de propiedad privada y asociados a los derechos de la personalidad (el honor, el nombre, la imagen, el secreto de la correspondencia...)[15]. La aspiración de la intimidad por parte de la burguesía está alimentada por el deseo y las necesidades de esta nueva clase social. Para Pérez Luño, "la continuidad entre *privacy* y *property* no es puramente jurídico-formal, sino que la propiedad es la condición para acceder a la intimidad"[16]. De ahí se deduce que la pobreza y la privacidad son simplemente contradictorias[17]. Sería sobre estos presupuestos y la afirmación revolucionaria de los derechos del hombre sobre lo que se construiría doctrinalmente el derecho a la intimidad, cuya fundamentación teórica la podemos encontrar en la idea del *fuero interno* que Thomasio y Kant emplazan al margen de la injerencia estatal y de las relaciones sociales comunitarias[18].

La tradición filosófica inglesa que arranca con Thomas Hobbes[19] y John Locke contribuyó a definir el concepto anglosajón de *privacy* y a buscar un equilibrio entre las acciones del Estado y el individuo. No obstante, sería John Stuart Mill quien en su obra *On Liberty* (1859)

---

[15] Pérez Luño, A. E. 1995, *Derechos Humanos, Estado de Derecho y Constitución*, Madrid: Tecnos, pág. 321.

[16] Ibíd, pág. 322.

[17] Bendich, A. M., "Privacy and the Constitution", en *Conference of the Law of the Poor*. University of California, Berkeley, 1966. Pérez Luño, considera que la "idea burguesa" de intimidad está pensada para su disfrute por grupos selectos y no para los extractos más humildes de la población. Pérez Luño, A. E., *Derechos Humanos, Estado de Derecho y Constitución*, op. cit. pág. 322.

[18] Pérez Luño, A.E., *Derechos Humanos, Estado de Derecho y Constitución*, op. cit. pág. 322.

[19] "Los pensamientos íntimos de una persona discurren sobre todo tipo de cosas —sagradas, profanas, puras, obscenas, graves, y triviales— sin vergüenza o censura; lo cual no puede hacerse con el discurso verbal más allá de lo que sea aprobado por el juicio según el tiempo, el lugar y las personas" Hobbes, T. 1957, *Leviatán*, Londres: J. M. Dent & Sons Ltd., pág. 34.

marcase una distinción entre la esfera privada y la pública. A la primera correspondería el ámbito del poder y la dominación y a la segunda, el ámbito del individuo y la libertad. El principio de libertad de Mill, entendido como autonomía individual, se sustenta en la idea de que en aquellos aspectos que conciernen solo al individuo: su propio cuerpo, su mente, etc., éste tiene derecho a una absoluta independencia. El ámbito de la intimidad, por tanto, es el reducto último de la personalidad, es el espacio donde el individuo es soberano, donde decide las formas de comportamiento social, privado o público[20].

La relación entre la libertad, entendida como autonomía, y la intimidad sigue siendo inexcusable para comprender la noción moderna de intimidad. En primer lugar, si entendemos la intimidad como el derecho al control de la información referente a uno mismo, y admitimos que la autonomía es la autodeterminación del individuo, entonces la intimidad está, al menos en parte, constituida por la autonomía. Desde este punto de vista, la intimidad se entiende como la facultad de control sobre la información que concierne a los individuos y la decisión de lo que se expone ante los demás. En segundo lugar, si concebimos la intimidad como un límite para que los demás no puedan acceder a la información que solo nos conciernen a nosotros, propiciamos las condiciones materiales para el desarrollo de la autonomía y libertad de pensamiento y de acción. La misma idea ha sido defendida por Bobbio, para quien ser libre, en sentido de que debe ser protegido y favorecido en la expresión de su libertad, quiere decir que "todo ser humano debe tener una esfera de actividad personal protegida contra la injerencia de todo poder externo, en general del poder estatal"[21].

Merece una referencia especial en este punto el famoso y breve ensayo jurídico "The Right to Privacy" de Samuel Warren y Louis Brandeis, publicado en la revista *Harvard Law Review* en 1890. Este artículo representa un punto de inflexión en la definición de las bases doctrinales y técnico-jurídicas del derecho a la intimidad contemporáneo. Desde el inicio del texto, Warren y Brandeis manifiestan la necesidad de definir un principio que pueda ser invocado para proteger

---

[20]    Stuart Mill, J. 1998, *Sobre la Libertad*, Madrid: Alianza.
[21]    Bobbio, N. 1991, *El tiempo de los derechos*. Madrid: Sistema, pág. 44.

la vida privada del individuo frente a la intrusión por modernos mecanismo de reproducción y difusión de imágenes que amenazaban a
la información privada. Samuel Warren había sufrido la intromisión
en su ámbito privado con la publicación de las actividades personales
y sociales mantenidas dentro y fuera de su hogar. Hechos que se agravaban por ser Warren el esposo de la hija de un prestigioso Senador
de los Estados Unidos lo que propició la curiosidad y la chismografía
de la prensa[22]. En esta época los medios tecnológicos de incursión en
sus vidas privadas que denunciaban estos autores estaban relacionados con la captura de imagen a distancia y sin permiso a través de
fotografías y la distribución de las mismas en los medíos de comunicación. Entre las demandas que exigían estos autores se encuentran el
derecho de una persona particular a impedir que su retrato se divulgue; el derecho a estar protegido de un debate en la prensa sobre un
asunto privado. El amparo de las relaciones sociales y familiares ante
una publicidad despiadada; la protección a los pensamientos, sentimientos y emociones humanas. Mediante este derecho se invoca a no
ser molestado; el derecho a impedir la publicación y reproducción de
obras literarias o artísticas, cuestiones éstas que en determinadas circunstancias, solo es posible a través del derecho a la intimidad como
parte del derecho a la inviolabilidad de la persona[23].

---

[22]    "Los recientes inventos y los nuevos métodos de hacer negocio fueron focos de
        atención en el siguiente paso que hubo de darse para amparar a la persona, y
        para garantizar al individuo lo que el Juez Cooley denomina el derecho 'a no ser
        molestado'. Las instantáneas fotográficas y las empresas periodísticas han invadido los sagrados recintos de la vida privada hogareña; y los numerosos ingenios
        mecánicos amenazan con hacer realidad la profecía que reza: 'lo que se susurre
        en la intimidad, será proclamado a los cuatro vientos'". Warren, S. Brandeis, L.
        D., *El derecho a la Intimidad*, op. cit. pág. 25.

[23]    Warren, S. y Brandeis, L. D., *El derecho a la Intimidad*, op. cit. pág. 61. Muchas
        décadas después, la Declaración Universal de los Derechos Humanos de 1948
        establecía en su artículo 12 que "Nadie será objeto de injerencias en su vida
        privada, su familia, su domicilio o su correspondencia ni de ataques a su honra
        o reputación. Toda persona tiene derecho a la protección de la ley contra tales
        injerencias o ataques". Este artículo confiere al derecho a la intimidad un reconocimiento internacional que proporcionaría, posteriormente, el desarrollo normativo del derecho a la intimidad en muchos Estados. El derecho a la Intimidad
        está reconocido y garantizado como derecho fundamental y desarrollado en el
        ordenamiento jurídico español y en numerosas directrices europeas. El Convenio
        de Roma para la Protección de los Derechos Humanos y las Libertades Funda-

En la actualidad, trazar los límites de la intimidad y determinar un ámbito definitivo para su protección sigue siendo una tarea difícil. Como ponen de manifiesto varios autores[24], las definiciones legales y los pronunciamientos jurisprudenciales que intentan tutelar este derecho no establecen un concepto unívoco, se basan esencialmente en tipificar los supuestos que amenazan o vulneran la intimidad. A ello se une una mayor complejidad si lo que pretendemos es delimitar el contenido de este derecho en las circunstancias que presenta la sociedad tecnológicamente desarrollada. Las controversias suscitadas han encontrado respuestas desde distintos ámbitos doctrinales jurídicos y las investigaciones más recientes han derivado en la configuración de una noción de intimidad amplia, flexible y contextual. En todo caso, como sostiene Pérez Luño, "en nuestra época resulta insuficiente concebir la intimidad como un derecho garantista (*status negativo*) de defensa frente a cualquier invasión indebida de la esfera privada, sin contemplarla, al propio tiempo, como un derecho activo de control (*status positivo*) sobre el flujo de informaciones que afectan a cada sujeto"[25]. Como señala Solove[26], la privacidad es una necesidad que urge a los particulares como consecuencia de las presiones que ejerce la vida en sociedad sobre su ámbito íntimo, de manera más apremiante en el actual entorno tecnológico relacionado con los nuevos sistemas de información y comunicación.

### 2.3. *La tricotomía íntimo/privado/público: la difícil delimitación de los márgenes*

Como apuntábamos anteriormente, la delimitación de los márgenes de la protección que proporciona el derecho a la intimidad desde

---

mentales de 1950, ratificado por España el 26 de octubre de 1979 reconoce que toda persona tiene derecho al respeto de su vida privada y familiar, de su domicilio y de su correspondencia (art. 1, art. 2).

[24] Pérez Luño, A. E. op. cit. pág. 327; Sabater, M. C., "Vidas de Cristal. Análisis del derecho a la Intimidad en la sociedad de la información", en *Intersticios, Revista Sociológica de Pensamiento* Crítico, Vol. 2 (1) 2008.

[25] Pérez Luño, A. E., *Derechos Humanos, Estado de Derecho y Constitución*, op. cit. pág. 330.

[26] Solove, D. J., 2008, *Understanding Privacy*, Cambridge, MA: Harvard University Press.

el punto de vista jurídico, conlleva múltiples dificultades si tenemos en cuenta las transformaciones e innovaciones tecnológicas que afectan tanto al ámbito intimo/privado como al público.

En el seno del pensamiento jurídico anglosajón se establece una distinción entre lo privado y lo público demarcando así dos espacios: el espacio de la intimidad y el espacio de la visibilidad. No es el caso de la tradición jurídica alemana ni la continental en general, donde se tiende a establecer límites que van desde lo íntimo a lo privado pasando por lo individual hasta llegar a lo público. Entre estas tesis destaca la *teoría de las esferas* de Hubmann, *las modalidades del aislamiento* de Frosini, y los *torts* o *agresiones a la privacidad* de William Prosser. Según la *teoría de las esferas*[27], la *esfera íntima* se corresponde con ámbito de lo secreto, los sentimientos, los pensamientos, las creencias, etc., y se viola cuando se difunden o comunican sin consentimiento; en segundo lugar, la *esfera privada* se refiere al espacio de la vida personal que se desea mantener al margen de la injerencia de sujetos ajenos; y finalmente, *la esfera individual* equivale a aquello que concierne a la singularidad individual (imagen, reputación, datos personales, etc.).

La *teoría de las modalidades del aislamiento* de Frosini define cuatro espacios: la soledad, la intimidad, el anonimato y la reserva[28]. Prosser en su *Law of Torts*, enumeró cuatro áreas de tutela de la intimidad: i) contra la intrusión en la soledad, o en los asuntos privados de uno; ii) contra la revelación de actos privados o embarazosos; iii) contra la publicidad que coloca a uno en una falsa imagen ante el público; y iv) contra la apropiación del nombre de uno en beneficio de otro[29]. A estos autores se une García Morente con su obra *Ensayo sobre la vida privada*. Morente formula la *teoría de los polos contrapuestos* según la cual "la vida privada se desenvuelve en infinitas gradaciones y matices que oscilan entre los dos polos de la absoluta publicidad —cuando la persona desaparece por completo bajo la ves-

---

[27]  Hubmann, H. 1967, *Das Persönlichkeitsrecht*, Köln: Böhlau, pág. 268, cit. en Pérez Luño, A. E., *Derechos Humanos, Estado de Derecho y Constitución*, op. cit. pág. 328.

[28]  Frosini, V. 1990, *La protección de la intimidad, Derecho y Tecnología informática*, Bogotá: Temis.

[29]  Prosser, W., 1955, *Handbook of the Law of Torts*, St. Paul: West.

tidura social— y la absoluta soledad, en donde la persona vive íntegra y absolutamente su vida auténtica"[30].

En su trabajo "Lo Íntimo, lo Privado y lo Público", Garzón Valdés[31] se pregunta si es posible delimitar exactamente el ámbito de lo privado y por lo tanto, de lo público, y en caso afirmativo si la distinción público-privado es exhaustiva. En el transcurso de su respuesta encontramos una delimitación de lo íntimo, lo privado y lo público con objeto de determinar el alcance moral o jurídico de los actos realizados en cada uno de estos ámbitos. En primer lugar, Garzón considera lo *íntimo* como el ámbito de los pensamientos, las decisiones, las dudas, etc. Dentro de este espacio se encontrarían aquellas acciones que no requieren la intervención de terceros, en definitiva, y como diría Mill, es el medio donde el individuo ejerce su autonomía personal, el último reducto de la personalidad. Por otro lado, entiende la *privacidad* como el terreno donde pueden predominar los deseos y preferencias individuales, donde solo pueden acceder los que deseen libremente los individuos. En último lugar, lo *público* se caracteriza por la libre accesibilidad de las actividades y decisiones de las personas en la sociedad. Esto es aún más evidente cuando los individuos desempeñan un cargo dotado de autoridad político-jurídica. En este caso, la publicidad de sus actos se convierte en un elemento esencial del Estado de derecho[32]. En suma, lo *íntimo* se caracteriza por su opacidad, lo que distingue lo *público* es la trasparencia y lo *privado* es la "esfera personal reconocida", como diría Sen[33], o el "espacio de la trasparencia relativa" que señala Garzón.

¿Qué relación existe entre estos tres ámbitos? La teoría de las esferas y las posiciones doctrinales tradicionales consideran que no habría más conexión entre ellas que la que los individuos estableciesen y las que se dispusiesen en el marco normativo vigente. En el Estado

---

[30] García Morente, M., 2001, *Ensayo sobre la vida privada*, Madrid: Ediciones Encuentro.
[31] Garzón Valdés, E., "Lo Íntimo, lo Privado y lo Público", en *Revista Claves de Razón Práctica*, nº 137, 2003.
[32] Garzón Valdés, E., "Lo Íntimo, lo Privado y lo Público", op. cit. págs. 15 y ss.
[33] Sen, A., "Liberty and social choice" en Booth, W. J., James, P., Meadwell, H. (eds.), *Politics, and Rationality*. Cambridge: Cambridge University Press, 1993, págs. 11-32. Garzón Valdés, E., "Lo Íntimo, lo Privado y lo Público", op. cit. pág. 18.

social de derecho democrático y liberal esa relación transcurriría en dos direcciones inversas: desde lo íntimo a lo público y desde lo público a lo íntimo. Con respecto a la primera trayectoria (de lo íntimo/privado a lo público), si admitimos, como sugiere Garzón, que "el velo que protege la intimidad puede ser levantado solo por el individuo en uso de su discreción, no habría mayor inconveniente en aceptar que si alguien desea hacerlo puede, en principio, desvelar la intimidad de su personalidad", lo que significaría la eliminación o la reducción de lo secreto, de los sentimientos y de los pensamientos[34]. No obstante, habitualmente, se tiende a preservar la intimidad interponiendo barreras que impidan la injerencia de terceros. La interacción en el espacio público, se realiza adecuando el comportamiento a las reglas convencionales de la vida social y las restricciones normativas que la regulan, procurando salvaguardar aquellos aspectos de la personalidad que decidimos que han de permanecer en el ámbito privado. No sucedería lo mismo si el papel que una persona desempeña en la sociedad tiene connotaciones públicas ya que en estos casos, trazar un límite infranqueable entre lo privado y lo público es muy difícil. Esto se debe a lo que Thompson denomina "nuevas formas del contexto público mediático". En su opinión, el desarrollo de los medios de comunicación iniciado en la modernidad con la imprenta y seguido por el avance de los medios electrónicos en nuestros días (radio, dispositivos móviles, televisión, Internet, etc.), ha dado lugar a nuevas formas de visibilidad, es decir, han permitido una *nueva forma de intimidad mediática* a través de la cual los personajes públicos, los representantes políticos, etc., se presentan a sí mismos como personas cercanas, familiares y no solo como líderes o famosos, revelando selectivamente a sus audiencias aspectos de su vida privada[35].

Si atendemos ahora al recorrido opuesto, (de lo público a lo privado/intimo), constatamos que el incremento de los recursos tecnológicos propicia "la invasión de lo público en lo íntimo/privado". La intromisión de lo público en el ámbito privado de las personas es cada vez más frecuente y encuentra su justificación en múltiples razones, todas ellas en base al interés general de la sociedad. Garzón ofrece

---

[34]  Garzón Valdés, E., "Lo Íntimo, lo Privado y lo Público", op. cit. pág. 20.
[35]  Thompson, J. B. "Los límites cambiantes de la vida pública y privada" en *Nueva Época*, n° 15, enero-junio, 2011, págs. 11-42.

varios ejemplos de casos en los que el poder público se permite intervenir en el espacio reservado a la privacidad limitando el control y el poder de las personas en esa esfera: la intervención del Estado en el ámbito familiar (la violación de la autonomía familiar) para regular la educación de los niños y asegurar así la vigencia de los principios de igualdad y no discriminación; el control fiscal, justificado en razón a la justicia distributiva; la persecución de los delitos sexuales y violencia de género en el hogar, etc. Garzón concluye diciendo que "la esfera privada no puede, en este sentido ser un coto reservado para la comisión de delitos" y apostilla convencido de "que una sociedad no deja de ser decente porque no admita la impunidad en la esfera privada"[36]. Por otro lado, se da el caso en el que los individuos voluntariamente desvelan su intimidad sin ningún pudor a través de los medios de comunicación e información, y un fenómeno particular de esto se da en el entorno de Internet y las redes sociales. Ya se trate de un asunto de adulterio, enfermedad grave, escándalo familiar o cualquier otro asunto morboso no existe contención ante millones de espectadores si se ofrece la oportunidad de contarlo en programas de televisión especializados en estos asuntos. Ante esto Umberto Eco afirma que en la actualidad las personas no desean la *privacy* y que de lo que deberían preocuparse las "distintas autoridades en defensa de ella es hacer que sea considerada un bien precioso por parte de los que entusiastamente han renunciado a ella"[37].

Las redes sociales y otros recursos informáticos asociados a Internet, las nuevas aplicaciones en dispositivos móviles, las bases de datos personales, los sistemas de control de la información de los ciudadanos a través de sofisticados mecanismos para garantizar la seguridad y el orden social, etc., nos plantean una manera distinta de entender la tricotomía intimo/privado/público y una reflexión. En primera instancia, la proliferación de las nuevas tecnologías de la información y la comunicación ha quebrado los límites que establecía la *teoría de las esferas* a la hora de explicar los distintos ámbitos de la intimidad, la privacidad y lo público, ya que es difícil preservar "espacios puros" de la injerencia del aparato estatal-administrativo por un lado, y la con-

---

[36]     Garzón Valdés, E., "Lo Íntimo, lo Privado y lo Público", op. cit. pág. 30.
[37]     Eco, U., *La Nación*, Buenos Aires, 14/06/1998.

tención en la libre disposición de los ciudadanos a exponer aspectos de su vida íntima/privada en espacios públicos (físico o virtuales). El libre y doble tránsito de la información personal de unas esferas a las otras nos permite esbozar una *teoría de la espiral* según la cual, si bien se sigue considerando un centro de exclusión de la intromisión ajena, se ha perdido el control pleno de la información íntima y personal. Los nuevos medios tecnológicos permiten que nada quede oculto o secreto y con ello se acrecienta el peligro de vulneración de la intimidad.

Como sugiere Thompson, los límites cambiantes entre la vida pública y privada, propiciada por el auge de la privacidad *desespaciada* y la visibilidad mediática (y virtual), definen un terreno de lucha donde los individuos y las organizaciones sostienen un nuevo tipo de guerra por la información, y usan todos los medios que tengan a su disposición para obtenerla sobre los demás y controlarla sobre sí mismos[38].

## 3. LA NECESIDAD DE UNA RECONCEPTUALIZACIÓN DE LA INTIMIDAD EN LA ERA TECNOLÓGICA

Los avances tecnológicos de las últimas décadas han incidido considerablemente en la evolución del concepto y la protección jurídica de la intimidad. La noción de privacidad, como hemos visto, es difícil de precisar dada la influencia de distintos factores contextuales: sociales, circunstanciales y en nuestros días, tecnológicos. Tradicionalmente se ha formulado la intimidad en términos de autonomía, secreto, libertad, desarrollo de la personalidad, sustrato inviolable de la dignidad personal, etc., en la actualidad se reivindica como derecho del control de la información personal. Se demanda la protección de la información personal frente al potencial invasivo de las nuevas tecnologías, su almacenamiento, procesamiento, difusión y utilización en el ámbito telemático. Aunque el control de la información personal (*informational privacy*) se contempla de manera general en las distintas formulaciones del derecho a la intimidad, este aspecto se redimensiona en la sociedad globalizada del siglo XXI, demandando

---

[38]    Tompson, J. B., "Los límites cambiantes de la vida pública y privada", op. cit. pág. 35.

nuevos mecanismos de protección suficiente ante los nuevos desafíos que traen consigo la tecnología de la información y la comunicación.

Ante las eventuales invasiones de la privacidad por parte de los nuevos mecanismos la información durante las décadas de los sesenta y setenta en los Estados Unidos, comenzaron a surgir algunas contribuciones doctrinales que definían el concepto de privacidad considerando el aspecto informacional como un factor relevante en una sociedad cada vez más informatizada. En este sentido, Fried[39] entendía el derecho a la privacidad como el poder de control sobre la información personal, no solo cuantitativa (cantidad de información personal a la que tienen acceso terceras personas) sino cualitativa (el tipo de información de que pueda disponerse)[40]. En la misma línea, Westin contribuyó a la delimitación de la privacidad como control de la información, definiendo la privacidad como el derecho a decidir cuándo, cómo y en qué medida la información personal es comunicada a los otros, esto es lo que él denomina *autodeterminación informativa*[41]. Los riesgos que aquejan al control del flujo de los datos personales en el tratamiento informático, llevó a Miller a definir el derecho a la privacidad como la capacidad del individuo de controlar el flujo de la información que le concierne, capacidad esencial para el establecimiento de las relaciones sociales y el mantenimiento de la libertad personal[42]. Ante estas concepciones del derecho a la intimidad, Schwartz mantiene una posición escéptica sobre la facultad de los individuos para controlar su información personal, sobre todo, para ejercer su *autodeterminación informativa* en el terreno de las tecnologías de la información y la comunicación en Internet. Por ello, propone una regulación estatal que garantice "el control efectivo sobre el flujo de información personal, formulando así un modelo estatal que interviene en el ámbito informacional individual por ser éste un valor

[39]   Fried, Ch., "Privacy", en *Yale Law Journal*, vol. 77, 1967-1968, págs. 475-493

[40]   *Vid.* Saldaña, M. N., "La protección de la privacidad en la sociedad tecnológica. El derecho constitucional a la privacidad de la información personal en los Estados Unidos", en *Araucaria*, vol. 9, núm. 18, págs. 85-115, 2007, pág. 98.

[41]   Westin, A. F., 1967, *Privacy and Freedom*, New York, Atheneum, pág. 7. *Vid.* Saldaña, M. N., "La protección de la privacidad en la sociedad tecnológica..." op. cit. pág. 99.

[42]   Miller, A. R. 1971, *The Assault on Privacy. Data Banks and Dossiers*, Ann Arbor, University of Michigan Press. *Vid.* Saldaña, M. N., "La protección de la privacidad en la sociedad tecnológica..." op. cit. pág. 99.

constitutivo esencial del nuevo paradigma sociológico de principios del siglo XXI"[43]. La cuestión es que una regulación estatal no tendría capacidad de garantizar la información de sus ciudadanos ya que no existen fronteras en el ciberespacio donde se almacena, analiza y difunde mucha de esta información.

## 3.1. El contexto tecnológico y las nuevas amenazas a la intimidad

Como venimos subrayando, la innovación en el campo de las tecnologías de la información y la comunicación han configurado una nueva y compleja realidad social cuyas características más relevantes giran en torno a Internet y sus ilimitadas posibilidades, donde: a) la información es fuente de poder a todos los niveles; b) el mundo está globalizado, y existen a su vez varios tipos de globalización (entre ellas la mundialización de la información); y c) las nuevas tecnologías sirven de motor a las dos características anteriores[44]. En opinión de Campuzano Tomé, la sociedad de la información es "un nuevo modelo de organización industrial, cultural y social caracterizado por el acercamiento de las personas a la información a través de las nuevas tecnologías de la comunicación"[45]. Y es ante este nuevo escenario donde Galán propone que "el derecho tiene que adaptar sus estructuras y sus conceptos tradicionales a la realidad digital"[46]. Nadie duda

---

[43]    Schwartz, P. M., "Privacy and Democracy in Cyberspace" en *Vanderbilt Law Review*, vol. 52, págs. 1609-1701, 1999 y Schwartz, P. M., "Internet, Privacy and the State" en *Connecticut Law Review*, vol. 32, págs. 815-859, 2000. Saldaña, M. N., "La protección de la privacidad en la sociedad tecnológica..." op. cit. pág. 101.

[44]    Ballesteros Moffa, L. A., 2005, *La privacidad electrónica. Internet en el centro de protección*, Valencia, Tirant lo Blanch, págs. 34-37.

[45]    Campuzano Tomé, H., 2000, *Vida Privada y Datos Personales*, Madrid, Tecnos. Ver también los interesantes artículos de Holgado González, María, "Intimidad y Nuevas Tecnologías en el entorno Laboral" en AAVV, 2012, *Constitución y Democracia, Ayer y hoy. Libro Homenaje a Antonio Torres del Moral*. Madrid: Editorial Universitas; Toscano Gil, Francisco, "Publicación de actos administrativos y protección de datos personales" en *Revista General de Derecho Administrativo*, nº 31; Carrizosa Prieto, Esther, "El principio de proporcionalidad en el Derecho de Trabajo", *Revista Española de Derecho del Trabajo*, núm. 123, 2004.

[46]    Galán Muñoz, A., 2010, *Libertad de expresión y responsabilidad penal por los contenidos ajenos a Internet*, Valencia, Tirant lo Blanch.

de la utilidad y versatilidad que nos aportan estas tecnologías, sin embargo, con ellas aparecen también amenazas a los derechos fundamentales, entre ellos al derecho a la intimidad.

Un breve repaso de algunos de los sistemas tecnológicos de la información y de la comunicación nos permitirá entrever el poder de estas aplicaciones y su relación con la intimidad.

*Sistemas de vigilancia y seguimiento.* La pesadilla distópica descrita en la novela de George Orwell en 1984 no está tan lejos de nuestra realidad cotidiana. En la actualidad existen sistemas de video vigilancia y seguimiento que en muchos casos superan la ficción de Orwell. En las grandes ciudades del mundo y en otras, no tan populosas, se utilizan numerosas cámaras con avanzada tecnología para mantener una vigilancia y seguimiento de las actividades de sus ciudadanos (en pro de la seguridad y el control social). En Londres[47], por ejemplo, el sistema de circuitos cerrados de televisión (CCTV) dispone de un software para etiquetar a personas específicas, rastreándolas a través de todo el sistema e incluso ejecutar una "búsqueda" sobre ellos en circunstancias anteriores. Estos circuitos de televisión se encuentran en localizaciones estratégicas como aeropuertos, estaciones de transportes, centros comerciales, parques, calles, escuelas, etc.

Helen Nissenbaum, en su libro *Privacy in Context. Technology, Policy, and the Integrity of Social Life*, proporciona un nutrido repertorio de sistemas tecnológicos de seguimiento y vigilancia mostrando el alcance y la repercusión negativa que estos dispositivos tienen sobre la intimidad de las personas. Esta variedad de sistemas sociotecnológicos van desde la vigilancia visual a la grabación de la voz y otras sofisticadas aplicaciones[48], suministrando una gran cantidad de información biográfica y geofísica. La primera vez que se discutió sobre video vigilancia urbana en Europa fue 1997 a raíz de uno de los temas clave de la conferencia europea sobre "Prevención del crimen: hacia un nivel europeo", organizada por la Presidencia holandesa de

---

[47]   En 2010 Londres tenía 7 684 700 habitantes, 60.000 cámaras distribuidas en toda la ciudad, y el responsable de ellas era la autoridad local. Ver AAVV. 2010, *Ciudadanos, ciudades y videovigilancia Hacia una utilización democrática y responsable de la videovigilancia*, Foro Europeo para la Seguridad Urbana.

[48]   Nissenbaum, H., 2010, *Privacy in Context, Technology, and the Integrity of Social Life*, Stanford, CA: Stanford Law Books, págs. 34 y ss.

la Unión Europea en Noordwijk (Países Bajos). En la declaración de clausura de dicha conferencia se concluyó diciendo que: "Las cámaras, como una herramienta para prevenir el crimen, son en general un modo nuevo y rentable de infundir confianza a los ciudadanos que se sienten inquietos por su seguridad, porque disuaden la criminalidad y suministran un elemento de apoyo al ministerio fiscal. No obstante, los sistemas de video vigilancia o circuitos cerrados de televisión (CCTV) solo deben ser usados (dentro del marco de trabajo) de una política más amplia, local y/o nacional, de prevención del crimen (...) y deben estar en manos de personal entrenado (...). El público debe ser advertido de que se emplean estos sistemas y se debe preservar la privacidad"[49]. No siempre es así. Las amenazas a los derechos fundamentales es evidente si no se establecen mecanismos de protección de los ciudadanos. Esto es especialmente cierto en el caso de personas y miembros de algunas minorías en las grandes ciudades, que ya de por sí pueden ser objeto de vigilancia e injustamente perseguidos por la policía y las autoridades locales.

Las cámaras de seguimiento y video vigilancia no solo representan una intrusión en nuestras vidas sino que generan la sensación de incertidumbre y una amenaza a nuestra experiencia de la privacidad en el espacio público. Es normal que algunas personas, además de sentir una pérdida de privacidad, "modifiquen su forma de actuar, no porque crean que estén haciendo algo malo, sino porque no desean llamar la atención de la policía o correr el riesgo de que sus acciones sean malinterpretadas"[50]. Ser observado por un sistema de video vigilancia, como sostiene el filósofo y criminólogo Andrew von Hirsch, "es como desarrollar nuestras actividades en un lugar con un cristal de espejo, por lo cual mientras que uno sabe que nos están observando detrás del espejo, no necesariamente sabemos quiénes son o

---

[49]  Recomendaciones de la conferencia europea sobre "Prevención del crimen: hacia un nivel europeo", Noordwijk, 11-14 de mayo de 1997, en *European Journal on Criminal Policy and Research*, Vol. 5, N° 3 (septiembre de 1997), págs. 65-70 (66).

[50]  Goold Benjamin J., "Videovigilancia y derechos humanos", en AAVV. 2010, *Ciudadanos, ciudades y videovigilancia.*
*Hacia una utilización democrática y responsable de la videovigilancia*, op. cit. págs. 29-30.

qué están buscando los que están del otro lado"[51]. También, en este sentido, Giovanni Buttarelli, Supervisor Adjunto Europeo de Protección de Datos, afirma lo siguiente: "Ser observado cambia el modo de comportarse. Por cierto, cuando somos observados muchos de nosotros censuramos lo que decimos o lo que hacemos y ciertamente tal es el efecto de una vigilancia continua y generalizada. Saber que cada movimiento y que cada gesto está controlado por una cámara puede tener un impacto psicológico y cambiar nuestro comportamiento, lo cual constituye una intrusión en nuestra privacidad"[52].

Pero existen además otros sistemas de seguimiento y vigilancia. Los teléfonos móviles y tabletas con tecnología 3G y 4G están equipados con GPS (*Global Positioning Systems*) que permiten la situación exacta de los usuarios a través de satélites. En EEUU, los padres preocupados de sus hijos utilizan el sistema de "localización social" denominado *Verizon Chaperone* para saber dónde se encuentran sus hijos en cada momento[53]. Junto a los GPS, las cajas negras en los vehículos, que muchos usuarios desconocen que tienen, están dotados de una tecnología EDRS (*Electronic Data Recorders*) que recogen y gravan datos como la velocidad, el uso de cinturones, el estado de frenos, aceleración, etc. Una gran mayoría de ciudadanos no tienen conocimiento de otras tecnologías de vigilancia y rastreo como el sistema ANPR (*Automatic Number Plate Reconigtion*); de la identificación mediante radio frecuencia (RFID, *Radio Frecuency Identification*)[54], etc. Igualmente, las transacciones que realizamos a través de Internet pueden ser vigiladas. Aunque todos estos sistemas están esencialmente enfocados a mejorar la seguridad de usuarios y ciudadanos en general, no existen mecanismos de información a los mismos que les permitan

---

[51]   Von Hirsch, A. (2000), "The Ethics of Public Television Surveillance" in von Hirsch, A., Garland, D. and Wakefield, A. (eds.) *Ethical and Social Perspectives on Situational Crime Prevention* (Hart Publishing: Oxford).

[52]   Restricciones legales "Vigilancia y derechos fundamentales", Discurso de Giovanni Buttarelli, Supervisor Adjunto Europeo de Protección de Datos, en el Palacio de Justicia, Viena, 19 de junio de 2009 (se lo pueden consultar en: www.edps. europa.eu/ /site/ /09-06-19_Vienna_surveillance_EN.pdf).

[53]   "GPS child tracking service called Verizon Chaperone", Ver Nissenbaum, H., 2010, *Privacy in Context, Technology, and the Integrity of Social Life*, op. cit, pág. 24.

[54]   Ibíd. págs. 31 y ss.

tener conciencia de ellos ni de las consecuencias que puede tener para sus vidas. Como dice Nissenbaum, es una paradoja que, por un lado, se les ofrezca a los individuos la posibilidad de comunicarse e interactuar entre ellos, con otros grupos y organizaciones en su esfera privada, mientras que, por otro lado, se les exponga a una vigilancia y seguimiento sin precedentes.

*Sistemas de almacenamiento y procesamiento de datos. Del análisis de la información al conocimiento.* Las innovaciones científicas y tecnológicas, las nuevas necesidades del comercio moderno, el desarrollo industrial y de los servicios a los ciudadanos ofrecidos por las administraciones del Estado, etc., han propiciado la creación de distintas bases de datos de carácter personal, cuyo contenido lo conforma la información privada sobre la identidad (nacimiento, muerte, estado civil, propiedades, permiso de conducir, etc.), la profesión, los datos económicos y fiscales, ideológicos, de salud, e incluso valoraciones de la personalidad, lo que Solove denomina "digital dossiers"[55].

Muchos autores han destacado no solo la capacidad de la tecnología informática para almacenar una ingente cantidad de información, sino la posibilidad de "la interrelación o conexión de la misma, logrando sacar el máximo partido de todos los datos acumulados en los soportes automatizados"[56]. Una vez que los datos son filtrados, esto es, seleccionados aplicando criterios previamente establecidos, se obtiene la información, que una vez almacenada en un ordenador, se convierte en una base de datos. Para Pierini y otros autores, una base de datos es un "conjunto de programas de computación (*software*) que provee eficientes métodos de acceso a los datos institucionalizados" pero no solo a este tipo de datos. Cuando las bases de datos están organizadas o se implementa un sistema de manejo de las mismas se forma un banco de datos[57]. Otra característica que James B. Rule ha subrayado, es que los sistemas de recopilación de datos, una vez implantados, tienden a crecer y difícilmente pueden ser desmantela-

---

[55]  Solove, D., "Digital Dossiers and the Dissipation of Fourth Amendment Privacy", en Southern *Californian Law Review*, 75, 1083-1167, 2002.
[56]  Ballesteros Moffa, L. A., 2005, *La privacidad electrónica. Internet en el centro de protección, op. cit.* pág. 41-42.
[57]  Pierini, A., Lorences, V., Tornabene, M. I., 1999, *Hábeas data*, Buenos Aires, Editorial Universidad.

dos[58]. Conforme se perfeccionan los medios para conocer más sobre las personas, más eficaz se vuelve para las instituciones que las emplean para recopilar más datos.

El proceso de convergencia tecnológica de datos provoca que cualquier información personal circule por el mundo, queramos o no, con nuestro consentimiento o sin él. Navegar por la red, comprar por Internet, visitar una página web, consultar nuestras cuentas bancarias *on line*, pagar con una tarjeta de crédito o consultar en cualquier administración pública o privada, los perfiles en las redes sociales, dejan un rastro de nuestras preferencias, nuestras inclinaciones, nuestras ideologías, etc. Toda esta información, aunque pueda parecer irrelevante, diseminada en distintos contextos virtuales y físicos, dentro de todo un engranaje, se acumula a otra información y puede acabar teniendo mucho valor, de todo ello se extrae *conocimiento*[59]. Es lo que se denomina Knowledge Discovery in Databases (KDD). Según Fayyad, Piatetsky-Shapiro y Padhraic Smyth, "El *Descubrimiento de Conocimiento en Bases de Datos* es el proceso no trivial de identificación de patrones válidos, novedosos, potencialmente útiles y fundamentalmente comprensibles en los datos"[60]. La obtención de estos datos a través de potentes herramientas de investigación y almacenamiento de esta información proporciona perfiles de los sujetos que pueden ser utilizados con fines comerciales, de seguridad o simplemente de control sobre la ciudadanía. A través del proceso de la Minería de Datos (*Data Mining*), se realizan análisis de bases de datos con el fin de descubrir o extraer información inherente a los datos objeto de análisis, de modo que sea de utilidad en la toma de decisiones que impliquen beneficios, ya sean comerciales, de control, de inferencia en

---

[58]   Rule, J., *Privacy in Peril: How We are Sacrificing a Fundamental Right in Exchange for Security and Convenience*, Oxford University Press, 2007.

[59]   Ver los siguientes artículos relacionados con la minería de datos: Martínez-Ramos, J. L., Gómez-Expósito, A., Riquelme, J. M., Troncoso, A., Marulanda, A. R., "Influence of ANN-Based Market Price Forecasting Uncertainty on Optimal Bidding", en PSCC Power System Computation Conference, 2002 y Morales-Esteban, A., Martínez-Álvarez, F., Troncoso, A., Justo, J. L., Rubio-Escudero, E., "Pattern Recognition to Forecast Seismic Time Series" en *Expert System with Applications*, 37, págs. 8333-8342, 2010.

[60]   Fayyad, U., Piatetsky-Shapiro, G., y Smyth, P., "From Data Mining to Knowledge Discovery in Databases", en *AI Magazine* 17(3): Fall 1996, 37-54.

las preferencias y las acciones de los sujetos, etc. Ante estos peligros, la función del derecho a la intimidad es "la de proteger frente a cualquier invasión que pueda realizarse en aquel ámbito de la vida personal y familiar que el individuo desea excluir del conocimiento ajeno y de las intromisiones de terceros en contra de su voluntad"[61], pero no solo en el espacio físico sino en el ciberespacio, donde se pierde el sentido tradicional de la territoriedad y donde es más difícil establecer fronteras de protección.

Ante la posible vulneración de la intimidad en el tratamiento de los datos, la aspiración de los sujetos de controlar sus datos personales se materializa en el derecho a la *autodeterminación informativa*. Para muchos autores, esta pretensión es una derivación del derecho a la intimidad, como una especie de ramificación autónoma orientada a proteger la esfera de la vida privada. La autodeterminación informativa se concreta en la facultad de toda persona para ejercer control sobre la información personal almacenada en medios informáticos tanto por las administraciones públicas como entidades u organizaciones privadas.

El tratamiento de esta información requiere de instrumentos de regulación dada la sensibilidad de los datos que se transfieren a través de las redes informáticas. Ciertamente, se han elaborado múltiples directrices y normativas que protegen esta información del uso irregular[62], no obstante, son insuficientes y, en muchos casos, inadecuadas

---

[61]   Vilasau Solana, M., 2005, "Derecho de intimidad y protección de datos personales", en *Derecho y Nuevas Tecnologías*, Barcelona, Editorial UOC, págs. 95-9694.

[62]   La protección de datos de carácter personal es una materia que ha tomado gran relevancia en los últimos años, fundamentalmente a partir de la aprobación de la Ley Orgánica 15/1999 de Protección de Datos de Carácter Personal. La revisión y ampliación de esta Ley se concretó en el Real Decreto 1720/2007, de 21 de diciembre. La legislación española contempla el derecho a la intimidad en el artículo 18 de la Constitución Española donde se señala lo siguiente: Se garantiza el derecho al honor, la intimidad personal y familiar y a la propia imagen. También en el seno de la Unión Europea existen varias normas relativas a la protección de datos de carácter personal. La primera de ellas fue la Directiva 95/46/CE del Parlamento Europeo y del Consejo relativa a la protección de las personas físicas en lo que respecta al tratamiento de datos personales y a la libre circulación de los dato. Le siguieron otras como la Directiva 97/66/CE del Parlamento Europeo y del Consejo del 15 de diciembre de 1997, relativa al tratamiento de los datos

para tipificar los delitos que se comenten en el procesamiento, almacenamiento, control, uso y publicidad de estos datos. Este tema está
siendo analizado y debatido por numerosos juristas penalistas con
el objeto de que el derecho aborde el tráfico y el uso irregular de los
datos personales en Internet.

*Sistemas de difusión de la información.* En poco más de dos décadas Internet se ha convertido en el más poderoso sistema de difusión de la información conocido hasta ahora. Es una plataforma
tecnológica que potencia el valor de la información y promueve un
nuevo paradigma cosmopolita, donde cualquier persona, en cualquier
lugar, puede expresarse ante el mundo entero. En la actualidad, Internet se configura como una "referencia ineludible de la sociedad de la
información"[63]. Una vez que se incorpora información en la Red "es
imposible detenerla, y aunque posteriormente intente ser retirada por
su titular, impensable cantidad de copias pueden estar circulando de
forma ingobernable o haber ingresado a un sinnúmero de bases de
datos"[64]. La conexión mundial de bases de datos, intercomunicadas
en el ciberespacio, permite que casi todo lo relativo a un individuo
pueda ser descubierto, analizado e incluso aprovechado por alguien

---

personales y a la protección de la intimidad en el sector de las telecomunicaciones. Otras Directivas importantes posteriores fueron finalmente modificadas
por la 2009/136/CE del Parlamento Europeo y del Consejo de 25 de noviembre
de 2009, por la que se modifican la Directiva 2002/22/CE relativa al servicio
universal y los derechos de los usuarios en relación con las redes y los servicios
de comunicaciones electrónicas, la Directiva relativa al tratamiento de los datos
personales y a la protección de la intimidad en el sector de las comunicaciones
electrónicas y el Reglamento (CE) n° 2006/2004, sobre la cooperación en materia de protección de los consumidores. La Decisión Marco 2005/222/JAI, art. 2,
que obliga a todos los Estados de la Unión a sancionar penalmente los accesos
ilegales a los sistemas de información. Ver el interesante artículo y la discusión
planteada en Galán Muñoz, A. "La Internacionalización de la represión y la persecución de la criminalidad informática: un nuevo campo de batalla en la guerra
entre prevención y garantías penales" en *Revista Penal*, n° 24, julio 2009, pág.
94 y ss. Ver también, Carrizosa Prieto, Esther, "El control empresarial sobre el
uso de los equipos informáticos y la protección del derecho a la intimidad de los
trabajadores" en *Temas Laborales*, 2012.

[63]   Ballesteros Moffa, A., 2005, *La privacidad electrónica. Internet en el centro de
protección, op. cit.*

[64]   Pierini, A., Lorences, V., Tornabene, M. I., 1999, *Hábeas data*, op. cit. 143.

sin mayores obstáculos si se cuenta con los medios tecnológicos adecuados[65].

Ante este fenómeno surge la imperiosa necesidad de proteger la privacidad en Internet y garantizar a las personas de un ámbito libre de intromisiones de terceros, sean éstos privados o Estatales[66].

A pesar de los intentos por regular Internet, persiste una resistencia generalizada por parte de los usuarios y otros agentes sociales ante todo tipo de control de la información que se almacena y transfiere en la red. Además, la dificultad estriba, en parte, a que la *World Wide Web* es un conjunto descentralizado —a escala mundial— de redes de comunicación interconectadas entre sí de manera que, a través del circuito que las vincula, pueden transmitirse información compartiendo datos y programas.

Junto a los indiscutibles beneficios que ha traído consigo esta poderosa herramienta, existen ciertas modalidades de acceso, almacenamiento y uso electrónico de la información que resultan "invisibles" o inseguras para el usuario, y que suponen amenazas directas contra los principios fundamentales sobre los que se asienta cualquier sistema jurídico de protección de datos y del derecho a la intimidad. Ejemplos del impacto negativo de Internet sobre la vida de las personas son los fallos de seguridad en las redes, la creación de perfiles personales falsos a partir de los datos de conexión de las comunicaciones elec-

---

[65] Uicich, R. D., 1999, *Los Bancos de Datos y el Derecho a la Intimidad*, Buenos Aires, Ad-Hoc. Pág. 154.

[66] "La implementación de sistemas de espionajes electrónicos como '*Carnívoro*', desarrollado por la Oficina Federal de Investigación (FBI) que se instalaba en los equipos de los Proveedores de Servicios de Internet (ISP) al objeto de controlar las comunicaciones electrónicas que tienen lugar a través de ellos, ha cuestionado un efectivo ámbito de privacidad protegido en Internet", igualmente, "la expansión de la vigilancia electrónica de los servicios de inteligencia regulados en la Ley de Vigilancia de Inteligencia Extranjera (*Foreign Intelligence Surveillance Act* (FISA)) de 1978, han supuesto un claro retroceso en los niveles de protección de la privacidad alcanzados, generalizándose en aras de la seguridad nacional la interceptación de comunicaciones electrónicas de todo tipo en Internet", Además de estas leyes, están la ECPA Electronic Communications Privacy Act de 1986, y una de las más importantes en la última década *la USA Patriot Act*, de 2001. Saldaña, M. N., "La protección de la privacidad en la sociedad tecnológica. El derecho constitucional a la privacidad de la información personal en los Estados Unidos", op. cit. págs. 111-112.

trónicas, las comunicaciones comerciales no solicitadas y en definitiva cualquier mecanismo rastreador de información ajeno al conocimiento y consentimiento del usuario[67] (las posibles amenazas derivadas de las vulnerabilidades tanto técnicas como humanas (correo basura [spam] agresivo, el software malintencionado [malware] o los sitios web de suplantación de identidad [phishing]) para la realización de ataques delictivos organizados). Sobre otros peligros, Rheingold[68] señala que la vigilancia sobre millones de personas que están interactuando en línea debería preocuparnos tanto como cualquier otro tipo de vigilancia o control que podría llegar a ejercer sobre nosotros el Estado y otras entidades que operan en Internet. Generalmente no valoramos las consecuencias que pueden traer el uso inadecuado de la Red. Por otro lado, la carencia de una regulación adecuada[69] del ciberespacio hace que seamos más vulnerables ante las conductas lesivas y agresiones que se producen en el espacio virtual que en el mundo real.

### 3.2. *Un intento de reconceptualización: la taxonomía de la intimidad de Daniel Solove*

Durante la última década Daniel Solove ha desarrollado una teoría que fuese capaz de afrontar los nuevos desafíos que ponen en riesgo la privacidad dentro de cada contexto, entre ellos en el campo de las nuevas tecnologías de la información y comunicación. Con ello, Solove pretende aportar elementos que ayuden a promover un marco

---

[67]  Ballesteros Moffa, L. A., 2005, *La privacidad electrónica. Internet en el centro de protección, op. cit.* págs. 150-151.

[68]  Rheingold, H., 2004, *Multitudes inteligentes. La próxima revolución social*, Barcelona: Gedisa.

[69]  Como ejemplo, ya en 2009, el profesor Galán subrayaba que "Ni los enormes avances tecnológicos, ni la gran variedad de novedosas técnicas de comunicación existentes en Internet, ni el desarrollo de una importante y compleja normativa destinada a establecer un sistema de facilitador de la investigación de los delitos cometidos en el seno de esta red, han provocado cambio alguno en la Ley de Enjuiciamiento Criminal española, hecho que ha llevado a que los juristas españoles se muevan en una enorme incertidumbre a la hora de determinar cuándo y con qué requisitos se pueden interceptar algunas de las comunicaciones que se realizan en Internet". Galán Muñoz, A. "La Internacionalización de la represión y la persecución de la criminalidad informática: un nuevo campo de batalla en la guerra entre prevención y garantías penales", op. cit. pág. 100.

jurídico de protección de la privacidad más eficaz[70]. En su artículo "A Taxonomy of Privacy"[71] y en su posterior obra *Understanding Privacy*[72], este autor justifica, como ya hizo en obras anteriores[73], la imposibilidad de definir la privacidad de manera satisfactoria y concluyente ya que ésta no tiene una esencia singular o denominador común; en otras palabras, no se le puede dar un carácter universal y abstracto[74]. En su opinión, el valor de la privacidad en un contexto determinado depende de la importancia social que las distintas actividades proporcionan, esto es, no se puede interpretar la privacidad de manera uniforme en todas las circunstancias. Para subsanar en cierta medida la ambigüedad del término privacidad, y aprehender la privacidad desde el punto de vista plural y contextual, Solove elabora una clasificación diferenciada en cuatro grupos básicos de actividades susceptibles de menoscabar la privacidad: 1) (*Information collection*) Recopilación de información; 2) (*Information processing*) Procesamiento de información; 3) (*Information disemination*) Diseminación de información; 4) (*Invasion*) Invasión. El propósito de esta taxonomía es examinar los peligros que entrañan estas actividades en cada contexto para categorizarlas y posteriormente buscar posibles soluciones[75].

## 3.2.1. Recopilación de información

En este grupo Solove incluye todas aquellas acciones que intervienen en el proceso de recopilación de datos y que pueden generar daño al titular de la información recopilada, aun cuando ésta no sea

---

[70]   Solove, D. J., "Conceptualizing Privacy", en *California Law Review,* Vol. 90.1087, 2002.

[71]   Solove, D. J., "A Taxonomy of Privacy" en University of Pennsylvania Law Review, Vol. 154, n° 3, enero de 2006, Solove, D. J., 2008, *Understanding Privacy*, op. cit.

[72]   Solove, D. J., 2008, *Understanding Privacy*, op. cit. págs. 101.

[73]   Solove, D. J., "Conceptualizing Privacy", en California Law Review, Vol. 90:1087, 2002.

[74]   Solove, D. J., 2008, *Understanding Privacy*, op. cit. pág. 102.

[75]   Solove, D. J., 2008, Understanding Privacy, op. cit. págs. 101 y ss. Esta parte del trabajo está completada con la traducción de la obra de Daniel Solove en http://www.uide.edu.ec/2009/FACULTADES-Y-ESCUELAS/RECURSOS/JURISPRU-DENCIA/COMPENDIO-INTRODUCTORIO-AL-DERECHO-DE-LA-PRIVA-CIDAD.pdf (consultado el 07/05/2012).

revelada públicamente. Existen dos tipos de recopilación de información que pueden tener un impacto negativo sobre la privacidad: la *vigilancia* y la *interrogación*.

*Vigilancia*: La vigilancia no debería ser motivo de preocupación para nadie, no obstante, el aumento de sistema de vigilancia en las calles, en centros públicos, como aeropuertos[76], lugares de trabajo, etc., pone de manifiesto algunas situaciones que colisionan con el derecho a la privacidad. La vigilancia no solo puede incomodar sino que también altera el comportamiento de las personas. Al ser conscientes de estar siendo observadas, las conductas se inhiben o se falsean. Por sus efectos inhibitorios o coercitivos, la vigilancia también es una herramienta para asegurar el cumplimiento de las normas sociales[77]. No obstante, también se produce un impacto negativo sobre la libertad, la espontaneidad y el desarrollo personal, entre otros aspectos. Según Alan Westin, el hecho de conocer o temer que se está bajo vigilancia sistemática en lugares públicos destruye el sentimiento de relajación y libertad que las personas buscan en ellos y en los espacios abiertos[78].

*Interrogación*: Consiste en presionar a los individuos para que divulguen información. Aunque es un mecanismo útil para obtener información, es contraria a derecho si se lleva a cabo a través de medios coercitivos. También hay que tener en cuenta que los interrogadores, aun sin uso de la coerción, pueden manipular al interrogado para obtener la información que les conviene, darle la interpretación que quieran e incluso distorsionar la impresión que genera su revelación[79].

### 3.2.2. Procesamiento de la información

En esta categoría se incluyen las actividades relacionadas con el procesamiento de la información una vez que ha sido recopilada. Solove identifica cinco formas problemáticas en el tratamiento de la

---

[76] Guerrero Lebrón, M. "El nuevo escáner corporal de los aeropuertos: ¿violación de derechos o aumento de la seguridad?", en *Revista de Derecho del Transporte* Nº 4 (2010): 151-164.
[77] Solove, D. J., "A Taxonomy of Privacy", op. cit., pág. 499.
[78] Westin, A. F., 1967, *Privacy and Freedom*, op. cit.
[79] Solove, D. J., "A Taxonomy of Privacy", op. cit., pág. 504.

información: 1. Agregación; 2. Identificación; 3. Inseguridad; 4. Uso secundario; 5. Exclusión.

*Agregación*: Consiste en conformar el perfil de una persona a través de la agregación, triangulación y organización de datos que se han obtenido sobre ella. Cuando es analizada y filtrada, la información recopilada puede revelar nuevos datos sobre un individuo. Se genera un *conocimiento* sobre el que el sujeto no tiene control y en muchos casos este desconoce el uso que se le va a dar a ese conocimiento. Para Solove, la agregación puede ser una amenaza a la intimidad porque altera las expectativas de las personas.

*Identificación*: Consiste en asociar datos o información con un individuo en particular, para verificar su identidad. En muchas ocasiones es beneficioso e incluso necesario identificar a las personas, para evitar fraudes y garantizar que la gente sea responsable por sus actos. Pero asimismo hay que tener en cuenta que despoja a las personas de la posibilidad del anonimato. También suele incrementar el poder y el control del gobierno sobre los individuos[80].

*Inseguridad:* Esta categoría engloba delitos informáticos. Entre ellos destaca la suplantación o robo de identidad, uno de los delitos informáticos más comunes en la actualidad. La inseguridad en Internet es un problema causado por la manera ilícita en que los datos o información del usuario son manejados y protegidos. Cuando los administradores o los propios usuarios son incautos incrementan el riesgo de ser víctimas de los delitos informáticos. Aparte del robo de identidad, caben en esta categoría las lagunas y los errores en los sistemas informáticos que exponen a los usuarios a situaciones de vulnerabilidad[81].

*Uso secundario*: Es el uso de la información recopilada para fines distintos a aquellos por los cuales fue facilitada por su titular. Constituye un atentado a la intimidad por cuanto defrauda las expectativas que tienen las personas respecto al manejo de sus datos. La gente seguramente no facilitaría sus datos si supiera que pueden ser usados con fines distintos para los que fueron proporcionados. El uso

---

[80]    Solove, D. J., "A Taxonomy of Privacy", op. cit. pág. 514.
[81]    Solove, D. J., "A Taxonomy of Privacy", op. cit. pág. 518.

secundario de la información genera en su titular una sensación de incertidumbre, impotencia y vulnerabilidad.

*Exclusión:* Consiste en impedir a la gente participar en el mantenimiento y uso de su propia información. La exclusión adquiere un cariz bastante problemático en un mundo en el que cada vez es más frecuente tomar decisiones importantes sobre los individuos en base a su información personal[82].

### 3.2.3. Diseminación de información

Es uno de los grupos más amplios de la clasificación, y forman parte del mismo los problemas relacionados con la revelación de información personal o la amenaza de difundirla, a saber: 1) Quebrantamiento de la promesa de confidencialidad; 2) Divulgación; 3) Exposición; 4) Accesibilidad incrementada; 5) Chantaje; 6) Apropiación; 7) Distorsión.

*Quebrantamiento de la promesa de confidencialidad*: Cuando una persona establece una relación con un banco, un proveedor de servicio de Internet, compañías de teléfono u otras entidades, muchas veces lo hace con la expectativa de que la información sea confidencial, aunque en ocasiones debe ser revelada si el bien común así lo requiere. En otros casos, los profesionales suelen tener un deber de confidencialidad, como los médicos y abogados. Al dar protección legal a la confidencialidad se ayuda a promover ciertas relaciones basadas en la confianza.

*Divulgación*: La divulgación puede representar una amenaza a la seguridad de las personas, pues revela información que puede ser utilizada por otros para causarles un daño físico, financiero o moral. Como contrapartida, al restringir la divulgación se puede atentar contra la libertad de expresión. Pero es un hecho que tanto la libertad de expresión como las restricciones a la divulgación de información persiguen el mismo interés: promover la libertad individual.

*Exposición:* Unido al anterior aspecto, la exposición consiste en exhibir a terceros ciertos atributos físicos, psíquicos y emocionales. La exposición se diferencia de la divulgación en cuanto la primera in-

---

[82]    Solove, D. J., "A Taxonomy of Privacy", op. cit. págs. 518-523.

volucra información sobre la salud y el cuerpo de las personas, mientras que la segunda está relacionada con un rango mayor de datos relacionados con la reputación de las personas.

*Accesibilidad incrementada:* Incrementar la accesibilidad a la información personal tiene algunos beneficios, como permitir que las personas encuentren la información que necesitan con mayor facilidad. Pero también tiene riesgos, como facilitar su explotación para propósitos distintos a aquellos por los que fue originalmente publicada. Un ejemplo de ello son las bases de datos que elaboran ciertas compañías a partir de los registros públicos, con fines comerciales, o de análisis.

*Chantaje*: Consiste en exigir a una persona la entrega de una cantidad de dinero o cualquier otro fin, bajo amenaza de realizar, en caso de negativa o resistencia, revelaciones escandalosas que podrían afectar su reputación o la de su familia. Para Solove, esto se debe a la relación de poder que se crea, pues permite a una persona someter y controlar a otra.

*Apropiación:* Es el uso de la identidad o imagen de un individuo determinado para los propósitos y fines de otro. Cuando una persona es asociada con cierto producto, se vuelve conocida en función del mismo. Utilizar la imagen de una persona sin su consentimiento para promover un producto se asemeja mucho a obligarla a representar y respaldar ciertos puntos de vista. Por ello, la apropiación atenta contra la libertad y el desarrollo individual de las personas. Según Solove, es más preciso hablar de "explotación" antes que "apropiación", pero continúa usando este último término, muy vinculado con el concepto de propiedad, porque su uso es más extendido.

*Distorsión:* Solove interpreta de manera análoga la "distorsión" con la difamación. La incluye en su taxonomía en razón de su significativa similitud con otros atentados contra la intimidad. La difamación no solo afecta a los individuos, sino también a la sociedad ya que puede dañar la imagen de un país, un gobierno, un pueblo[83].

---

[83]    Solove, D. J., "A Taxonomy of Privacy", op. cit. págs. 523-548.

## 3.2.4. Invasión

Finalmente nos encontramos con el grupo de problemas que Solove relaciona con la invasión. Distingue dos tipos de invasión: 1)
Intrusión; 2) Interferencia en las decisiones.

*Intrusión:* Consiste en la afectación de la intimidad de una persona
provocada por la presencia o actividad de otra. La intrusión es cualquier acto que atenta contra el derecho que tienen todas las personas
a ser dejadas en paz. La intrusión no necesariamente involucra incursiones espaciales; el *spam*, el correo basura, no por ser aparentemente
un mal menor en el uso de las tecnologías de la información, es menos
molesto e incluso nocivo.

*Interferencia en las decisiones:* Consiste en la intromisión del Estado en las decisiones que toma cada individuo respecto a su propia
vida, por lo que se halla estrechamente relacionada con la noción de
autonomía. Algunos ejemplos de intromisión del Estado en decisiones
privadas de cada individuo serían la prohibición de usar anticoncep-
tivos, la prohibición de mantener relaciones sexuales entre personas
del mismo género, etc.[84].

---

[84]   Solove, D. J., "A Taxonomy of Privacy", op. cit. págs. 548-558

## TAXONOMÍA DE LA PRIVACIDAD DE DANIEL SOLOVE

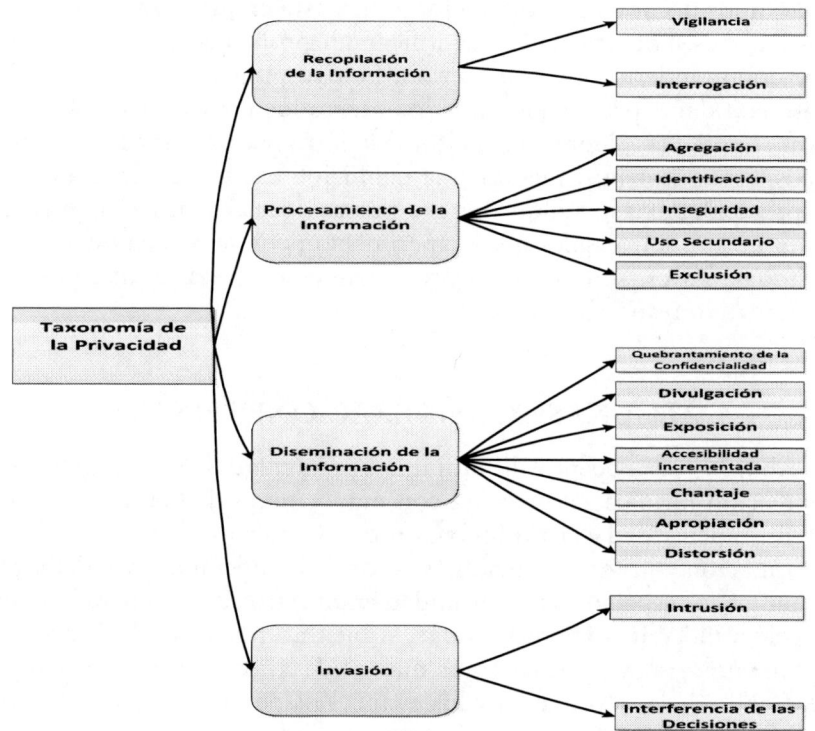

Solove reconoce que su clasificación es un resumen descriptivo de los problemas relacionados con la privacidad y admite que las cuestiones identificadas en ella no son todas, ni son inmutables.

Además de clarificar algunos de los problemas a los que se enfrenta el derecho a la intimidad, al elaborar esta taxonomía Solove pretende también cambiar el enfoque de la discusión sobre el tema; determinar los daños causados por los problemas descritos; y trascender las diferencias culturales entre ordenamientos jurídicos. Con respecto a una nueva perspectiva para abordar la discusión sobre la intimidad, este autor aclara que con su teoría no pretende negar la posibilidad de abordar la noción de privacidad en abstracto, sino argumentar que las referencias en abstracto muchas veces resultan inútiles cuando se necesita resolver problemas legales específicos. En su opinión, si se proporciona una definición más comprensiva del concepto de privacidad que incluya la diversidad de problemas relacionados con ella, podríamos llegar a entender mejor lo que está en juego en situaciones particulares. Por otro lado, identificar un problema no es lo mismo que comprenderlo. En este sentido, Solove pretende determinar las clases de daño provocados por los atentados contra la privacidad. Para superar las diferencias culturales entre los ordenamientos jurídicos, este autor busca eludir una definición categórica del concepto de privacidad, y así, aunque los problemas de la clasificación que presenta no son universales ni se experimentan con la misma intensidad en todas partes, son ampliamente reconocidos y existe un consenso significativo respecto a ellos[85].

## 4. ALGUNAS CONSIDERACIONES FINALES

Abordar el concepto de intimidad/privacidad y el alcance de su protección jurídica, se presenta con mayor necesidad en las actuales circunstancias dada la proliferación de las nuevas tecnologías de la información y la comunicación. A pesar de la dificultad para definir y delimitar los espacios de la intimidad en nuestros días, la realidad nos impele a indagar un concepto que, si bien no pueda ser satisfactorio totalmente, sí tenga presente los nuevos desafíos que trae consigo el desarrollo de la informática y los avances de potentes sistemas tecnológicos cada vez más presentes en nuestra vida cotidiana.

Tradicionalmente se ha entendido la intimidad como una exigencia fundada en los principios personalísticos de la dignidad, el honor, la libertad, la autonomía, etc., de los individuos. Se ha definido como un espacio de reclusión y exclusión. Un ámbito para el desarrollo del yo, asociado al hogar y la familia. Un territorio de exclusión que proporciona un lugar donde "refugiarse del escrutinio de la vida pública y de ser constantemente vistos y oídos por los demás"[86]. Como hemos visto, el derecho a la intimidad es una construcción jurídica reciente cuyo cometido era la tutela de este espacio íntimo de las personas. En nuestra opinión, este concepto debe evolucionar con el fin de superar

---

85    Solove, D. J., "A Taxonomy of Privacy", op. cit. pág. 560.
86    Thompson, J. B., "Los límites cambiantes de la vida pública y privada", op. cit. pág. 27

las deficiencias de las que adolece para afrontar las nuevas y complejas amenazas contra la privacidad. Autores contemporáneos como Thompson, entiende que en la actualidad la manera más "prometedora de conceptualizar la privacidad es en términos en control", esto es, la privacidad tiene que ver con la capacidad de los individuos de controlar las revelaciones sobre uno mismo, y de controlar cómo y hasta qué punto éstas pueden comunicarse a los demás[87]. Pero no debe entenderse solo como control sobre la información. Rössler distingue tres esferas de la privacidad: i) privacidad informativa, que consiste en el control de la información sobre sí mismo y el derecho a protegerla del acceso indeseado de los demás; ii) privacidad de decisión, que implica el control de nuestras decisiones y acciones; y iii) privacidad espacial, el control respecto a nuestros propios espacios y el derecho a protegerlos de la intrusión indeseada de los demás[88]. Las violaciones a la privacidad en cada una de estas dimensiones se definirían de la siguiente manera: como el acceso y uso ilícito de información sobre nosotros; como una interferencia ilícita en nuestras decisiones y actos, y como una intrusión ilícita en nuestros espacios, ya sea a través de la intrusión física, por medio de vigilancia o a través de las nuevas tecnologías de la información y comunicación[89].

Como hemos tenido ocasión de ver en distintos apartados de este trabajo, el derecho a la privacidad consiste en el derecho de los individuos a una esfera privada de no injerencia y al control sobre los aspectos relacionados con su vida. En casi todos los Estados se reconoce y protege el derecho a la intimidad, pero la extensión de esta tutela varía en cada país. Por ello, es importante tener presente qué se considera "privado", y lo que se interpreta como una invasión o violación de la privacidad. Esto se vuelve más necesario cuando analizamos el contexto de las nuevas tecnologías de la información y la comunicación, donde los límites entre ambos espacios se diluyen posibilitando el tránsito de información de carácter personal del ámbito privado

---

[87] Ibíd. pág. 299.
[88] Rössler, B., 2005, *The value of privacy*, Cambridge: Cambridge Polity Press. Ver Thompson, J. B., "Los límites cambiantes de la vida pública y privada", op. cit. pág. 30.
[89] Thompson, J. B., "Los límites cambiantes de la vida pública y privada", op. cit. pág. 30.

o íntimo al público, generando una *espiral continua* de información sobre la que el individuo pierde el control. Como apunta Thompson, debemos alejarnos de la tentación de pensar en "la vida privada" en términos de espacios físicos como la casa. Los espacios físicos forman parte de la esfera privada, pero no son los únicos. Cuando una persona se encuentra en su casa y se conecta a Internet para revelar información sobre sí ¿en qué sentido está situado en una esfera privada? Ciertamente, se encuentra en el espacio privado de su casa, pero al mismo tiempo está participando en un entorno público de difusión de la información, "Lo privado hoy está constituido por un *territorio desespaciado* de información y contenido simbólico sobre el cual cada individuo piensa que puede ejercer control sin que sea relevante dónde este individuo o esta información se sitúen físicamente"[90].

En este nuevo escenario tecnológico, el Derecho debería redefinir la naturaleza y la extensión de la protección a la intimidad teniendo presente las transformaciones políticas, económicas, sociales y tecnológicas para dar cabida a las demandas de la sociedad, y para poder garantizar adecuadamente la intimidad de las personas en cada una de las esferas o distintos espacios, como subrayan Solove y Nissenbaum. En su artículo titulado "Privacy as Contextual Integrity", y en su obra más reciente, *Privacy in Context,* Nissenbaum desarrolla una teoría sobre la privacidad mostrando los conflictos entre lo privado y lo público en el contexto de las nuevas tecnologías de la información y la comunicación y la necesidad de pensar éticamente ambos ámbitos en base a lo que ella denomina "integridad contextual". Con su tesis pretende vincular la protección adecuada de la privacidad a las normas de contextos específicos en los cuales los individuos desarrollan sus vidas. Por ejemplo, si una acción en particular se determina como una violación de la privacidad puede ser en función de varias variables, incluyendo la naturaleza de la situación o el contexto; la naturaleza de la información en relación con ese contexto, el papel de los sujetos que reciben la información, su relación con los mismos, en qué términos es compartida la información por el individuo y la posible difusión. El modelo de Nissenbaum es prescriptivo ya que está dirigi-

---

[90]    Thompson, J. B., "Lo límites cambiantes de la vida pública y privada", op. cit. pág. 33.

do a servir como marco de justificación para establecer restricciones específicas sobre la recopilación, el uso y la difusión de la información sobre las personas.

También Solove, con su teoría de la privacidad, aporta un nuevo enfoque a la discusión sobre el derecho a la intimidad, convirtiéndose en un importante punto de referencia para elaborar marcos normativos de mayor eficacia tutelar. Hemos visto que las doctrinas tradicionales sobre la intimidad no contemplan muchos de los problemas actuales, sobre todo los asociados a las innovaciones tecnológicas en el campo de la informática y la comunicación y sus consecuencias para los ciudadanos. Solove contempla cuatro ámbitos donde aparecen nuevos desafíos para preservar la intimidad, aunque no es una clasificación exhaustiva: 1) Recopilación de información; 2) Procesamiento de información; 3) Diseminación de información; 4) Invasión. En cada uno de estos procesos y tratamientos de la información y los datos se producen situaciones problemáticas en las que se ve amenazada la privacidad. De ahí la necesidad de definir y determinar a qué clase de agresión contra la privacidad nos estamos refiriendo para poder acometer un tratamiento jurídico particular de los diferentes delitos que atentan contra la intimidad en el actual y constante contexto de desarrollo tecnológico en la información y la comunicación.

# LA PROTECCIÓN CONSTITUCIONAL DE LA INTIMIDAD DE LOS TRABAJADORES FRENTE AL USO DE LAS NUEVAS TECNOLOGÍAS DE LA COMUNICACIÓN

María Holgado González
*Profesora Titular de Derecho Constitucional.*
*Universidad Pablo de Olavide de Sevilla*

SUMARIO: 1. BENEFICIOS Y RIESGOS DEL AVANCE TECNOLÓGICO EN EL EJERCICIO DE DERECHOS FUNDAMENTALES; 2. LA INCORPORACIÓN DE LAS NUEVAS TECNOLOGÍAS AL ENTORNO LABORAL Y SU INCIDENCIA EN LOS DERECHOS EN JUEGO; 3. EFICACIA Y MODULACIÓN DE LOS DERECHOS FUNDAMENTALES DE LOS TRABAJADORES; 4. DERECHO A LA INTIMIDAD Y AL SECRETO DE LAS COMUNICACIONES; 5. EL CORREO ELECTRÓNICO, ¿INSTRUMENTO DE COMUNICACIÓN O PROPIEDAD DEL EMPRESARIO?; 6. LA RESPUESTA DE LOS TRIBUNALES ANTE EL VACÍO NORMATIVO; 7. LA RECIENTE SENTENCIA DEL TRIBUNAL CONSTITUCIONAL SOBRE EL ACCESO AL CORREO ELECTRÓNICO: UN RETROCESO EN LAS GARANTÍAS CONSTITUCIONALES DE LOS TRABAJADORES; 8. CONCLUSIONES

## 1. BENEFICIOS Y RIESGOS DEL AVANCE TECNOLÓGICO EN EL EJERCICIO DE DERECHOS FUNDAMENTALES

La incorporación y el avance de las nuevas tecnologías de la información y comunicación no sólo ha facilitado de manera considerable nuestras vidas sino que además incide positivamente en el ejercicio de derechos fundamentales como la libertad de expresión, el derecho de información, el derecho de participación política, el derecho a la educación, los derechos como administrados e incluso en el cumplimiento de deberes constitucionales como el de contribuir al sostenimiento del gasto público. Así, a los medios de comunicación tradicionales (prensa, radio, televisión) que han conocido un nuevo auge en su versión digital, se ha sumado el llamado "periodismo ciudadano" con *blogs* y *webs* personales que permiten a cualquier persona divulgar su opinión o informar sobre cualquier hecho con la misma difusión y repercusión que aquéllos. Esta diversificación de los sujetos que pueden emitir información enriquece, sin duda, la opinión pública libre, esencial en una sociedad democrática avanzada[1]. Los medios telemáticos también pueden incidir positivamente en la participación política de la ciudadanía facilitando el ejercicio de los derechos de reunión y manifestación, así como los procesos de toma de decisiones en las instituciones democráticas, con la incorporación del denominado "voto electrónico", aún en fase piloto en nuestro país. De otro lado, las tecnologías de la información y de la comunicación también ofrecen nuevas posibilidades para mejorar el funcionamiento de la administraciones y de los servicios públicos, haciéndose más accesibles a los ciudadanos a través de la llamada "Administración electrónica" que, entre otras cosas, permite conocer en cualquier momento y desde cualquier lugar el estado en que se encuentra un trámite iniciado ante la misma.

Ahora bien, junto a los aspectos positivos de la incorporación de las tecnologías de la información y de la comunicación no se pueden desconocer los nuevos riesgos a los que se enfrentan otros derechos fundamentales, como los de la personalidad, ante el uso y abuso de dichas tecnologías. Esto hace necesario, como ha dicho nuestro Tribunal Constitucional, "reforzar la vigilancia en la protección de la vida privada para luchar contra los peligros derivados de un uso invasivo de las nuevas tecnologías de la comunicación"[2]. La existencia de ficheros informáticos en los que se acumulan datos personales y la gran información que el cruce de los mismos pueda dar sobre la vida privada de una persona constituyen un claro ejemplo. En el mismo sentido cabe hablar, hoy día, de la mayor exposición a la que puede verse sometida la intimidad o la imagen de una persona por el simple hecho de que cualquiera lleva consigo un dispositivo que permite grabar imágenes o conversaciones y transmitirlas en un instante a un público inmenso a través

---

[1]     CARRILLO, M., 2007, "Internet: la resposta del dret a l'espai públic virtual", *Quaderns del CAC*, núm. 29, pág. 66.
[2]     STC 12/2012, de 30 de enero, FJ. 6°. *(Tol 2531059).*

de las redes sociales, con la dificultad de determinar, en muchas ocasiones, la autoría de tales acciones. El avance tecnológico está al alcance de casi todos y esto hace que nosotros mismos nos convirtamos en una potencial amenaza para los derechos de la personalidad de los demás, cobrando más sentido si cabe la denominada eficacia horizontal de los derechos fundamentales, de acuerdo con el artículo 9.1 CE que reza que la Constitución vincula a todos, poderes públicos y ciudadanos.

A pesar de que el ordenamiento jurídico ha tratado de dar respuesta a la incidencia que las nuevas tecnologías tienen sobre muchos aspectos de la vida de los ciudadanos, con normas específicas que regulan el comercio electrónico o el acceso electrónico a los servicios públicos[3], la incorporación de tales avances y tecnologías innovadoras a los distintos sectores de la sociedad no se ha visto siempre acompañada de una revisión de la legislación vigente, para hacerse eco, siquiera, de la existencia del correo electrónico o de internet, como es el caso de la Ley Orgánica 1/1982, de Protección Civil del Derecho al Honor, a la Intimidad Personal y Familiar y a la Propia Imagen. La falta de determinación de nuestro derecho vigente para resolver algunos de los aspectos relacionados con la repercusión de las nuevas tecnologías en los derechos fundamentales ha tenido que ser colmada por la jurisprudencia.

Una jurisprudencia que ha tenido que resolver, sobre todo, conflictos producidos por la incorporación de las nuevas tecnologías al entorno laboral y resolver su incidencia en los derechos fundamentales de los trabajadores. Concretamente, los casos que han tenido una mayor repercusión y que van a centrar nuestro trabajo se refieren al uso de los medios informáticos y del correo electrónico por parte del trabajador y a la fiscalización llevada a cabo por el empresario y su eventual incidencia en el derecho a la intimidad.

---

[3]   Ley 34/2002, de 11 de julio de servicios de la sociedad de la información y de comercio electrónico y Ley 11/2007, de 22 de junio, de acceso electrónico de los ciudadanos a los servicios públicos.

## 2. LA INCORPORACIÓN DE LAS NUEVAS TECNOLOGÍAS AL ENTORNO LABORAL Y SU INCIDENCIA EN LOS DERECHOS EN JUEGO

La incorporación de las nuevas tecnologías de la información y comunicación en el ámbito laboral ha dado lugar a la necesidad de abordar nuevas cuestiones de carácter jurídico que afectan a la relación empresario-trabajador. Es un hecho indiscutible que las empresas hoy día no pueden prescindir de Internet o el correo electrónico, por ejemplo, por lo que la puesta a disposición de los empleados de herramientas y medios informáticos de uso individual se ha generalizado. La actividad empresarial se ha visto beneficiada por las innumerables ventajas que ofrecen estas nuevas tecnologías, que contribuyen a mejoran la productividad y eficacia en la gestión, ahorrando tiempo y costes y acercando las relaciones profesionales, pero, al mismo tiempo, asume un nuevo riesgo: la posibilidad de que los medios que se ponen a disposición de los trabajadores reciban un uso distinto del exclusivamente profesional al que están destinados en principio. Lo que pone encima de la mesa la cuestión de si ante un eventual incumplimiento de los deberes y obligaciones que se desprenden del contrato de trabajo, las facultades de control del empresario comprenden la posibilidad de acceder al contenido del ordenador puesto a disposición del trabajador o a la cuenta de correo electrónico creada para el mismo y comprobar que su uso se enmarca en el ámbito propio de la actividad laboral.

A la hora de tratar de responder a esta cuestión no podemos ignorar que nos encontramos ante derechos fundamentales en juego que, como es sabido, tienen un contenido esencial, que ha sido definido por el Tribunal Constitucional, y que no puede ser desconocido por los poderes públicos ni por los ciudadanos. Estos derechos fundamentales serían, por parte del trabajador, el derecho a la intimidad (artículo 18.1 CE) y el secreto de las comunicaciones (artículo 18.3 CE), así como la libertad de expresión (artículo 20.1 CE), todos ellos concreción de la dignidad humana consagrada constitucionalmente (artículo 10 CE) como "fundamento del orden político y de la paz social". A ella, precisamente, se refiere el Estatuto de los Trabajadores cuando señala que las medidas que puede adoptar el empresario para verificar el cumplimiento de las obligaciones por parte del trabajador han de guardar consideración debida a su dignidad humana (artículo 20.3 ET). Por parte del empresario, el derecho fundamental en liza no es otro que el de la libertad de empresa (artículo 38 CE) que comprende las facultades de dirección y organización dentro de ésta e incluye la posibilidad de adoptar medidas de control y vigilancia de la actividad laboral desarrollada por los trabajadores, tal y como ha establecido el Estatuto de los Trabajadores (artículo 20.3 ET).

Se trata, por tanto, de determinar si los derechos del trabajador que están en juego en el presente conflicto pueden ser objeto de modulación —como consecuencia de la relación contractual a la que aquél se sujeta— o si, por el contrario, actúan como límite a las facultades del empresario, esto es, impidiendo el acceso al contenido de los medios informáticos a disposición del trabajador (ordenador, correo electrónico).

## 3. EFICACIA Y MODULACIÓN DE LOS DERECHOS FUNDAMENTALES DE LOS TRABAJADORES

Los derechos fundamentales, como no podía ser de otro modo, actúan con plena eficacia en la relación que une al trabajador con el empresario. La denominada eficacia horizontal de los derechos fundamentales o eficacia "entre particulares" (*drittwirkung*) sería desde muy pronto afirmada por el Tribunal Constitucional precisamente en el ámbito laboral, donde uno de los particulares (empresario) ocupa una posición de cierto poder con respecto al otro (trabajador)[4]. Los derechos fundamentales vinculan no sólo al Estado sino también a todos los ciudadanos (art. 9.1 CE), que deben respetar su contenido en el tráfico jurídico-privado[5]. De lo contrario, como se ha dicho, se estaría legitimando una "doble moral"[6] en relación con los derechos fundamentales, en el sentido de que lo que no se permite hacer al Esta-

---

4   SSTC 78/1982, de 20 de diciembre, FJ. 1º *(Tol 78969)* y 47/1985, de 27 de marzo, FJ. 5º *(Tol 79462)*, entre otras.
5   BILBAO UBILLOS, J.M. (1997), *La eficacia de los derechos fundamentales frente a particulares*, Centro de Estudios Políticos y Constitucionales, Madrid.
6   CRUZ VILLALÓN, P. (1988), "Derechos fundamentales y Derecho privado", *Academia Sevillana de Notariado*, tomo extra, págs. 97 y ss.

do (infringir un derecho fundamental) sí se tolerase a los ciudadanos en sus relaciones con otros ciudadanos. De este modo, los derechos fundamentales del trabajador son oponibles frente al empresario, pudiendo aquél utilizar las garantías constitucionalmente previstas para su defensa, entre las que se encuentra, en última instancia, el recurso de amparo ante el Tribunal Constitucional[7].

Ahora bien, si ningún derecho fundamental es absoluto ni ilimitado, como tantas veces ha advertido el Tribunal Constitucional[8], cuando su ejercicio se enmarca en una relación de sujeción al poder de dirección y organización empresarial, los límites pueden incluso estar más justificados. No se quiere decir ni mucho menos que el trabajador renuncie a sus derechos fundamentales o que estos desplieguen una eficacia menor en el ámbito laboral[9]. En absoluto, puesto que la legislación laboral se ha caracterizado en nuestro país, hasta la fecha, por tratar de responder a la exigencia universalmente sentida de dignificar las condiciones de vida de un sector mayoritario de la sociedad: los trabajadores asalariados. La celebración de un contrato no legitima, por tanto, la privación para una de las partes —el trabajador— de los derechos que la Constitución le reconoce, "por cuanto las organizaciones empresariales no forman mundos separados y estancos del resto de la sociedad ni la libertad de empresa que establece el artículo 38 del texto constitucional avala que quienes presten allí sus servicios por cuenta y bajo la dependencia de sus titulares deban soportar despojos transitorios o limitaciones injustificadas de sus derechos fundamentales"[10].

Lo que se quiere señalar es que los derechos fundamentales del trabajador son susceptibles de sufrir una "modulación laboral", como consecuencia de ser ejercidos en el marco de un contrato de trabajo. Y es que el contrato de trabajo genera un complejo de derechos y

---

[7]  Un análisis de esta doctrina en CARRIZOSA PRIETO, E. (2004), "El principio de proporcionalidad en el Derecho del Trabajo", *Revista Española de Derecho del Trabajo*, núm. 123, págs. 471 y ss.

[8]  Por todas, STC 11/1981, de 8 de abril, FJ. 7º *(Tol 109335)*.

[9]  *Vid*. PARDO FALCÓN, J. (1997), "Los derechos fundamentales como límites de los poderes jurídicos del empresario (un comentario a la STC 99/94, de 11 de abril y 6/95, de 10 de enero)", *Revista Española de Derecho Constitucional*, núm. 49, págs. 299-310.

[10] STC 88/1985, de 19 de julio, FJ. 2º *(Tol 79503)*.

obligaciones recíprocas que condicionan el ejercicio de los derechos fundamentales, de suerte que "manifestaciones de los mismos que en otro contexto pudieran ser legítimas, no tienen por qué serlo necesariamente en el ámbito de esa relación"[11]. Esto supone que se consideren justificadas ciertas limitaciones o restricciones de algunos derechos fundamentales del trabajador, como la libertad de expresión, por ejemplo, como consecuencia del deber de lealtad hacia el empresario y del principio de buena fe que ha de presidir esta relación contractual, cuya vulneración convierte en ilícito o abusivo el ejercicio de los derechos. O, dicho de otro modo, que los derechos fundamentales no pueden ser alegados por el trabajador para justificar el incumplimiento de sus deberes laborales[12].

La modulación que pueden sufrir los derechos fundamentales del trabajador, como consecuencia de su adaptación a los requerimientos de la organización de la empresa en la que se integra, ha de ser la resultante del equilibrio entre los derechos e intereses en conflicto, ponderando las ventajas y perjuicios que se generan cuando se limita un derecho (el del trabajador) para proteger otro derecho o interés (el empresarial). Pero, en todo caso, la limitación de los derechos del trabajador sólo puede justificarse por el hecho de que la propia naturaleza del trabajo contratado implique esa restricción, sin menoscabar, por supuesto, la dignidad humana de la que son concreción los derechos fundamentales.

## 4. DERECHO A LA INTIMIDAD Y AL SECRETO DE LAS COMUNICACIONES

La mayor parte de los conflictos surgidos como consecuencia de la incorporación de las nuevas tecnologías de la comunicación y de la información en el ámbito laboral y el poder de control desplegado

---

[11]   STC 120/1983, de 15 de diciembre, FJ. 2° *(Tol 79285)*, STC 88/1985, de 19 de julio, FJ. 2° *(Tol 79503)*, STC 99/1994, de 11 de abril, FJ. 4° *(Tol 82507)*, STC 151/2004, de 20 de septiembre, FJ. 7° *(Tol 500191)* y STC 56/2008, de 14 de abril, FJ. 8° *(Tol 1295360)*, entre otras.

[12]   Sobre la cuestión *vid.* CARRIZOSA PRIETO, E., 2004, "Transgresión de la buena fe contractual y derechos del trabajador", *Temas laborales: Revista andaluza de trabajo y bienestar social*, núm. 74, págs. 249-266.

por el empresario han centrado el debate en la posible afectación de dos derechos fundamentales de los trabajadores: el derecho a la intimidad y el derecho al secreto de las comunicaciones. Dos derechos reconocidos en el mismo precepto constitucional y que guardan una estrecha relación pero que, no obstante, tienen un contenido propio y autónomo. Dos derechos que el Tribunal Constitucional ha diferenciado claramente en un jurisprudencia ya consolidada.

Así, el derecho a la intimidad personal (artículo 18.1 CE) supone asegurar "un ámbito o reducto en el que se veda que otros penetren"[13] o, en otras palabras, ese ámbito de la vida de la persona que se quiere preservar "frente a la acción y conocimiento de los demás, necesario, según las pautas de nuestra cultura, para mantener una calidad mínima de la vida humana"[14]. Se trata, como también ha dicho el Tribunal Constitucional, de garantizar "el derecho al secreto, a que los demás no sepan qué somos o lo que hacemos, vedando que terceros, sean particulares o poderes públicos, decidan cuáles sean los lindes de nuestra vida privada, pudiendo cada persona reservarse un espacio resguardado de la curiosidad ajena, sea cual sea lo contenido en ese espacio"[15].

De este modo, el derecho a la intimidad confiere a su titular el poder jurídico de imponer a los demás el deber de "abstenerse de toda intromisión en la esfera íntima y la prohibición de hacer uso de lo así conocido"[16], siendo el consentimiento eficaz del sujeto el que permita la inmisión en la intimidad, "pues corresponde a cada persona acotar el ámbito de intimidad personal y familiar que reserva al conocimiento ajeno"[17].

Dicho esto, hay que aclarar, como ha hecho el Tribunal Constitucional, que la intimidad que la Constitución protege en el artículo 18.1 CE no se reduce obviamente a la que se desarrolla en un ámbito

---

[13]   STC 73/1982, de 2 de diciembre, FJ. 5º *(Tol 8783)*.
[14]   STC 231/1988, de 2 de diciembre, FJ. 3º *(Tol 80078)*.
[15]   SSTC 127/2003, de 30 de junio, FJ. 7º *(Tol 1776)* y 89/2006, de 27 de marzo, FJ. 5º *(Tol 870469)*.
[16]   SSTC 70/2009, de 23 de marzo, FJ. 2º *(Tol 1476394)* y 173/2011, FJ. 2º *(Tol 2288705)*.
[17]   SSTC 196/2006, de 3 de julio, FJ. 5º *(Tol 964377)* y 241/2012, de 17 de diciembre, FJ. 3º *(Tol 2727060)*.

estrictamente doméstico o privado. Hay otros ámbitos, concretamente el "relacionado con el trabajo o la profesión, en que se generan relaciones interpersonales, vínculos o actuaciones que pueden constituir manifestación de la vida privada"[18]. En el mismo sentido se ha pronunciado el Tribunal Europeo de Derechos Humanos, al afirmar que "el término vida privada no se debe interpretar de forma restrictiva" y que "ninguna razón de principio permite excluir las actividades profesionales o comerciales"[19]. El derecho a la intimidad también se aplica, por tanto, al ámbito de las relaciones laborales.

En este sentido, para determinar cuándo nos encontramos ante manifestaciones de la vida privada fuera del ámbito estrictamente doméstico, la jurisprudencia del Tribunal Europeo de Derechos Humanos ha adoptado el criterio de las "expectativas razonables que la propia persona o cualquier otra en su lugar en esa circunstancia pueda tener de encontrarse al resguardo de la observación o del escrutinio"[20]; criterio acogido también por nuestro Tribunal Constitucional[21].

El secreto de las comunicaciones constitucionalmente garantizado (artículo 18.3 CE) supone la protección del proceso de comunicación que tenga lugar a distancia entre dos o más personas y a través de algún medio técnico, mediante canales cerrados de comunicación[22]. La Constitución se refiere expresamente a las comunicaciones postales, telegráficas y telefónicas "en especial", pero no estamos obviamente ante un *numerus clausus*, sino que cabe interpretar que la citada garantía es igualmente aplicable a nuevos modos de comunicación que el avance tecnológico permita. De hecho, el Tribunal Constitucional cuando se ha referido a las comunicaciones protegidas por el artículo 18.3 CE no ha dudado en afirmar "incluidas las electrónicas"[23].

---

[18]   SSTC 12/2012, de 30 de enero, FJ. 5º *(Tol 2531059)*.
[19]   SSTEDH de 16 de febrero de 2000 (caso *Amann*), de 4 de mayo de 2000, (caso *Rotaru*), *(Tol 304495)* y de 27 de julio de 2004, (caso *Sidabras y Dziautas*), *(Tol 756447)*.
[20]   STEDH de 28 de enero de 2003, (caso *Peck*) *(Tol 319842)*.
[21]   SSTC 12/2012, de 30 de enero, FJ. 5º *(Tol 2531059)*.
[22]   Sobre esta garantía constitucional vid. JIMÉNEZ CAMPO, J. (1997), "La garantía constitucional del secreto de las comunicaciones", *Revista Española de Derecho Constitucional*, núm. 20 y RODRÍGUEZ RUIZ, B. (1998), *El secreto de las comunicaciones: tecnología e intimidad*, McGraw-Hill.
[23]   STC 142/2012, de 2 de julio, FJ. 3º *(Tol 2604675)*.

De este modo, la interceptación del mensaje por un tercero, ajeno al proceso de comunicación, supondría un atentado contra este derecho. Tanto el mensaje que se produzca entre los emisores y los receptores del mismo, como el proceso de comunicación en sí, se consideran impenetrables por cualquiera, ya sea un poder público o un particular. Dicha intromisión desde el exterior y a través de medios técnicos será considerada infracción del artículo 18.3 de la Constitución[24].

Pero, como ha dicho el Tribunal Constitucional, la garantía constitucional del secreto de las comunicaciones no sólo se vulnera interceptando en sentido estricto las comunicaciones ajenas (a través de la aprehensión del soporte físico del mensaje o la captación del proceso de comunicación), sino también por el simple conocimiento antijurídico de lo comunicado, "a través de la apertura de la correspondencia ajena guardada por su destinatario o de un mensaje emitido por correo electrónico o a través de telefonía móvil"[25]. Además, el derecho al secreto de las comunicaciones no sólo protege el contenido mismo de la comunicación, sino también otros aspectos de la misma, como la identidad subjetiva de los interlocutores, de acuerdo con la jurisprudencia del Tribunal Europeo de Derechos Humanos, que ha acogido nuestro Tribunal Constitucional[26]. Por ello, la entrega de los listados de llamadas telefónicas por las compañías telefónicas o acceder al registro de llamadas entrantes y salientes de un teléfono móvil afecta al derecho al secreto de las comunicaciones[27].

De igual manera, poco importa el contenido del mensaje transmitido a través de estas vías, puesto que estamos ante una garantía objetiva, en el bien entendido de que protege el secreto del proceso comunicativo en sí. Esto nos lleva a resaltar el mencionado carácter autónomo del secreto de las comunicaciones (artículo 18.3 CE) res-

---

[24]  Estas intromisiones ilegítimas aparecen recogidas en el artículo 7 de la Ley Orgánica 1/1982, de 2 de mayo de Protección Civil del Derecho al Honor, a la Intimidad Personal y Familiar y a la Propia Imagen y, con expresa mención al correo electrónico, en el artículo 197.1 del Código Penal.

[25]  SSTC 142/2012, de 2 de julio, FJ 3º y 241/2012, de 17 de diciembre, FJ. 4º.

[26]  SSTEDH de 2 de agosto de 1984, (caso *Malone*), *(Tol 168782)* y de 3 de abril de 2007, (caso *Copland*), *(Tol 1145232)*.

[27]  SSTC 173/2011, de 7 de noviembre, FJ. 4º, *(Tol 2288705)*, 142/2012, de 2 de julio, FJ. 3º, *(Tol 2604675)* y 241/2012, de 17 de diciembre, FJ. 4º, *(Tol 2288705)*.

pecto del derecho a la intimidad (artículo 18.1 CE). Efectivamente, la garantía del secreto de las comunicaciones desempeña un relevante papel instrumental al servicio del derecho a la intimidad, puesto que en muchas ocasiones puede contribuir a preservarla haciendo posible que exista un canal a través del cual se transmitan datos o aspectos de la vida privada de una persona vedado al conocimiento de terceros. El secreto de las comunicaciones actúa como una garantía importantísima de la vida privada de la persona. Sin embargo, no es preciso que se vulnere el derecho a la intimidad para entender infringido el secreto de las comunicaciones. El secreto de las comunicaciones es un derecho autónomo del derecho a la intimidad y se considera vulnerado incluso cuando el contenido del mensaje o comunicación interceptada sea inocuo desde el punto de vista de la intimidad, es decir, incluso cuando en la comunicación intervenida no se estén transmitiendo datos de carácter privado. Por ello, toda comunicación entre dos o más personas está constitucionalmente garantizada, con independencia de que el mensaje transmitido tenga o no que ver con la vida privada de alguno de ellos[28].

Hablamos, en todo caso, de un tercero ajeno a la comunicación que está teniendo lugar. Únicamente quien penetra desde el exterior vulnera la garantía del secreto de las comunicaciones, no quien desde dentro desvela el contenido de la comunicación. Quien graba una conversación con otro no lo vulnera, estará quizás vulnerando otro derecho fundamental (el derecho a la intimidad, por ejemplo). La única excepción que constitucionalmente se considera legítima es la interceptación de una comunicación autorizada judicialmente. El Tribunal Constitucional ha aclarado que dicha medida habría de estar justificada desde el punto de vista del fin constitucionalmente legítimo que se pretende alcanzar y, además, ser proporcionada: a saber, que la medida sea *adecuada* para lograr el fin que se pretende, que sea *necesaria* por no existir otro medio menos gravoso de alcanzarlo y que sea *proporcionada en sentido estricto*, o lo que es lo mismo, que el perjuicio que se ocasiona en el derecho fundamental no sea mayor que el beneficio que se pretende obtener[29]. Nuestro Tribunal, siguien-

---

[28]   STC 114/1984, de 29 de noviembre *(Tol 79403)*.
[29]   Por todas, SSTC 186/2000, de 10 de junio *(Tol 82989)*, 55/1996, de 28 de marzo *(Tol 82989)* y 37/1998, de 17 de febrero *(Tol 80895)*.

do la jurisprudencia del Tribunal Europeo de Derechos Humanos[30], ha exigido incluso que el levantamiento judicial de la garantía del secreto de las comunicaciones ha de basarse en una ley que defina de forma precisa los supuestos y las condiciones en que cabe, salvo que se adopte en el marco de la investigación de un delito[31].

## 5. EL CORREO ELECTRÓNICO, ¿INSTRUMENTO DE COMUNICACIÓN O PROPIEDAD DEL EMPRESARIO?

Centrándonos en la cuestión de si el empresario puede acceder al correo electrónico del trabajador, la pregunta que ahora nos hacemos no es irrelevante, puesto que entraña consecuencias jurídicas. El correo electrónico, ¿ha de ser analizado como un bien de propiedad del empresario con fines productivos? ¿O, por el contrario, es predominantemente un medio de comunicación?

En función de cuál sea la respuesta estaremos ante un derecho fundamental afectado distinto, siendo también diferente el tratamiento constitucional que ha de recibir la medida de fiscalización del correo electrónico. Puesto que, como ha reiterado el Tribunal Constitucional en varias ocasiones, los derechos de la personalidad reconocidos en el artículo 18 CE (honor, intimidad, imagen, inviolabilidad del domicilio, secreto de las comunicaciones) están interrelacionados pero son derechos autónomos[32]. Ello no impide, sin embargo, que el secreto de las comunicaciones contribuya igualmente a la salvaguarda del derecho a la intimidad, pero el régimen de protección de un derecho y otro no tiene por qué coincidir necesariamente. Así, por ejemplo, si de acuerdo con el artículo 18.3 CE la intervención de las comunicaciones requiere siempre resolución judicial, tratándose de la limitación del derecho a la intimidad el Tribunal Constitucional ha admitido

---

[30]   STEDH de 30 de julio de 1998 (caso *Valenzuela*), *(Tol 216240)* STEDH de 24 de abril de 1990 (caso *Kruslin y Huvig*), STEDH de 25 de junio de 1997 (caso *Haldford*) *(Tol 301611)*.
[31]   STC 49/1999, de 5 de abril, FJ. 6º, *(Tol 81212)*.
[32]   Por todas, STC 81/2001, de 3 de abril, FJ. 2º, *(Tol 104642)*.

injerencias leves y proporcionadas no precedidas de autorización judicial[33].

a) De contestar afirmativamente a la primera pregunta y considerar que el correo electrónico ha de ser analizado, ante todo, como un medio de producción de titularidad empresarial, las facultades de disposición y ejercicio de potestad del empresario sobre el mismo serían las mismas que tiene con otros bienes de su propiedad. El tratamiento jurídico del correo electrónico, desde esta perspectiva, podría equipararse al de las taquillas en las que los trabajadores depositan sus pertenencias en la empresa. Aunque se espera que el uso del correo electrónico tenga fines exclusivamente profesionales o relacionados con la actividad que desempeña el trabajador, no sería descartable que su intimidad pudiera verse afectada por la exposición del contenido de sus mensajes. No hay duda de que el acceso a ciertos datos o comentarios que se entienden enviados o realizados en privado puede suponer una intromisión en la intimidad; de modo similar a lo que sucedería con la exposición de los efectos personales que se guarden en las taquillas de los trabajadores. En el caso de las taquillas, su inspección está permitida por el Estatuto de los Trabajadores, que contempla como garantías, de un lado, que la medida sea necesaria para proteger el patrimonio empresarial y el de los demás trabajadores de la empresa y, de otro, que tal registro se haga en horas de trabajo y en presencia de un representante legal de los trabajadores o, en su ausencia, de otro trabajador de la empresa (artículo 18 ET).

Pues bien, de equiparar el correo electrónico a las taquillas, el tratamiento jurídico sería similar al previsto en el citado artículo 18 del Estatuto de los Trabajadores. El empresario tendría la facultad de acceder al mismo, fundada en su potestad sobre los medios de producción de su empresa, dado que el servidor y la cuenta de correo que el empresario pone a disposición de su plantilla son de titularidad de la empresa. Pero, dado que, en cierto modo, tal registro podría incidir en la esfera de la intimidad del trabajador, el empresario habría de justificar el empleo de dicha medida. ¿Qué razones podría alegar para tal intromisión en el correo electrónico? Quizás el peligro del patrimonio empresarial sea más difícil de aducir puesto que el uso del correo

---

[33] STC 123/2002, de 20 de mayo, FJ. 5º, *(Tol 258655)*.

electrónico no comporta necesariamente un incremento en los gastos de la empresa, aunque no es del todo imposible: cabría justificarlo en el riesgo de propagación de virus informáticos que puedan sufrir los equipos de la empresa, en la pérdida de productividad porque el tiempo dedicado a escribir y leer mensajes de correo electrónico no se emplee en la actividad laboral, etc. En todo caso, la presencia de un representante de los trabajadores o de otro trabajador sería una garantía aplicable también a este registro del correo electrónico.

b) Si, por el contrario, el correo electrónico es considerado, ante todo, un instrumento de comunicación, resultando, por tanto, irrelevante el hecho de que la titularidad del soporte de la comunicación sea de la empresa, estaríamos en presencia de un derecho fundamental distinto: el secreto de las comunicaciones (artículo 18.3 CE). El empresario no tendría acceso al correo electrónico de los trabajadores como si de un bien de la empresa se tratase puesto que, a pesar de ser propietario del soporte informático, estaría protegido por la garantía constitucional del secreto de las comunicaciones.

En este sentido, es irrelevante de quién sea el medio técnico utilizado, que en ningún caso facultaría a su propietario intervenir el proceso de comunicación sin el consentimiento de los que en él participan.

Pues bien, dicho esto, desde nuestro punto de vista, la respuesta más acertada a la pregunta planteada es la de considerar el correo electrónico, ante todo, como un instrumento de comunicación, propio del avance tecnológico producido desde la aprobación de la Constitución[34]. Y, como medio de comunicación —del mismo modo que la correspondencia postal, telegráfica o las conversaciones telefónicas— estaría garantizado por el secreto de las comunicaciones a que se refiere el artículo 18.3 CE, con independencia de su contenido. Son varias las razones que nos llevan a esta afirmación:

- El correo electrónico es un medio técnico que permite que dos o más personas entablen una comunicación a distancia y privada, esto es, a través de un canal cerrado o limitado al número de participantes que ellas decidan. Ciertamente, a diferencia de lo que sucede con las comunicaciones telegráficas, postales o te-

---

[34]  Postura también sostenida por MARÍN ALONSO, I. (2005), *El poder de control empresarial sobre el uso del correo electrónico en la empresa*, Tirant lo Blanch.

lefónicas, la Constitución no se refiere expresamente al correo electrónico pero eso es algo fácilmente comprensible en la fecha de aprobación de la Constitución. Como se ha señalado antes, nuestra Norma Fundamental no ha cerrado la puerta a otras formas técnicas de comunicarse. De hecho, el Tribunal Constitucional, ante los avances tecnológicos en el campo de la comunicación, ha afirmado que es preciso reformular el concepto de comunicación, ampliando sus horizontes[35], y ha calificado el correo electrónico de medio de comunicación[36].

– El empresario, si no forma parte del proceso de comunicación, ni como emisor ni como receptor, no sería más que un tercero ajeno a dicho proceso y, por tanto, carente de legitimidad para intervenir en el mismo interceptándolo desde el exterior. De este modo, por más que el fin que mueva al empresario a tratar de conocer el contenido de los mensajes electrónicos sea el de comprobar que el uso de esta herramienta es estrictamente profesional, no estaría constitucionalmente amparado para hacerlo en base a la libertad de empresa (artículo 38 CE) ni tampoco en base a las facultades como propietario de la cuenta de correo y del servidor (artículo 33 CE). Y ello es así porque la única limitación admitida por la Constitución al secreto de las comunicaciones es aquella autorizada por un juez debidamente motivada en un fin constitucionalmente legítimo y de forma proporcionada.

Esto no significa legitimar el uso personal o para fines distintos de los de la actividad profesional del correo electrónico que la empresa pone a disposición del trabajador. Sino simplemente impedir al empresario vulnerar la garantía del secreto de las comunicaciones. Como medio de comunicación que el empresario ha decidido libremente incorporar al funcionamiento de su organización, lleva aparejada necesariamente la garantía constitucional del artículo 18.3 CE, del mismo modo que la correspondencia postal o las comunicaciones telefónicas. Sin duda, la empresa puede limitar su utilización por medio de instrucciones sobre su uso exclusivamente profesional y sancionar el

---

[35]   STC 70/2002, de 3 de abril, FJ. 9°, *(Tol 258605).*
[36]   STC 281/2005, de 7 de noviembre, FJ. 3°, *(Tol 756165).*

incumplimiento de esta advertencia, estando obligada en todo caso a informar al trabajador sobre dichas reglas de uso y sobre los controles que el empresario pueda realizar[37]. El Tribunal Constitucional ha considerado legítima la regulación por parte de la empresa del uso de las herramientas informáticas, por medio de órdenes, instrucciones, protocolos o códigos de buenas prácticas, siempre que estos sistemas de control sean respetuosos con los derechos fundamentales[38].

¿Hasta dónde llegan las facultades fiscalizadoras del empresario en relación con los medios informáticos y concretamente con el uso del correo electrónico? ¿Puede acceder legítimamente a su contenido sin que ello suponga una vulneración de los derechos fundamentales del trabajador? Veamos, a continuación, cómo han resuelto los tribunales esta cuestión ante el vacío normativo existente.

# 6. LA RESPUESTA DE LOS TRIBUNALES ANTE EL VACÍO NORMATIVO

La ausencia de regulación del uso de los medios informáticos y concretamente del correo electrónico en las relaciones laborales ha dado lugar a que los tribunales ordinarios hayan tenido que colmar ese vacío, contando hasta la fecha únicamente con una jurisprudencia constitucional general en materia de derechos fundamentales de los trabajadores, secreto de las comunicaciones y derecho a la intimidad que no había abordado de modo expreso la cuestión de la correspondencia electrónica. La única sentencia del Tribunal Constitucional sobre el uso del correo electrónico, hasta la recentísima[39] de 7 octubre de 2013, había sido la STC 281/2005, de 7 de noviembre, resolviendo un recurso de amparo que un sindicato interpuso al comprobar que la empresa impidió a sus trabajadores recibir los correos informativos enviados por la organización sindical. En aquella ocasión, el Tribunal se centraría en la legitimidad del uso del correo electrónico con fines sindicales, amparando al sindicato que desea utilizar esta vía para

---

[37] STS de 26 de septiembre de 2007, FJ. 4º. *(Tol 1153301) Vid.* también el Informe Jurídico 0247/2008 de la Agencia Española de Protección de Datos.
[38] STC 241/2012, de 17 de diciembre, FJ. 5º.
[39] STC 281/2005, de 7 de noviembre *(Tol 756165).*

informar a los trabajadores de la empresa. Considera el Tribunal, en esta sentencia, que el empresario no está obligado a crear este soporte para facilitar el ejercicio de la libertad sindical, pero que desde el momento en que decida incorporar este instrumento a la empresa no puede impedir que sirva de vía de comunicación entre el sindicato y los trabajadores. Siempre que no se entorpezca, claro está, a través de correos masivos, el normal funcionamiento del servidor[40]. No abordaba, en cambio, el Tribunal Constitucional la posibilidad de que la empresa accediera al contenido del correo electrónico[41] o la aplicación de la garantía del secreto de las comunicaciones a las cuentas de correo. Pero sí es importante destacar que la jurisprudencia constitucional no tuvo entonces reparo a la hora de calificar el correo electrónico como medio de comunicación y amparar la libertad de comunicación constitucionalmente protegida.

El Tribunal Constitucional sí se ha pronunciado sobre el registro por parte del empresario de los ordenadores de su empresa. Negando el carácter absoluto de la libertad de empresa y de las facultades del empresario como propietario de los terminales, ha exigido que este registro se lleve a cabo únicamente cuando sea necesario para la protección del patrimonio empresarial y respetando en todo caso la proporcionalidad de la medida[42].

---

[40]    Objeto de esta sentencia fue la STS de 26 de noviembre de 2001, que había considerado legítimo que la empresa filtrase unilateralmente los mensajes enviados por el sindicato a los trabajadores. Antes de que el Tribunal Constitucional resolviese el amparo planteado por el sindicato, MARÍN ALONSO se había pronunciado en contra de esta resolución considerando que tal comportamiento suponía una clara vulneración del secreto de las comunicaciones. Vid. MARÍN ALONSO, I. (2004), "La facultad fiscalizadora del empresario sobre el uso del correo electrónico en la empresa: su limitación en base al derecho fundamental del secreto de las comunicaciones", Temas Laborales, núm. 75.

[41]    Y eso que en la demanda se deja caer que técnicamente era imposible que la empresa borrara del servidor los mensajes del sindicato sin abrirlos previamente y, por tanto, sin tener la oportunidad de conocer su contenido.

[42]    STC 186/2000, de 10 de julio (Tol 2136). Principio de proporcionalidad que también ha de ser respetado, fuera del ámbito laboral, en los casos en los que concurran motivos justificados para la intervención policial inmediata registrando el contenido de un ordenador personal [STC 173/2011, de 7 de noviembre, FJ. 2° (Tol 2288705)].

Los tribunales de justicia han tenido que enfrentarse al problema que, en ocasiones, supone para la empresa la puesta a disposición de los trabajadores de medios informáticos que tantas ventajas pueden reportarle, pero también tantos inconvenientes. El problema de un uso frecuentemente no profesional del correo electrónico o de internet en el centro de trabajo está bastante generalizado y ha sido motivo de despido que los tribunales han considerado procedente. Se considera un incumplimiento grave de las obligaciones laborales, transgresión de la buena fe y abuso de confianza la utilización excesiva de internet y del correo electrónico para fines ajenos a los profesionales. Así, ha calificado de procedente el despido de una trabajadora que utilizó internet durante más de setenta y dos horas en doce días para asuntos personales[43]. Del mismo modo ha actuado en relación a un trabajador que envió ciento cuarenta correos electrónicos de contenido ajeno a su actividad laboral durante el horario normal de trabajo. Este comportamiento es calificado como una clara infracción del deber de lealtad laboral que justifica la decisión empresarial[44].

Ahora bien, ha de revestir gravedad suficiente para que los tribunales dictaminen en ese sentido porque el simple hecho de navegar esporádicamente o utilizando el tiempo de descarga propio de los programas para consultar alguna web no es motivo suficiente de sanción. Ha de quedar acreditado el abandono de las funciones propias del trabajador durante el horario laboral[45] o el perjuicio sufrido por la empresa para estar ante una falta muy grave sancionable con el despido[46]. La jurisprudencia no ha considerado procedente el despido en estos casos por cuanto no implica necesariamente que el trabajador se esté apartando de su atención a las tareas propias ni tampoco un abandono de sus funciones (del mismo modo que tampoco lo sería utilizar de forma breve el teléfono para hacer una llamada personal o tener sobra la mesa una revista o un periódico)[47]. Es preciso, por tan-

---

[43]   Sentencia del TSJ de Cataluña de 11 de marzo de 2004 *(Tol 393416)*.
[44]   Sentencia del TSJ de Cataluña de 14 de noviembre de 2000 *(Tol 228657)*.
[45]   Sentencia del TSJ de Castilla y León, de Valladolid, de 8 de noviembre de 2004 *(Tol 539907)*.
[46]   Sentencia del TSJ de Madrid, de 10 de octubre de 2006 *(Tol 1012631)*.
[47]   Sentencia del TSJ de Madrid, de 16 de julio de 2002 *(Tol 224888)*, considerando un uso moderado de los medios informáticos para fines privados una media de conexión diaria de dieciocho minutos.

to, un uso abusivo o desmesurado para encontrar motivo de sanción o de despido.

A la hora de calificar de improcedente el despido la jurisprudencia ha tenido en cuenta la inexistencia de norma interna específica por parte de la empresa que prohíba de modo expreso el uso privado de internet o, en su defecto, la ausencia de advertencia por parte del empresario al trabajador ante lo que aquél pudiera considerar un uso excesivo[48]. Lo que debe hacer la empresa, de acuerdo con las reglas de la buena fe, es establecer previamente las reglas de uso de esos medios —con aplicación de prohibiciones absolutas o parciales— e informar a los trabajadores de que va a existir control y de los medios que han de aplicarse en orden a comprobar la corrección de tales usos, así como de las medidas que han de adoptarse, en su caso, para garantizar la efectiva utilización laboral del medio cuando sea preciso, sin perjuicio de la posible aplicación de otras medidas de carácter preventivo, como la exclusión de determinadas conexiones. De no existir estas reglas ni información previa a los trabajadores sobre el control que va a ejercerse sobre estos medios informáticos, se genera una expectativa razonable de intimidad[49].

El acceso por parte de la empresa al ordenador personal que la misma pone a disposición del trabajador para el desempeño de sus funciones puede afectar al derecho a la intimidad de éste y, en el caso de que el mencionado registro comprenda también los mensajes de correo electrónico o de otros programas de mensajería instantánea archivados en el ordenador, puede afectar igualmente al secreto de las comunicaciones. Así, el Tribunal Constitucional ha puesto de manifiesto que "el cúmulo de información que se almacena por su titular en un ordenador personal —entre otros datos sobre su vida privada y profesional— forma parte del ámbito de la intimidad constitucionalmente protegido"[50] y, en el mismo sentido, el Tribunal Europeo de Derechos Humanos ha afirmado que tanto "'los correos electrónicos enviados desde el lugar de trabajo' como 'la información derivada del seguimiento del uso personal de Internet' están incluidos en el ámbito

---

[48]    Sentencia del TSJ de Cataluña, de 28 de enero de 2005 *(Tol 702637)* y STS de 28 de junio de 2006, *(Tol 979742)*.

[49]    STS de 26 de septiembre de 2007, FJ. 4º, *(Tol 1153301)*.

[50]    STC 173/2011, de 7 de noviembre, FJ 3º, *(Tol 2288705)*.

de protección del artículo 8 CEDH por cuanto pueden contener datos sensibles que afecten a la intimidad y al respeto de la vida privada"[51].

Por lo que se refiere al registro de los archivos del ordenador que no guardan relación con ningún proceso de comunicación (correo electrónico, mensajería instantánea), la jurisprudencia ordinaria ha llegado a equiparar en muchas ocasiones el ordenador con la taquilla, aplicando a éste la regulación prevista en el artículo 18 del Estatuto de los Trabajadores sobre su registro[52]. Así ha considerado ilícito el registro realizado sin las garantías que exige el derecho a la intimidad, entre las que se encuentra la de hacerlo en presencia de algún trabajador de la empresa, con la consecuencia de declarar la nulidad de las pruebas obtenidas a partir del mismo[53]. Sin embargo, el Tribunal Supremo ha aclarado que el régimen aplicable al acceso por parte del empresario a la memoria del ordenador puesto a disposición del trabajador no es el previsto en el artículo 18 ET para el registro de la taquilla y efectos personales del trabajador, sino el recogido en el artículo 20.3 para la vigilancia y control de las obligaciones laborales. Y ello en base a una concepción un tanto patrimonialista que pone el énfasis en el hecho de que la titularidad del medio informático sea del empresario: "el ordenador es un instrumento de producción del que es titular el empresario" y éste tiene facultades de control de la utilización que se haga del mismo, "que incluyen lógicamente su examen". El empresario, por tanto, puede desplegar en este caso sus facultades de control aun a riesgo de menoscabar el derecho a la intimidad del trabajador, sin que tengan que respetarse las garantías previstas en el artículo 18 ET (necesidad del registro, en el centro de trabajo y en horario de trabajo, presencia de un representante de los trabajadores, respeto a la dignidad del trabajador). De ese modo, la jurisprudencia no ha visto inconveniente alguno, desde el punto de vista de la protección a la intimidad del trabajador, para que la empresa requiera la presencia en el lugar de trabajo de un notario, entregándole en depósito el ordenador portátil (propiedad de la empresa) de un trabajador

---

51      STEDH de 3 de abril de 2007, (caso *Copland*), *(Tol 1145232)*.
52      Sentencias del TSJ de Andalucía, de 25 de febrero de 2000 *(Tol 278822)* y del TSJ de Galicia, de 25 de enero de 2006 *(Tol 962603)*.
53      Sentencia del TSJ de Cantabria, de 18 de enero de 2007 *(Tol 1126015)* y STS de 26 de septiembre de 2007 *(Tol 1153301)*.

para que en la notaría se realice por un técnico copia del disco duro del mismo[54]. Lo determinante, por tanto, para considerar la licitud de la actuación empresarial es la previa advertencia a los trabajadores del uso y control del ordenador: si existe tal advertencia, no hay vulneración del derecho a la intimidad, por cuanto no se generó una expectativa razonable de intimidad.

En relación con el correo electrónico que la empresa proporciona a sus trabajadores, la jurisprudencia ordinaria ha considerado legítima y justificada su fiscalización por parte del empresario cuando nos encontremos ante un uso que pueda entrañar riesgo o grave perjuicio para la empresa, en los supuestos, por ejemplo, de desvío de relevante información sobre la empresa[55] o de envío de mensajes obscenos a otros trabajadores[56]. En realidad, los tribunales en estos casos, no han aplicado a los correos electrónicos la garantía del secreto de las comunicaciones, al entender que no estamos ante correspondencia privada entre particulares, "sino ante una utilización indebida de medios e instrumentos de la empresa para fines ajenos a los estrictamente laborales, pudiendo la empleadora ejercer un control sobre la forma de utilizar tales medios, que son de su propiedad así como sobre la propia actividad laboral del trabajador"[57].

Del análisis de la jurisprudencia en la resolución de conflictos trabajador-empresa en torno al uso del correo electrónico se desprende de nuevo una concepción un tanto patrimonialista de este instrumento. Los tribunales que han tenido ocasión de pronunciarse sobre la cuestión consideran un elemento predominante el que la titularidad del soporte utilizado para la comunicación sea del empresario. Esto les hace incluso abandonar la idea de que el correo electrónico se utilice como vía de comunicación privada y, por tanto, esté garantizado por el secreto de las comunicaciones y poco importa que se haya utilizado para mantener una comunicación profesional o pri-

---

[54]	Sentencia del TSJ de Madrid, de 27 de abril de 2010 *(Tol 1881075)*, confirmada por el Tribunal Constitucional en la STC 170/2013, de 7 de octubre, *(Tol 3992610)*.
[55]	Sentencias del TSJ de la Comunidad Valenciana, de 24 de septiembre de 1996 y del TSJ de Madrid, de 26 de abril de 2002 *(Tol 2252277)*.
[56]	Sentencia del TSJ de Cataluña, de 14 de noviembre de 2000 *(Tol 228657)*.
[57]	*Ibid.*

vada. Esta concepción patrimonialista se confirma con resoluciones judiciales que dan una respuesta distinta cuando la titularidad del correo electrónico no es de la empresa (por ejemplo, cuentas gratuitas como *hotmail*, *yahoo*, *gmail*, etc.). En estos supuestos, el acceso de la empresa a estas cuentas utilizadas por el trabajador en el horario de trabajo se considera contraria a la Constitución, por vulnerar el secreto de las comunicaciones, "lo contrario sería tanto como permitir que por meros indicios o sospechas sin formalidad legal alguna accediera al contenido de las direcciones de correo electrónico de sus trabajadores cuando éstas son de carácter personal y privado, no han sido proporcionadas por la empleadora y son por completo ajenas a su actividad laboral"[58].

Pues bien, esta distinta valoración del proceso de comunicación en función de que el soporte utilizado sea propiedad del empresario o del trabajador no encuentra apoyo constitucional alguno en el artículo 18.3 CE. Este precepto, como se ha dicho, protege la comunicación en sí, sea cual sea su contenido, sin referirse la Constitución al ámbito laboral o privado en que tenga lugar, ni a la propiedad del medio empleado (teléfono, buzón, etc.). Por ello, no nos parece ajustada a la Constitución esta concepción patrimonialista del correo electrónico. Los tribunales, ante la ausencia de regulación legal al respecto, deberían resolver los conflictos que en este campo se planteen dando prioridad a los derechos fundamentales y a las garantías constitucionales. Y la Constitución no admite la intervención de las comunicaciones sin autorización judicial.

## 7. LA RECIENTE SENTENCIA DEL TRIBUNAL CONSTITUCIONAL SOBRE EL ACCESO AL CORREO ELECTRÓNICO: UN RETROCESO EN LAS GARANTÍAS CONSTITUCIONALES DE LOS TRABAJADORES

El Tribunal Constitucional ha respondido por vez primera a la pregunta de si el empresario puede acceder al correo electrónico del trabajador sin su consentimiento y sin autorización judicial, en la recien-

---

[58]   Sentencia del TSJ de Cataluña, de 18 de septiembre de 2003 *(Tol 317899)*.

te STC 170/2013, de 7 de octubre[59]. En este pronunciamiento la Sala primera ha sentado una doctrina que, en nuestra opinión, ha supuesto un retroceso en las garantías constitucionales de los trabajadores.

El Tribunal había de valorar la licitud de la prueba aportada por la empresa, en el proceso de despido de un trabajador, consistente en el contenido de determinados correos electrónicos obtenidos mediante el acceso a un ordenador portátil —propiedad de la empresa y a disposición del mencionado trabajador— en los que se ponía de manifiesto que éste había revelado a terceros información reservada de la empresa. El conflicto se centra, por tanto, en los derechos a la intimidad y al secreto de las comunicaciones del trabajador (arts. 18.1 y 18.3 CE) de un lado, y en el poder de dirección del empresario (art. 20.3 ET), de otro. O lo que es lo mismo, en determinar si el ejercicio de las facultades que tiene el empresario de vigilancia y control para verificar el cumplimiento por el trabajador de sus obligaciones laborales ha vulnerado en este caso el secreto de las comunicaciones o, en su defecto, el derecho a la intimidad del trabajador.

En este caso concreto, se da la circunstancia de que el convenio colectivo sectorial de carácter estatal aplicable a la empresa y al trabajador (XV Convenio colectivo de la industria química, de 9 de agosto de 2007) tipificaba como falta leve la utilización de los medios informáticos propiedad de la empresa (correo electrónico, intranet, internet, etc.) para fines distintos de los relacionados con el contenido de la prestación laboral. Pues bien, este elemento va a resultar determinante para que el Tribunal Constitucional niegue la aplicación de la garantía del secreto de las comunicaciones al caso y considere que no se ha vulnerado tampoco el derecho a la intimidad del trabajador.

En primer lugar, considera el Tribunal Constitucional que desde el momento en que existe la prohibición en un convenio colectivo sectorial de utilizar los medios informáticos de la empresa para fines extralaborales o personales, la cuenta de correo electrónico que la empresa pone a disposición del trabajador deja de considerarse un "canal cerrado" de comunicación. Y como las comunicaciones protegidas por el artículo 18.3 CE, son las que se realizan en un canal o medio cerrado, el Tribunal Constitucional descarta aquí la vulnera-

---

[59]    STC 170/2013, de 7 de octubre *(Tol 3992610)*.

ción de la garantía del secreto de las comunicaciones. No resulta, por tanto, necesario, ni el consentimiento del afectado ni la autorización judicial para que la empresa pueda acceder a la cuenta de correo del trabajador, por ser éste un canal de comunicación abierto al ejercicio del poder de inspección del empresario, tanto para verificar el cumplimiento de la prestación laboral como para fiscalizar que la utilización del correo no se destinaba a fines personales.

En segundo lugar, precisamente porque el uso personal del correo electrónico estaba prohibido en el citado convenio colectivo del sector, descarta el Tribunal Constitucional que el trabajador en este caso pudiera tener una expectativa razonable de privacidad o confidencialidad. De este modo, tampoco considera que la empresa haya conculcado el derecho a la intimidad del trabajador accediendo a los mensajes de correo electrónico archivados en su ordenador. Sino que entiende que lo que ha hecho el empresario ha sido desplegar legítimamente sus facultades fiscalizadoras recogidas en el artículo 20.3 ET, respetando el principio de proporcionalidad (juicio de idoneidad, necesidad, y proporcionalidad en sentido estricto).

Calificar de "canal abierto" la cuenta individual de correo electrónico que la empresa pone a disposición del trabajador, para dejarla fuera de la protección del artículo 18.3 CE, por el hecho de que exista un convenio sectorial que sanciona el uso personal del mismo supone, a nuestro juicio, un paso atrás en las garantías constitucionales del trabajador, concretamente en relación con sus derechos al secreto de las comunicaciones y a la intimidad.

Entendemos que no existiendo normas o instrucciones específicas por parte de la empresa sobre el uso de un ordenador portátil que se pone a disposición del trabajador así como de la cuenta de correo electrónico que se le asigna, éste puede razonablemente entender que las comunicaciones que realice a través de dicho medio se encuentran al abrigo del conocimiento ajeno. Al igual que ocurre con las conversaciones telefónicas que mantenga desde la empresa o la correspondencia postal que allí reciba. Y en este caso ni existían reglas o instrucciones de la empresa en tal sentido ni tampoco el trabajador había sido advertido sobre el uso de los medios informáticos puestos a su disposición ni de los sistemas de control que podían ejercerse sobre los mismos.

Para deshacer la expectativa razonable de privacidad que se puede generar cuando la empresa asigna una cuenta personal de correo electrónico a un trabajador o le proporciona un ordenador portátil para el desempeño de sus funciones no nos parece suficiente la existencia de un convenio colectivo sectorial que tipifique como infracción leve el uso extralaboral de los medios informáticos. Hasta el momento, la jurisprudencia ordinaria, para legitimar el acceso del empresario al correo electrónico del trabajador, había venido exigiendo una prohibición expresa y concreta por parte de la empresa sobre el uso personal de los medios informáticos, así como poner en conocimiento de los trabajadores los medios de seguimiento y control a aplicar. El propio Tribunal Constitucional, en otros pronunciamientos —que podrían también discutirse desde el punto de vista de la protección del trabajador— había sido al menos más exigente a la hora de desmontar la expectativa razonable de intimidad del trabajador, teniendo en cuenta el hecho de que se tratase de un ordenador de uso común, sin contraseñas de acceso, o que existiese una prohibición expresa por la empresa de instalar programas en el mismo, etc.

En este caso, en cambio, la sala primera ni siquiera ha adoptado estas mínimas cautelas, sino que ha considerado suficiente la prohibición genérica recogida en el convenio sectorial estatal aplicable. Sin negar su carácter vinculante, no nos parece que una prohibición genérica recogida en un convenio colectivo para un sector de la actividad —ni siquiera estamos ante un convenio de empresa—, que no se concrete después en instrucciones, reglas o normas internas de la empresa, no resulta suficiente sustento para desmontar la expectativa de privacidad y permitir el libre acceso del empresario a las comunicaciones electrónicas del trabajador.

Parece haber pesado más en el pronunciamiento del Tribunal Constitucional la conducta desleal del trabajador, desvelando información reservada de la empresa, que el respeto a las garantías del secreto de las comunicaciones. Pero el incumplimiento de las obligaciones laborales, por grave que éste sea, no legitima la vulneración de los derechos fundamentales del trabajador por parte del empresario. Una cosa es que una conducta sea merecedora de sanción y otra muy distinta que para verificar que tal conducta se ha producido se puedan conculcar

derechos y garantías constitucionales[60]. Por ello, el incumplimiento de
la prohibición de uso personal del correo electrónico tampoco habilita interferencias en el proceso de la comunicación, con independencia
de que merezca posteriormente una sanción[61]. Las comunicaciones
están protegidas constitucionalmente por el secreto, sea cual sea su
contenido y sólo es posible intervenirlas con la autorización judicial.
Autorización judicial que la empresa podría haber solicitado basándose en las sospechas de que el trabajador estaba perjudicando seriamente los intereses de la empresa desviando información de la misma,
para haber accedido a los mensajes de correo electrónico.

Esta última Sentencia del Tribunal Constitucional sigue la línea
marcada por la STC 241/2012, de forma más patente incluso, al despojar a los trabajadores de los derechos a la libertad de comunicaciones y al secreto de las mismas (art. 18.3 CE) cuando la titularidad de
los medios informáticos a través de los que se lleva a cabo es de la
empresa. Lo que puede convertir al centro de trabajo en un compartimento estanco, aislado de la realidad, haciendo de los trabajadores
"trabajadores transparentes", sin reducto privado al margen de la mirada del empresario, con la consiguiente falta de consideración a la
dignidad humana.

## 8. CONCLUSIONES

La incorporación de las nuevas tecnologías al mundo empresarial
ha suscitado problemas de carácter constitucional en lo concerniente
a las relaciones entre el trabajador y el empresario, que están recibiendo una respuesta jurisprudencial no del todo acertada desde el punto
de vista de la protección de los derechos fundamentales.

No existiendo una regulación normativa de rango legal para esta
cuestión, la solución a los conflictos que se planteen ante los tribunales habría de tender a maximizar la eficacia de los derechos fundamentales en juego, protegidos por la reserva de ley orgánica (artículos

---

[60]   STC 41/2006, de 13 de febrero, FJ. 5º, *(Tol 834049)*.
[61]   En el mismo sentido se pronunciaron los magistrados VALDÉS DAL-RÉ y ASUA
        BATARRITA en el Voto particular formulado a la STC 241/2012, de 17 de diciembre, *(Tol 2727060)*.

53.2 y 81 CE) y que, en este caso, son principalmente el derecho a la intimidad y el derecho al secreto de las comunicaciones.

Desde esta perspectiva, centrándonos en el correo electrónico, éste habría de concebirse, ante todo, como un medio de comunicación, protegido constitucionalmente por el secreto de las comunicaciones (artículo 18.3 CE), con independencia de a quién corresponda la propiedad de la cuenta y del servidor. De este modo, el empresario, no estaría facultado para registrar las cuentas de correo de sus empleados y acceder a su contenido como si de cualquier bien empresarial de su propiedad se tratara, porque el secreto de las comunicaciones sólo admite ser levantado por resolución judicial, a diferencia de lo que ocurre con el derecho a la intimidad, que permite excepciones con otras garantías.

Sin duda, la incorporación de esta herramienta de trabajo y comunicación comporta innumerables ventajas para la organización empresarial, pero también el riesgo de un uso abusivo o distinto del profesional por parte de los trabajadores. Para afrontar este riesgo y tratar de minimizarlo el empresario puede dar instrucciones acerca del uso del correo electrónico por parte de los trabajadores y restringir la utilización para fines personales, así como sancionar dicho incumplimiento, pero las medidas de control habrían de respetar los derechos fundamentales. Así, un uso distinto del estrictamente profesional del correo electrónico por parte del trabajador no legitima a la empresa a interceptar la comunicación y conocer su contenido sin el consentimiento del mismo o sin autorización judicial. Las medidas de control para supervisar el cumplimiento de las obligaciones laborales en relación con este instrumento habrían de ser distintas de ésta.

El Tribunal Constitucional, sin embargo, se ha apartado de estas consideraciones y ha retrocedido en lo que venía siendo su doctrina sobre la garantía de los derechos fundamentales del trabajador. En efecto, hasta ahora había considerado que los derechos son modulables por el contrato de trabajo pero sólo en la medida estrictamente imprescindible para el correcto desenvolvimiento de la actividad, puesto que tales derechos los tiene como ciudadano que no pierde tal condición por el hecho de insertarse en el ámbito de una organización privada[62]. Sin embargo, cuando ha tenido que pronunciarse por vez primera sobre el acceso del empresario a la cuenta de correo electrónico del trabajador, en la STC 170/2013, el Tribunal ha dado un enorme paso atrás en esta doctrina, al no aplicar la garantía del secreto de las comunicaciones. Ha elevado, de este modo, al grado máximo las facultades fiscalizadoras del empresario, sin exigirle siquiera haber dado instrucciones o indicaciones previas sobre el uso de estos medios informáticos para destruir la expectativa razonable de privacidad que pudiera haberse generado en el trabajador, con la consiguiente lesión de los derechos a la intimidad y al secreto de las comunicaciones.

Con esta doctrina, se permite que la modulación que el contrato de trabajo puede hacer del ejercicio de los derechos fundamentales traspase el nivel de lo estrictamente necesario para el desempeño de la actividad profesional, convirtiendo a quienes la llevan a cabo en "trabajadores transparentes"[63]. O, si se nos permite adaptar esta expresión, en "trabajadores de cristal" en el doble sentido de sufrir mayor vulnerabilidad de sus derechos fundamentales, de un lado, y de que ningún aspecto de su actividad laboral esté a salvo del conocimiento de los demás o de la mirada del empresario (trabajadores sin reducto privado durante su horario laboral), de otro. El debido respeto a la dignidad humana impide entender que el derecho a la intimidad y al secreto de las comunicaciones no sea oponible al empresario por la simple consideración de que la relación laboral y la actividad del centro de trabajo queden al margen de su vida privada. De hecho, el deber de los poderes públicos de promover las condiciones necesarias y remover los obstáculos existentes para lograr la conciliación de la vida familiar y laboral debería llevar más lejos esta afirmación (artículos 9.2, 14 y 39 CE).

---

[62]    SSTC 88/1985, de 19 de julio, FJ 2° y 99/1994, de 11 de abril, FJ 4°, *(Tol 82507)*.
[63]    BELLAVISTA, A. (1995), *Il controllo sui lavoratori*, Giapichelli, págs. 57 y ss.

# LAS FACULTADES DE VIGILANCIA Y CONTROL EN EL CENTRO DE TRABAJO Y SU INCIDENCIA SOBRE EL DERECHO A LA INTIMIDAD DE LOS TRABAJADORES

Esther Carrizosa Prieto
*Profesora Contratada Doctora Derecho
del Trabajo y de la Seguridad Social
Universidad Pablo de Olavide*

SUMARIO: 1. LA DOCTRINA SOBRE EL DERECHO A LA INTIMIDAD EN EL SE-NO DE LAS ORGANIZACIONES PRODUCTIVAS; 2. EL CONTROL EMPRESARIAL DEL USO DE LOS EQUIPOS INFORMÁTICOS Y EL DERECHO A LA INTIMIDAD INFORMÁTICA DE LOS TRABAJADORES; 2.1. La regulación estatutaria como garante del derecho a la intimidad informática de los trabajadores; 2.2. La delimitación del derecho a la intimidad informática en la doctrina constitucional; 3. VIGILANCIA DE LA SALUD EN LA EMPRESA Y DERECHO A LA INTIMIDAD DE LOS TRABAJADORES; 3.1. La realización de reconocimientos médicos. Posibilidades y garantías en la regulación legal; 3.2. Reconocimientos médicos y derechos fundamentales del trabajador. La doctrina constitucional; 4. VALORACIÓN FINAL. LUCES Y SOMBRAS EN LA DOCTRINA CONSTITUCIONAL

## 1. LA DOCTRINA SOBRE EL DERECHO A LA INTIMIDAD EN EL SENO DE LAS ORGANIZACIONES PRODUCTIVAS

Hace ya más de 30 años que el Tribunal Constitucional asumió el papel de garante de los derechos fundamentales de los ciudadanos y, desde sus primeras incursiones en el ámbito de las relaciones laborales, la cuestión de la vigencia de los derechos fundamentales en el seno de las organizaciones productivas ha sido una constante en su encomiable labor. La asunción de esta importante responsabilidad desde sus primeras sentencias [recordemos que algunas de ellas fueron la STC 11/1981, de 11 de abril (*Tol 109335*), sobre el derecho de huelga y la STC 38/1981, de 23 de noviembre (*Tol 110840*), sobre el derecho de libertad sindical] ha provocado que, a día de hoy, exista una importante y consolidada doctrina constitucional que reconoce la eficacia de los derechos fundamentales en el ámbito privado y, más concretamente, en el ámbito de la relación de trabajo.

Podríamos decir, siguiendo a la doctrina laboral especializada en la materia que, en cuanto al sistema de tutela, el TC diferencia entre derechos fundamentales específicos (derecho de huelga, negociación y sindicación) y derechos fundamentales inespecíficos (derecho a la igualdad y no discriminación, derecho al honor, a la libertad de expresión, a la propia imagen, a la intimidad, etc.)[1]. Respecto de todos en general se ha dicho, a modo de declaración que, sin duda, ha pasado a la posteridad que "*la celebración de un contrato de trabajo no implica, en modo alguno, la privación para una de las partes, el trabajador, de los derechos que la Constitución le reconoce como ciudadano [...]. Ni las organizaciones empresariales forman mundos separados y estancos del resto de la sociedad, ni la libertad de Empresa, que establece el art. 38 del texto constitucional legitima el que quienes prestan servicios en aquéllas por cuenta y bajo la dependencia de sus titulares deban soportar despojos transitorios o limitaciones injustificadas de sus derechos fundamentales y libertades públicas, que tienen un valor central y nuclear en el sistema jurídico constitucional*"[2].

No obstante, ello no significa que los derechos de los trabajadores prevalezcan sobre los poderes empresariales en todos los supuestos de confrontación; muy al contrario, el Tribunal acepta una vigencia relativa y condicionada de forma que cederán ante los intereses empresariales cuando estos estén justificados, y esto sucede cuando la injerencia en el derecho fundamental se realiza de acuerdo con el juicio

---

[1]   La doctrina diferencia, en virtud del posible ámbito de ejercicio, entre derechos constitucionales específicamente laborales, cuyos titulares son los trabajadores, empresarios o sus representantes como sujetos de la relación laboral, ámbito propio y exclusivo de su ejercicio, y derechos constitucionales laborales inespecíficos, que además de otros titulares y otros ámbitos de ejercicio pueden ser ejercitados por los trabajadores y empresarios en el ámbito de la relación laboral, por lo que adquieren una dimensión laboral sobrevenida (PALOMEQUE LÓPEZ, M. C., *Los derechos laborales en la Constitución Española*, CEC, Madrid, 1991, págs. 23 y ss.).

[2]   STC 88/1985, de 19 de julio (F. J. 2º) (*Tol 79503*).

o principio de proporcionalidad[3]. La exigencia de proporcionalidad, que encauza jurídicamente las exigencias a la justificación de la medida empresarial, se concreta en que esta *"sea susceptible de conseguir el objetivo propuesto (juicio de idoneidad); que sea necesaria para conseguir dicho objetivo en el sentido de que no exista otra medida más moderada para la consecución de tal propósito con igual eficacia (juicio de necesidad); y, finalmente, que la medida sea ponderada o equilibrada, por derivarse de ella más beneficios o ventajas para el interés general que perjuicios sobre otros bienes o valores en conflicto (juicio de proporcionalidad en sentido estricto)"*[4].

Esta doctrina se aplica a la generalidad de los derechos fundamentales inespecíficos cuando tienen que desenvolverse en el ámbito de las relaciones laborales, también al derecho a la intimidad. A estos efectos, hay que tener en cuenta que el derecho a la intimidad se configura como un derecho fundamental estrictamente vinculado a la propia personalidad y que deriva de la dignidad de la persona reconocida en el art. 10.1 CE. El derecho a la intimidad implica, de acuerdo con la doctrina constitucional, *"la existencia de un ámbito propio y reservado frente a la acción y el conocimiento de los demás, necesario (según las pautas de nuestra cultura), para mantener una calidad mínima de la vida humana"*[5]. De hecho, la facultad más importante de ese derecho, como núcleo central de la personalidad, es la de excluir a los demás, es decir, la abstención de injerencias por parte de terceros, *"tanto en lo que se refiere a la toma de conocimientos intrusiva, como a la divulgación ilegítima de esos datos"*[6]. En consecuencia, el mencionado derecho, no sólo preserva al individuo de la obtención ilegítima de datos de su esfera íntima por parte de terceros, sino también de la revelación, divulgación o publicidad no consentida de esos datos, y del uso o explotación de los mismos sin autorización de su titular, garantizando, por tanto, el secreto sobre la propia esfera de vida perso-

---

[3]   Sobre este principio y su aplicación en la relación de trabajo, CARRIZOSA PRIETO, E., "El principio de proporcionalidad en el Derecho del Trabajo", *REDT*, núm. 123, 2004, págs. 471 y ss.

[4]   SSTC 66/1995, de 8 de mayo (F. J. 6º y 7º) (*Tol 82806*); 55/1996, de 28 de marzo. (F. J. 8º y 9º) (*Tol 82989*).

[5]   SSTC 186/2000, de 10 de julio (F. J. 5º) (*Tol 2136*); 197/1991, de 17 de octubre (F. J. 3º) (*Tol 81885*); 202/1999, de 8 de noviembre (F. J. 2º) (*Tol 2107*).

[6]   STC 186/2000, de 10 de julio (F. J. 5º) (*Tol 2136*).

nal[7]. Siendo así, el derecho a la intimidad, con el contenido que hemos descrito, y al igual que sucede con el resto de derechos fundamentales, también rige en el seno de las organizaciones productivas, de forma que puede ceder ante intereses constitucionalmente relevantes, siempre que la restricción que aquel haya de experimentar sea adecuada y necesaria para lograr el fin legítimo previsto, proporcionada para alcanzarlo y, en todo caso, sea respetuosa con el contenido esencial del derecho[8].

La aplicación de esta doctrina a supuestos concretos ha permitido considerar que la instalación de micrófonos en las zonas de caja y ruleta francesa realizadas en un casino constituye una medida vulneradora del derecho a la intimidad de los trabajadores en cuanto es adecuada pero no indispensable para la seguridad y buen funcionamiento del casino [STC 98/2000, de 10 de abril (*Tol 2076*) (F. J. 6º-9º)]; que la instalación por parte del empresario de un circuito de televisión cerrado, con objeto de controlar la realización de la prestación de servicios por un determinado trabajador, no vulnera el derecho fundamental a la intimidad y a la propia imagen [STC 186/2000, de 10 de julio (*Tol 2136*) (F J 6º y 7º)]; y que la existencia de un fichero automatizado donde figuran los diagnósticos por enfermedad que ocasionan la incapacidad temporal de los trabajadores sin que conste el consentimiento de estos vulnera su derecho a la intimidad y a la libertad informática por no constituir "*una medida idónea, necesaria y proporcionada para conseguir la consecución de un fin legítimo*", en el supuesto, el control del absentismo laboral [STC 202/1999, de 8 de noviembre (*Tol 2107*) (F. J. 5º)].

Son, en consecuencia, múltiples y probablemente inabarcables los problemas que genera la confrontación entre el derecho a la intimidad de los trabajadores y el ejercicio de las distintas facultades que integran el poder empresarial. En las páginas que siguen nos centraremos en analizar los supuestos que han creado más controversias judiciales en los últimos meses, esto es, el control empresarial del uso de los equipos informáticos por parte del trabajador y la obligatoriedad de los trabajadores de someterse a los reconocimientos médicos sufragados por la empresa.

---

[7]    STC 241/2012, de 17 de diciembre (F. J. 3º) (*Tol 2727060*).
[8]    SSTC 98/2000, de 10 de abril (F. J. 5º y 6º) (*Tol 2076*); 186/2000, de 10 de julio (F. J. 5º) (*Tol 2136*).

## 2. EL CONTROL EMPRESARIAL DEL USO DE LOS EQUIPOS INFORMÁTICOS Y EL DERECHO A LA INTIMIDAD INFORMÁTICA DE LOS TRABAJADORES

Por paradójico que parezca, no existen muchos pronunciamientos del Tribunal Constitucional centrados en analizar el derecho a la intimidad informática de los trabajadores y los pocos que existen no han logrado establecer una doctrina sólida en la materia, como veremos enseguida. Antes de adentrarnos en este análisis es necesario traer a colación la doctrina del TEDH, que, además de haber analizado en innumerables ocasiones el derecho a la intimidad, lo ha hecho precisamente en el contexto que nos estamos planteando, esto es, en torno al control efectuado por el empresario para conocer el uso que los trabajadores dan al teléfono, equipos informáticos o correo electrónico. El pronunciamiento más importante en la materia se contiene en la STEDH de 3 de abril de 2007. Caso Copland contra Reino Unido (TEDH\2007\23) en el que se analizan los controles empresariales efectuados a una trabajadora respecto del uso del teléfono, la navegación en Internet y del correo electrónico con objeto de constatar si los utiliza con fines privados. Por lo que se refiere a la navegación por Internet, los controles arbitrados consistieron en el análisis de las páginas webs visitadas, la fecha, hora y duración de las visitas. En lo relativo al correo electrónico, el control se efectuó constatando los destinatarios de los mensajes y las horas en que se enviaban. Por último, el uso del teléfono se controló examinando la factura telefónica donde se especificaban las llamadas entrantes y salientes, los números de teléfono a los que se llamaba y la duración de estas llamadas.

La doctrina establecida en el pronunciamiento pivota sobre dos aspectos fundamentales. El primero de ellos, que, a pesar de la diferencia entre vida privada y profesional, las llamadas telefónicas que proceden del ámbito laboral también forman parte del concepto "vida privada" y "correspondencia" que contempla el art. 8.1 del CEDH[9]. Siendo así, razona el Tribunal, debe asignarse esa naturaleza

---

[9]    STEDH de 3 de abril de 2007. Caso Copland contra Reino Unido (TEDH\2007\23), párr. 41; STEDH de 25 de junio de 1997. Caso Halford contra Reino Unido (TEDH\1997\37), párrs. 42 y ss. El art. 8 CEDH establece en su primer apartado: *"Toda persona tiene derecho al respeto de su vida privada y familiar, de su domicilio y de su correspondencia"*. El segundo apartado se centra

a los correos electrónicos que provienen del lugar de trabajo y a la información que deriva del uso personal de internet, carácter privado que prevalece en todos los casos al no haber sido advertida la trabajadora de que se la iba a controlar[10]. El segundo, que el TEDH no excluye que el seguimiento en el lugar de trabajo del uso que hace el trabajador del teléfono, del correo electrónico e internet pueda considerarse necesario y, por tanto, lícito en ciertas situaciones que persigan un fin legítimo[11]; mas, a pesar de ello, considera que, en el supuesto examinado, la recogida y almacenamiento de información personal de la demandante (sin su consentimiento) relativa a llamadas telefónicas, correos electrónicos y navegación por Internet constituye una injerencia en el derecho reconocido en el art. 8 CEDH. Una consideración distinta merecería la cuestión si dicha intervención estuviera garantizada a través de una ley, donde se contemplaran expresamente, de forma clara, los distintos supuestos en que se pueden producir estas injerencias y la finalidad que se persigue con cada uno de ellos. Sólo así, a juicio del Tribunal, los ciudadanos pueden conocer las circunstancias y condiciones de la limitación, sin que pueda darse por válida una alegación genérica para que distintos poderes, públicos o privados, adopten las medidas necesarias y oportunas para efectuar el mencionado control[12].

De esta doctrina se derivan claramente dos circunstancias distintas. La primera, que los trabajadores conservan su derecho a la intimidad aun cuando los dispositivos utilizados para realizar las actuaciones que lo canalicen sean de propiedad del empresario y su uso se produzca durante el horario de trabajo. En segundo lugar, que las injerencias empresariales que se produzcan sobre este derecho, o bien deben contar con el consentimiento del titular o bien deben estar previstas expresamente en una ley que las justifique. Estos parámetros

---

en las condiciones en que se han de efectuar las limitaciones: *"No podrá haber injerencia de la autoridad pública en el ejercicio de este derecho sino en tanto en cuanto esta injerencia esté prevista por la ley y constituya una medida que, en una sociedad democrática, sea necesaria para la seguridad nacional, la seguridad pública, el bienestar económico del país, la defensa del orden y la prevención de las infracciones penales, la protección de la salud o de la moral, o la protección de los derechos y las libertades de los demás"*.

[10]    STEDH de 3 de abril de 2007, párrs. 41 y 42.
[11]    STEDH de 3 de abril de 2007, párr. 48.
[12]    STEDH de 3 de abril de 2007, párrs. 45-47.

jurisprudenciales, aun derivando claramente de la doctrina del TE-DH no siempre son acogidos por los pronunciamientos del Tribunal Constitucional. Veremos a continuación cual es la situación en el ordenamiento jurídico español respecto de estos dos aspectos.

## 2.1. La regulación estatutaria como garante del derecho a la intimidad informática de los trabajadores

En la normativa específica, esto es, en el ET, no existe demasiada concreción sobre la regulación de los derechos fundamentales de los trabajadores, al menos no más allá del genérico reconocimiento que efectúa el art. 4.2 e) ET. El precepto en cuestión sostiene que, en la relación de trabajo, los trabajadores tienen derecho *"al respeto de su intimidad y a la consideración debida a su dignidad, comprendida la protección frente al acoso por razón de origen racial o étnico, religión o convicciones, discapacidad, edad u orientación sexual, y frente al acoso sexual y al acoso por razón de sexo"*. Ciertamente existen otros preceptos a tener en cuenta, sobre todo aquellos que regulan las facultades empresariales que integran el poder de dirección empresarial. Sustancialmente se trata de los arts. 18 y 20 del ET. El primero de ellos se refiere a la inviolabilidad de la persona del trabajador y el segundo al poder de dirección y control de la actividad laboral. Puesto que se ocupan de desarrollar las distintas facultades empresariales, en principio, deberían contener el conjunto de garantías necesarias para preservar los derechos de los trabajadores, así como un elenco de conductas que, a modo de habilitación, pueda adoptar el empresario para preservar los intereses productivos tutelables; no obstante, como veremos en seguida, ambos preceptos son parcos en su regulación, aunque en distinta medida y con distintas consecuencias.

El art. 18 ET que, como ya hemos anunciado, se ocupa de la inviolabilidad de la persona del trabajador, exige para el registro personal de los trabajadores y de sus pertenencias la justificación de la medida[13]. Es la propia norma la que advierte que la finalidad ha de ser la

---

[13]  Art. 18 ET: "Sólo podrán realizarse registros sobre la persona del trabajador, en sus taquillas y efectos particulares, cuando sean necesarios para la protección del patrimonio empresarial y del de los demás trabajadores de la empresa, dentro del centro de trabajo y en horas de trabajo. En su realización se respetará al máximo la dignidad e intimidad del trabajador y se contará con la asistencia de

protección del patrimonio empresarial o de los propios compañeros, ubicando el conflicto en un plano de confrontación constitucional: de un lado, los derechos a la integridad física y psíquica del trabajador, el derecho a la intimidad y cualesquiera otro que se vea afectado; y, de otro, el derecho a la propiedad privada del empresario y del resto de trabajadores (art. 18 CE y art. 33 CE). Como exigencias fundamentales, el precepto se refiere al registro como medida limitadora que ha de ser necesaria para la protección del bien jurídico protegido (principio de necesidad) y que el registro respete al máximo la dignidad e intimidad de los trabajadores (principio de proporcionalidad en sentido estricto, con lo que ello supone para el respeto al contenido esencial del derecho afectado). Todo ello implica que el art. 18 ET fija las bases necesarias para aplicar un consistente y complejo conjunto de garantías (se podría decir que la regulación exige implícitamente la aplicación del principio de proporcionalidad) al ejercicio empresarial del poder de registro con la única finalidad de preservar el derecho fundamental en juego, que bien puede ser el derecho a la integridad física y moral, bien el derecho a la intimidad o cualesquiera otro que se pudiera ver afectado[14]. Además de los requisitos mencionados se exigen otras garantías: que el registro se realice en el centro y en ho-

---

un representante legal de los trabajadores o, en su ausencia del centro de trabajo, de otro trabajador de la empresa, siempre que ello fuera posible". Un análisis más detenido del precepto en DURÁN LÓPEZ, F., "Inviolabilidad de la persona del trabajador", VV. AA., *Comentarios a las Leyes Laborales. El Estatuto de los Trabajadores*, T. IV, Edersa, Madrid, 1983, pág. 536; GOÑI SEI, J. L., *El respeto a la esfera privada del trabajador*, Civitas, Madrid, 1988, págs. 161 y ss.; MARTÍNEZ FONS, D., *El poder de control del empresario en la relación laboral*, CES, Madrid, 2002, págs. 275 y ss.

[14]   Normalmente se alega vulneración del derecho a la integridad física y moral, pero también existen casos en los que el derecho vulnerado es la intimidad. La jurisprudencia del TS aplica el principio de proporcionalidad en estos supuestos. El ejemplo más ilustrativo lo constituye la STS 11 de junio de 1990 (*Tol 2414458*), que enjuicia, como posible medida vulneradora del derecho a la intimidad, la conducta empresarial consistente en el registro del coche de un trabajador con el pretexto de haberse sustraído bienes en la empresa. El TS considera que "*la empresa arbitra una modalidad de pesquisa que se revela como la única posible en orden a la averiguación de los hechos y la que, a su vez, se practica en términos carentes de violencia alguna, subjetiva u objetiva, y con la adecuada garantía para el trabajador empleado*" (F. J. 4° y 6°).

rario de trabajo y, a ser posible, con la presencia, como testigo, de un representante de los trabajadores o un compañero de trabajo.

A diferencia de la facultad de registro, la regulación que concierne al control de la prestación de trabajo es menos garantista con los derechos del trabajador. Dos previsiones concretas contienen el art. 20 ET sobre este aspecto. La primera de ellas se refiere al control general de la actividad laboral, respecto de la que se establece que *"el empresario podrá adoptar las medidas que estime más oportunas de vigilancia y control para verificar el cumplimiento por el trabajador de sus obligaciones y deberes laborales, guardando en su adopción y aplicación la consideración debida a su dignidad humana y teniendo en cuenta la capacidad real de los trabajadores disminuidos, en su caso"* (art. 20.3 ET). La segunda, mucho más específica, se refiere a los controles efectuados sobre la salud de los trabajadores. Respeto de estos se habilita al empresario para *"verificar el estado de enfermedad o accidente del trabajador que sea alegado por éste para justificar sus faltas de asistencia al trabajo, mediante reconocimiento a cargo de personal médico. La negativa del trabajador a dichos reconocimientos podrá determinar la suspensión de los derechos económicos que pudieran existir a cargo del empresario por dichas situaciones"* (art. 20.4 ET).

Dejando al margen la segunda previsión, que no va ser objeto de examen específico en este momento, la única limitación que establece la regulación es la de guardar, tanto en el momento de la adopción como en la aplicación de las medidas, *el respeto debido a la dignidad del trabajador*, dejando, en apariencia, una absoluta libertad al empresario en la elección de los medios para desarrollar las actividades de control. La redacción no contempla los numerosos instrumentos que pueden utilizarse actualmente en la empresa con esa finalidad y el alto grado de lesividad que pueden ocasionar, especialmente respecto del derecho a la intimidad[15]. Sin embargo, esta cláusula genérica, establecida a modo de límite, puede acoger fácilmente las exigencias que hemos predicado de las facultades de registro, es decir, la protección de intereses protegidos constitucionalmente, la adecuación del

---

[15]    VV. AA., "Los sistemas de control de la actividad laboral mediante las nuevas tecnologías de la información y comunicación", *RL*, núm. 12, 2003; RAMOS LUJÁN, H. V., "La intimad de los trabajadores y las nuevas tecnologías", *RL*, núm. 17, 2003.

concreto mecanismo de control para obtener la finalidad perseguida, la indispensabilidad del mecanismo, por no existir otros mecanismos alternativos igual de eficaces pero menos lesivos para el derecho fundamental y, por último la proporcionalidad en sentido estricto[16]. De hecho, el conjunto de garantías que derivan del art. 18 ET debe ser aplicado también cuando lo que se ejercita es el poder de controlar la efectiva realización de la actividad laboral en cuanto los derechos afectados por esas medidas de control van a ser los mismos o de naturaleza muy similar a los que eventualmente pudieran resultar lesionados con el ejercicio de aquellas otras facultades[17].

A pesar de ello, habría que determinar si esta regulación legal es suficientemente precisa para legitimar restricciones en los derechos fundamentales de los trabajadores. Y si tenemos en cuenta la doctrina del TEDH, hemos de concluir que las injerencias no pueden plasmarse con la vaguedad que caracteriza a esta regulación estatutaria, al menos no en los términos que se reflejan en el art. 20 ET. Efectivamente, ya hemos mencionado cómo el TEDH estima imprescindible el consentimiento de los trabajadores para considerar lícitas la utilización, instalación y aplicación de mecanismos para controlar el uso de las herramientas informáticas; sin embargo, la cuestión es distinta si la intervención se garantiza a través de una ley, donde se contemplen expresamente los supuestos en que se pueden producir estas injerencias y la finalidad que se persigue con cada una de ellas. Teniendo en cuenta que para eliminar el requisito del consentimiento sería necesario una regulación normativa clara y expresa capaz de dar a conocer tanto las circunstancias como las condiciones de la limitación, no son suficientes, considera el TEDH, habilitaciones gené-

---

[16]    MARTÍNEZ RANDULFE, F., "Derecho a la intimidad y relaciones laborales: Aproximaciones", en VV. AA., *Derechos Fundamentales y Contrato de Trabajo*, Comares, Granada, 1998, págs. 57 y ss., señala que la legitimidad de cualquier medida en este sentido requiere el conocimiento previo por parte de los trabajadores y el establecimiento de garantías *ex post*.

[17]    Con anterioridad, el TS había enjuiciado la utilización por el empresario de detectives privados para controlar el efectivo cumplimiento de la actividad laboral, que, al tenerse que ejercitar fuera de los locales de la empresa, se considera una medida imprescindible para no dejar vacío de contenido el poder de dirección empresarial [STS 19 de julio de 1989 (F. J. 2º y 3º) (*Tol 2375826*)].

ricas que permitan adoptar las medidas que se consideren necesarias para efectuar el mencionado control[18].

A estos efectos, no se puede considerar suficientemente precisa la regulación que se recoge en el art. 20 ET, puesto que la única exigencia es que las facultades de control se ejerciten dentro del debido respecto a la dignidad del trabajador (art. 20.3 ET). Ni siquiera se aclara cuándo una medida de este tipo lesiona la dignidad del trabajador. En este sentido, quizá la legislación específica pueda arrojar luz sobre el asunto con el concepto de intromisiones ilegítimas. Las intromisiones en el ámbito del derecho a la intimidad serán ilegítimas, tal como especifica en el art. 7 de la LO 1/1982, de 5 de mayo, de Protección Civil del Derecho al Honor, a la Intimidad Personal y Familiar y a la Propia Imagen, cuando, sin contar con el consentimiento del titular, supongan *"el emplazamiento en cualquier lugar de aparatos de escucha, de filmación, de dispositivos ópticos o de cualquier otro medio apto para grabar o reproducir la vida íntima de las personas"* y *"la utilización de aparatos de escucha, dispositivos ópticos o de cualquier otro medio para el conocimiento de la vida íntima de las personas o de manifestaciones o cartas privadas no destinadas a quien haga uso de tales medios, así como su grabación, registro o reproducción"*. Dicha regulación es coherente con el art. 2.2 de la misma disposición, que claramente establece que no se apreciarán intromisiones ilegítimas cuando estuvieren expresamente autorizadas por ley o cuando el titular del derecho hubiese otorgado al efecto su consentimiento expreso.

La consideración de todo lo expuesto debe llevarnos a las siguientes conclusiones. En primer lugar, que el derecho a la intimidad constituye una esfera privada y familiar que no solo despliega sus efectos en las relaciones personales sino también en el ámbito de las relaciones profesionales. En segundo lugar, que, en principio, el derecho a la intimidad personal y familiar puede desarrollarse por cualquier medio de difusión y que mantiene ese carácter aunque se ejercite a través de instrumentos de titularidad empresarial o durante las horas de trabajo. En tercer lugar, que en aras de proteger intereses empresariales es posible afectar el derecho a la intimidad de los trabajadores, pero para practicar estas injerencias es necesario o bien que exista

---

[18]    STEDH de 3 de abril de 2007, párrs. 45-47.

consentimiento del trabajador afectado o bien que exista una habilitación legal en la que se contemplen los supuestos de limitación y los intereses dignos de tutela. En cuarto y último lugar, que no existe en el ordenamiento jurídico laboral español una habilitación legal de estas características. Siendo así, es necesario analizar cuál ha sido la jurisprudencia más importante sobre la materia.

## 2.2. La delimitación del derecho a la intimidad informática en la doctrina constitucional

La jurisprudencia constitucional, lo hemos dicho ya, no ha sido muy prolífica a la hora de analizar supuestos en los que se encuentre en juego el derecho a la intimidad informática de los trabajadores. De hecho, hasta hace relativamente poco tiempo, los pronunciamientos sobre la materia han sido escasos y tangenciales, aunque no por ello, menos interesantes[19]. El primer examen constitucional expreso sobre el derecho a la intimidad informática en el ámbito laboral, se contiene en la STC 241/2012, de 17 de diciembre (*Tol 2727060*). En ella se analiza la legitimidad de la conducta empresarial consistente en revisar el disco duro de un PC para extraer los correos enviados a través de un sistema de mensajería entre dos trabajadoras de la empresa cuyo contenido se podía considerar ofensivo para la dirección y para determinados compañeros. Las trabajadoras alegaron vulneración del derecho a la intimidad y del secreto de comunicaciones. El Tribunal no encuentra lesión del derecho a la intimidad al considerar que el hecho de haber almacenado el contenido de esos mensajes en el disco duro de un ordenador compartido implica una renuncia voluntaria a la privacidad de esas comunicaciones [STC 241/2012, de 17 de diciembre (F. J. 3°) (*Tol 2727060*)]. Con respecto a la cuestión de si la conducta empresarial supone una injerencia en el derecho al secreto de las comunicaciones, el Tribunal considera que este derecho "*consagra la interdicción de la interceptación o del conocimiento antijurídico de las comunicaciones ajenas, por lo que puede resultar vulnerado tanto por la interceptación, en sentido estricto, consistente*

---

[19] HOLGADO GONZÁLEZ, M., "Intimidad y nuevas tecnologías en el entorno laboral", VV. AA., *Constitución y democracia: ayer y hoy*. Libro homenaje a Antonio Torres del Moral, Editorial Universitas, Madrid, 2012, pág. 938.

*en la aprehensión física del soporte del mensaje, con conocimiento o no del mismo, o la captación del proceso de comunicación, como por el simple conocimiento antijurídico de lo comunicado a través de la apertura de la correspondencia ajena guardada por su destinatario o de un mensaje emitido por correo electrónico o a través de telefonía móvil, por ejemplo"*. Concreta también el Tribunal que el carácter secreto de la comunicación cubre el contenido de la comunicación y la identidad subjetiva de los interlocutores, por lo que el derecho queda afectado tanto por la entrega de los listados de llamadas telefónicas por las compañías telefónicas como por el acceso al registro de llamadas entrantes y salientes grabadas en un teléfono móvil [STC 241/2012, de 17 de diciembre (F. J. 4°) (*Tol 2727060*)].

De forma muy parecida a como se enfoca el análisis de la intimidad, el Tribunal examina la posible vulneración del derecho al secreto de las comunicaciones partiendo de las siguientes observaciones. La primera, que en cuanto titular de los ordenadores o de otros medios informáticos, el empresario está legitimado para fijar las condiciones de uso de estos medios, siendo admisible tanto la ordenación y regulación del uso, como el ejercicio de la facultad empresarial de vigilancia y control del cumplimiento de las obligaciones relativas a la utilización de estos medios. Partiendo de esta base, el Tribunal considera que la cuestión a determinar es si la pretensión de secreto alegada por la demandante forma o no parte del ámbito de protección del derecho al secreto de las comunicaciones y para determinar esta cuestión hay que tener en cuenta dos circunstancias distintas: 1) que el ordenador era de uso común para todos los trabajadores de la empresa; y 2) que la empresa había prohibido expresamente a los trabajadores instalar programas en el ordenador que le confirieran un uso privado. En consecuencia, concluye el Tribunal Constitucional, el hecho de que el ordenador fuese de uso público es incompatible con los usos personales, por lo que la pretensión de secreto carece de cobertura constitucional. La segunda circunstancia, esto es, la prohibición expresa de instalar programas en el ordenador de uso común implica que no existe una situación de tolerancia a la instalación de programas y, en consecuencia, no podía existir una expectativa razonable de confidencialidad.

El segundo pronunciamiento, lo constituye la STC 170/2013 de 7 de octubre (*Tol 3992610*), que se pronuncia sobre la legitimidad del control empresarial de la comunicaciones de un trabajador, concretamente la lectura del contenido de los mensajes SMS y el análisis y copia del disco duro de su ordenador de trabajo, instrumentos que ponen de manifiesto que éste envío documentos relativos a la producción de su empresa a otra empresa del sector. Estos actos, constitutivos de una conducta de deslealtad, provocan un despido disciplinario por transgresión de la buena fe contractual. El trabajador interpone recurso de amparo por considerar que la interpretación realizada por los órganos judiciales respecto a la admisibilidad de las pruebas en que la empresa funda su despido resulta contraria a sus derechos a la intimidad personal (art. 18.1 CE) y al secreto de las comunicaciones (art. 18.3 CE), al entender que la empresa se extralimitó en sus facultades de fiscalización cuando, no habiendo informado previamente sobre las reglas de uso y control de las herramientas informáticas de la entidad, procedió a interceptar de forma ilícita el contenido de sus correos electrónicos registrados en el ordenador.

Para analizar la lesión de ambos derechos constitucionales, el pronunciamiento, siguiendo los planteamientos y doctrinas mantenidas en la STC 241/2012, de 17 de diciembre (*Tol 2727060*), parte, a pesar de las múltiples declaraciones que hace en sentido diverso, de la vigencia matizada de los derechos fundamentales en el ámbito de las relaciones laborales, de forma que es necesario delimitar, que no analizar la limitación, los bienes e intereses de relevancia constitucional en el marco de las relaciones laborales: los derechos del trabajador a la intimidad y al secreto de las comunicaciones y el poder de dirección del empresario. Queda claro, en consecuencia, que el Tribunal opta por considerar que "*la inserción en la organización laboral modula aquellos derechos en la medida estrictamente imprescindible para el correcto y ordenado desenvolvimiento de la actividad productiva; lo que exige una necesaria adaptabilidad de los derechos del trabajador a los razonables requerimientos de la organización productiva en que se integra*", de forma que "*manifestaciones del ejercicio de aquéllos que en otro contexto serían legítimas, no lo son cuando su ejercicio se valora en el marco de la relación laboral*". Partiendo de esta posición, más cercana a la contractualización de los derechos fundamentales que a la vigencia matizada de estos en el ámbito laboral, analiza la posible lesión del derecho a la intimidad y del secreto de las comunicaciones[20].

---

[20]    STC 241/2012, de 17 de diciembre (F.J. 3º) (*Tol 2727060*).

Con respecto al secreto de las comunicaciones, el pronunciamiento adopta la doctrina vertida en la STC 241/2012, de 17 de diciembre (F. J. 4°) (*Tol 2727060*). Esto significa que el TC acoge una concepción predominantemente objetiva del contenido del derecho por la que se protege el proceso de comunicación en sí, independientemente de la naturaleza pública o privada del contenido de lo comunicado[21]. Así mismo, considera que el secreto de la comunicación cubre no sólo el contenido de la comunicación, sino también otros aspectos como la identidad subjetiva de los interlocutores, de forma que el derecho queda afectado tanto por la entrega de los listados de llamadas telefónicas por las compañías telefónicas como por el acceso al registro de llamadas entrantes y salientes grabadas en un teléfono móvil. Siendo este el contenido, advierte el Tribunal, hay que matizar que el derecho solo protege las comunicaciones que se realizan a través de determinados medios o canales cerrados de comunicación. En consecuencia, no estarán protegidas por la regulación constitucional aquellas formas de envío de la correspondencia que se configuran legalmente como comunicación abierta, esto es, no secreta, siendo precisamente esta característica la que debe predicarse del sistema de correo electrónico analizado[22].

Efectivamente, concluirá el Tribunal, la existencia de una previsión convencional expresa que indirectamente prohíbe la utilización del correo electrónico para fines personales (existía un CC Sectorial de eficacia general que tipificaba como leve el uso para fines particulares del correo electrónico), lleva implícita (a juicio del Tribunal) no sólo la prohibición de usar estos mecanismos en cualquier empresa del sector, sino el reconocimiento genérico de que cualquier empresa de dicho sector cuenta con "*la facultad de controlar su utilización, al objeto de verificar el cumplimiento por el trabajador de sus obligaciones y deberes laborales, incluida la adecuación de su prestación a las exigencias de la buena fe contractual*". Siendo así, considera el Tribunal, la remisión de mensajes efectuada por el trabajador se realiza a través de un canal de comunicación que, conforme a las previsiones legales y convencionales indicadas, se hallaba abierto al ejercicio del poder de inspección reconocido al em-

---

[21]   Sobre el contenido y la diferenciación entre los derechos a la intimidad y al secreto de comunicaciones, HOLGADO GONZÁLEZ, M., "Intimidad y nuevas tecnologías en el entorno laboral...", op. cit. págs. 934 y ss.

[22]   STC 241/2012, de 17 de diciembre (F.J. 5°) (*Tol 2727060*).

presario; sometido a su posible fiscalización y, en consecuencia, fuera de la protección constitucional del art. 18.3 CE[23].

Por lo que respecta al derecho a la intimidad, el Tribunal parte de la aplicación de la doctrina del TEDH, y de acuerdo con ello, considera que el derecho es aplicable en el ámbito de las relaciones laborales incluso cuando el trabajador utiliza mecanismos empresariales para encauzar su ejercicio (ordenador, teléfono móvil, etc.). No obstante, considera el Tribunal que para determinar el ámbito protegido por el derecho hay que tener en cuenta dos circunstancias distintas. De un lado, que la existencia de una expectativa razonable de privacidad determina este ámbito de protección excluyendo aquellas manifestaciones en que no existe esta expectativa. De otro, que, en todo caso, el derecho a la intimidad no es un derecho absoluto por lo que cede ante intereses constitucionalmente relevantes, siempre que el límite que aquél haya de experimentar se revele como adecuado, necesario y proporcionado para lograr un fin constitucionalmente legítimo. Pues bien, y este es uno de los aspectos más sorprendentes del pronunciamiento, el Tribunal estima que en el caso concreto no existía una expectativa razonable de privacidad con respecto a los correos electrónicos puesto que el hecho de que existiera un Convenio que tipificaba como infracción sancionable el uso de las herramientas informáticas para fines distintos de los relacionados con el contenido de la prestación laboral, impedía considerar que su utilización quedara al margen del control empresarial. En consecuencia, es la propia regulación legal y convencional aplicable la que excluye una expectativa razonable de privacidad en el supuesto analizado, por lo que, de nuevo, las actuaciones del trabajador quedan fuera de la esfera de protección del derecho a la intimidad.

No obstante, y a pesar de considerar que el derecho a la intimidad no protege la conducta del trabajador, el Tribunal aplica el juicio de proporcionalidad; juicio que, hemos de recodarlo en estos momentos para poner de manifiesto la contradicción en la que incurre la doctrina

---

[23]    STC 241/2012, de 17 de diciembre (F.J. 5°) (*Tol 2727060*). Algunos autores ya habían puesto de manifiesto que la concepción patrimonialista del correo electrónico que emanaba de la jurisprudencia ordinaria, podía dar al traste con la protección constitucional del secreto de las comunicaciones [Por todos, HOLGADO GONZÁLEZ, M., "Intimidad y nuevas tecnologías en el entorno laboral...", op. cit. pág. 941].

analizada, tiene por objeto analizar la legitimidad de la injerencia que provoca la medida empresarial sobre el derecho fundamental. En aplicación de este juicio, el TC considera que la medida empresarial, esto es, el acceso por la empresa a los correos electrónicos del trabajador, constituyó una medida justificada en cuanto se fundó en la existencia de sospechas de un comportamiento irregular del trabajador; fue idónea para la finalidad pretendida por la empresa, esto es, verificar si el trabajador cometía efectivamente la irregularidad sospechada; se presentó como una medida necesaria en cuanto eficaz para obtener el medio de prueba; y proporcionada en sentido estricto, puesto que además de limitarse a intervenir correos de un periodo concreto, años 2007 y 2008, el contenido de estos resultó ser estrictamente laboral. Por todo ello, el Tribunal declara que la acción empresarial de fiscalización no resultó desmedida respecto a la afectación sufrida por la privacidad del trabajador.

Son numerosos e interesantes los problemas jurídicos que plantea esta línea doctrinal, sin embargo no es el momento ni el lugar adecuado para pronunciarse sobre todas estas cuestiones. Limitaremos nuestra aportación, en estos momentos, a subrayar la existencia de un doble plano en estos pronunciamientos, el de las declaraciones formales y el de las actuaciones sustanciales. En el plano de las declaraciones formales, las afirmaciones del Tribunal mantienen el discurso de la eficacia directa de los derechos fundamentales en el ámbito laboral, de la aplicación del principio de proporcionalidad como mecanismo que legitima las injerencias en el derecho fundamental; en cambio, si centramos nuestro análisis en las actuaciones sustanciales, ambos pronunciamientos se basan en la delimitación de los derechos fundamentales como técnica que posibilita que el contenido de los derechos sea definido por el legislador y otros actores del sistema de relaciones laborales (la autonomía colectiva y el empresario, sustancialmente) sin que estas actuaciones se sometan a control alguno. Ambos pronunciamientos, es evidente, han utilizado mecanismos para delimitar el derecho a la intimidad del trabajador, dejando su conducta fuera del contenido constitucional protegido. Si la actuación del trabajador no está amparada por el contenido constitucional del derecho, no hay injerencia ni limitación que analizar, o lo que es más drástico, cualquier conducta que incida sobre estas actuaciones es lícita al no lesionar su contenido constitucional.

Esta forma de interpretar el derecho a la intimidad informática difiere por completo de la que se aplica al más genérico derecho a la intimidad y, en último término, implica que aquel, por mucho que las declaraciones formales digan lo contrario, no rige en el ámbito de las relaciones laborales. Aspecto que queda absolutamente claro si pensamos que tratándose de ordenadores, dispositivos móviles u otros útiles empresariales, el ejercicio del derecho a la intimidad y al secreto de comunicaciones por parte del trabajador solo puede ejercitarse si no lo prohíbe el empresario y que, en caso de hacerlo, podrá comprobar que efectivamente se cumplen sus instrucciones, accediendo a dichos dispositivos. La doctrina de la delimitación, en consecuencia, no es neutral, permite que distintos operadores jurídicos dispongan del contenido de los derechos constitucionales sin que tal disposición sea controlada desde parámetros constitucionales.

## 3. VIGILANCIA DE LA SALUD EN LA EMPRESA Y DERECHO A LA INTIMIDAD DE LOS TRABAJADORES

La protección de la salud de los trabajadores ha sido siempre una de las actuaciones prioritarias en el ámbito social del derecho, si bien la atención recibida se ha concentrado tradicionalmente en el ámbito de la protección social y una vez que se habían producido alteraciones en el estado de salud como consecuencia del trabajo. A pesar de ello, no se puede negar que desde la aparición de esta rama del derecho se han regulado instituciones en el ámbito estrictamente laboral que directa o indirectamente han protegido la salud y el bienestar de los trabajadores; así ha ocurrido con las limitaciones de jornadas, la regulación de descansos, la suspensión del contrato de trabajo por enfermedad del trabajador, etc.[24].

Sin embargo, no cabe duda de que el impulso fundamental en la tutela del derecho a la salud de los trabajadores se produce con la implantación de las políticas de prevención de riesgos laborales en el se-

---

[24] Una consideración desde esta perspectiva, CARRIZOSA PRIETO, E., "La tutela del trabajador enfermo en el Estatuto de los Trabajadores", *REDT*, núm. 157, págs. 135-164.

no de las organizaciones productivas. Efectivamente, la Ley 31/1995 de 8 de noviembre de Prevención de Riesgos Laborales, en adelante LPRL[25], instaura, de acuerdo con la normativa internacional en la materia, un conjunto de garantías y mecanismos dirigidos a establecer un adecuado nivel de protección de la salud de los trabajadores frente a los riesgos derivados del trabajo. En consecuencia, su principal línea de actuación es el establecimiento de obligaciones dirigidas a preservar la salud y el bienestar de los trabajadores cuando desempeñan sus servicios dentro de las organizaciones productivas, siendo el empresario el sujeto principalmente obligado en este ámbito.

El conjunto de obligaciones que impone este marco legal se justifica en la preservación de una serie de derechos constitucionales de los trabajadores, destacadamente el derecho a la salud plasmado en el art. 43 CE, y, como manifestación de este último y en consonancia con las conexiones efectuadas por la doctrina constitucional, el derecho a la vida y a la integridad física (art. 15 CE)[26]. De acuerdo con estas exigencias constitucionales, la legislación sobre prevención de riesgos laborales reconoce el derecho de los trabajadores a la protección eficaz frente a los riesgos laborales y, en consecuencia, el deber del empresario de proteger a los trabajadores frente a dichos riesgos (art. 14 LPRL), deber que implica múltiples obligaciones, entre otras: ofrecer información a los trabajadores, establecer y respetar los cauces de consulta y participación en materia de prevención, facilitar formación en materia preventiva, paralizar la actividad en caso de riesgo grave e inminente y, en un plano más general, vigilar el estado de salud de los trabajadores, obligación esta última que ha de protagonizar la segunda parte de nuestro análisis.

### 3.1. La realización de reconocimientos médicos. Posibilidades y garantías en la regulación legal

Con respecto al reconocimiento del deber empresarial de vigilar (y garantizar, podríamos añadir) el estado de salud de los trabajadores, la regulación normativa es bastante clara. Efectivamente, el art. 22 de

---

[25]	BOE núm. 269 de 10 de noviembre.
[26]	STC núm. 62/2007 de 27 marzo (F. J. 4° y 5°) (*Tol 1042595*).

la LPRL establece la obligación empresarial de garantizar la vigilancia periódica del estado de salud de los trabajadores, vigilancia que se debe efectuar en función de los riesgos inherentes al puesto de trabajo desempeñado[27]. La manifestación fundamental de esta obligación es la exigencia al empresario de facilitar y sufragar el coste de reconocimientos médicos periódicos para sus trabajadores[28], reconocimientos que, en principio y con carácter general, son de carácter voluntario, por lo que son los propios trabajadores los que deciden si se someten o no a ellos. En materia de reconocimientos médicos rige, por tanto y como regla general, la voluntariedad·

No obstante, la propia regulación prevé excepciones por las que este tipo de reconocimientos se configuran con carácter obligatorio. De acuerdo con estas previsiones, los trabajadores no podrán negarse a los reconocimientos médicos cuando concurra alguna de las siguientes circunstancias: a) que se trate supuestos en los que la realización de los reconocimientos sean imprescindible para evaluar los efectos de las condiciones de trabajo sobre la salud de los trabajadores; b) que estos reconocimientos sean necesarios para verificar si el estado de salud del trabajador puede constituir un peligro para él mismo, para los demás trabajadores o para otras personas relacionadas con la empresa y; c) que los reconocimientos médicos vengan exigidos en una disposición legal en relación con la protección de riesgos específicos y actividades de especial peligrosidad.

En todo caso, y con independencia del carácter voluntario u obligatorio, la regulación establece varias exigencias con objeto de garantizar la preservación de los derechos fundamentales de los trabajadores. La primera requiere que este conjunto de medidas y actuaciones se desempeñen por personal sanitario con competencia técnica, for-

---

[27]   IGARTUA MIRÓ, M.T., "Comentario al art. 22 de la Ley de Prevención de Riesgos laborales. Vigilancia de la Salud", en VV. AA., Comentarios a la Ley de Prevención de Riesgos Laborales, Navarra, Aranzadi, 2010, pág. 321.

[28]   NAVARRO NIETO, F., "Los reconocimientos médicos como instrumentos de vigilancia de la salud laboral. Condicionantes legales y jurisprudenciales", *AS*, núm. 11/2012, pág. 153; TOSCANI GIMÉNEZ, D., *Reconocimientos médicos y su régimen jurídico laboral*, Albacete, Bomarzo, pág. 21.

[29]   NAVARRO NIETO, F., "Los reconocimientos médicos...", op. cit., pág. 154; IGARTUA MIRÓ, M.T., "Comentario al art. 22 de la Ley de Prevención de Riesgos laborales", op. cit., pág. 322.

mación y capacidad acreditada (art. 22. 6 LPRL). La segunda, de gran trascendencia, exige que las medidas de vigilancia y control de la salud de los trabajadores se lleven a cabo respetando sus derechos a la intimidad y a la dignidad personal, por lo que, aclara la propia regulación, deberá optarse por la realización de aquellos reconocimientos o pruebas que causen las menores molestias al trabajador y que sean proporcionales al riesgo que soporta (art. 22. 2 LPRL). Conectada con la anterior se encuentra la tercera exigencia, que demanda la realización de estos controles de forma que se respete la confidencialidad de la información relacionada con el estado de salud del trabajador. Ello requiere, de un lado, que los resultados de los controles efectuados se comuniquen únicamente a los trabajadores afectados y que el acceso a la información médica de carácter personal se limite al personal médico y a las autoridades sanitarias que lleven a cabo la vigilancia de la salud, sin que pueda facilitarse al empresario o a otras personas sin consentimiento expreso del trabajador (art. 22.3 y 4 LPRL). Esta última garantía no implica un desconocimiento total y absoluto por parte del empresario, pues la propia norma prevé que este y las personas u órganos con responsabilidades en materia de prevención sean informados de las conclusiones que se deriven de los reconocimientos efectuados en relación con la aptitud del trabajador para el desempeño del puesto de trabajo o con la necesidad de introducir o mejorar las medidas de protección y prevención, a fin de que puedan desarrollar correctamente sus funciones en materia preventiva (art. 22.4 LPRL). Por último, y con ello la norma intenta cerrar el marco de protección legal, se prohíbe que los datos relativos a la vigilancia de la salud de los trabajadores sean usados con fines discriminatorios ni en perjuicio de los propios trabajadores (art. 22.4 LPRL). En consecuencia, es la propia regulación legal, esto es, el art. 22 de la LPRL, la que esboza el cúmulo de garantías que debe regir la práctica de reconocimientos médicos que, de acuerdo con los estudios realizados sobre la materia, se caracterizan por la voluntariedad, la vinculación a riesgos, la imprescindibilidad y proporcionalidad y la confidencialidad[30].

Mucho más genéricas, aunque no carentes de interés, son las previsiones estatutarias, que, además de reconocer, en el marco de la re-

---

[30]     NAVARRO NIETO, F., "Los reconocimientos médicos...", op. cit., pág. 154.

lación laboral, el derecho de los trabajadores a la integridad física
y a una adecuada política de seguridad e higiene y el respeto a su
intimidad (art. 4.2 ap. d y e), contiene una síntesis de los derechos
de los trabajadores en torno a la seguridad e higiene en el trabajo
(art. 19 ET) y alguna previsión específica sobre los reconocimientos
médicos. Concretamente, dentro de la regulación sobre el control de
la actividad laboral, el art. 20 ET establece dos previsiones con alcance distinto sobre la cuestión que venimos analizando. La primera
habilita al empresario para adoptar "*las medidas de vigilancia y control más oportunas para verificar el cumplimiento por el trabajador
de sus obligaciones y deberes laborales, guardando en su adopción y
aplicación la consideración debida a su dignidad humana y teniendo en cuenta la capacidad real de los trabajadores disminuidos*" (art.
20.3 ET). La segunda permite al empresario "*verificar el estado de
enfermedad o accidente del trabajador que sea alegado por éste para
justificar sus faltas de asistencia al trabajo, mediante reconocimiento a
cargo de personal médico. La negativa del trabajador a dichos reconocimientos podrá determinar la suspensión de los derechos económicos
que pudieran existir a cargo del empresario por dichas situaciones*"
(art. 20.4 ET).

Estas previsiones normativas ponen de manifiesto que los reconocimientos médicos pueden desempeñar distintas funciones en la
empresa y que dependiendo de estas funciones tendrán un régimen
jurídico u otro. Así, pueden constituir un instrumento fundamental
para la prevención o detección de riesgos (art. 22 LPRL) o bien un
mecanismo para verificar el estado de enfermedad alegado por el trabajador y, en consecuencia, justificar las ausencias al trabajo (art. 20.4
ET)[31]. Es precisamente en relación con esta segunda función con la
que la norma estatutaria prevé que la negativa a someterse a ellos
por parte del trabajador pueda determinar la suspensión del cualquier
derecho económico que sea exigible al empresario por esta situación.
En cuanto instrumento esencial para la detección de riesgos, y especialmente en aquellos casos en que tengan carácter obligatorio, el
sometimiento a los reconocimientos médicos por parte de trabajador
constituye una obligación derivada de la relación laboral que el tra-

---

[31]   TOSCANI GIMÉNEZ, D., *Reconocimientos médicos...*, op. cit., págs. 43 y ss.

bajador debe cumplir necesariamente, de forma que su inobservancia supone un incumplimiento laboral de los establecidos en el art. 58 ET (art. 29 LPRL). Siendo así, la negativa reiterada del trabajador a someterse a dichos reconocimientos puede constituir un supuesto de indisciplina o desobediencia sancionable con el despido disciplinario (art. 54.2 b ET).

## 3.2. *Reconocimientos médicos y derechos fundamentales del trabajador. La doctrina constitucional*

El análisis efectuado sobre la normativa existente, centrada, como hemos tenido ocasión de comprobar, en el establecimiento de un cúmulo importante de límites y garantías, no evita que surjan innumerables cuestiones en torno a la incidencia que provoca esta institución sobre los derechos fundamentales de los trabajadores, con especial intensidad, en relación con el derecho a la intimidad y algunas de sus facultades esenciales, la intimidad corporal y la protección de datos personales (art. 18 CE).

A efectos de determinar la doctrina sobre los reconocimientos médicos y su incidencia sobre el derecho a la intimidad de los trabajadores, debemos partir de la STC 196/2004, de 15 de noviembre (*Tol 516646*), pronunciamiento paradigmático que analiza la legitimidad constitucional de una decisión empresarial de despido basada en falta de aptitud para desempeñar el trabajo[32]. La trascendencia del supuesto se encuentra en que la falta de aptitud se deduce de un reconocimiento médico de empresa donde se detecta, a través de análisis de orina, el consumo de drogas por parte de la trabajadora[33]. El TC

---

[32]  Comentarios a esta Sentencia en CAVAS MARTÍNEZ, F., "Vigilancia de la salud y tutela de la intimidad del trabajador", *AS*, núm. 19, 2004. BIB 2005/3.

[33]  No obstante, existen otros pronunciamientos relevantes como la STC 159/2009, de 29 de junio (*Tol 1568061*), que analiza la decisión de cese de un policía por parte del Ayuntamiento de Donostia —San Sebastián por padecer diabetes, aun habiendo superado un concurso— oposición, tres exámenes médicos y el respectivo curso de formación. Interesante también se perfila la STC 70/2009, de 23 de marzo (*Tol 1476394*), que analiza una decisión administrativa de iniciar de oficio el procedimiento de jubilación de un funcionario de educación, basándose en que dos informes psicológicos de su historial clínico ponía de manifiesto la incapacidad (permanente) para desarrollar el trabajo.

considera, siguiendo la doctrina establecida en pronunciamientos anteriores, que el derecho a la intimidad garantiza *"la existencia de un ámbito propio y reservado frente a la acción y el conocimiento de los demás, necesario (según las pautas de nuestra cultura) para mantener una calidad mínima de la vida humana"*. De hecho, su reconocimiento y configuración constitucional impone a terceros *"el deber de abstención de intromisiones salvo que estén fundadas en una previsión legal que tenga justificación constitucional y que sea proporcionada o que exista un consentimiento eficaz que lo autorice, pues corresponde a cada persona acotar el ámbito de intimidad personal y familiar que reserva al conocimiento ajeno"*[34].

De estas consideraciones se deduce que la vulneración del derecho a la intimidad se puede producir por distintas circunstancias: a) porque no exista habilitación legal que justifique la injerencia; b) porque, a falta de habilitación legal, no exista autorización expresa e informada del titular del derecho; o c) porque se trate de una medida que, aun autorizada por el titular del derecho, no se adecue o exceda los términos de esta autorización. Existen, en consecuencia, dos posibilidades de salvar la lesión del derecho a la intimidad en materia de reconocimientos médicos: mediante una autorización (consentimiento informado) por parte del trabajador o bien por una habilitación legal que permite prescindir de este consentimiento o autorización. La doctrina coincide plenamente con la regulación contenida en el art. 22 de la LPRL y la propia legislación específica. Efectivamente, las intromisiones en el ámbito del derecho a la intimidad serán ilegítimas, tal como especifica en el art. 7 de la LO 1/1982, de 5 de mayo, de Protección Civil del Derecho al Honor, a la Intimidad Personal y Familiar y a la Propia Imagen, cuando, sin contar con el consentimiento del titular, supongan *"la utilización de aparatos de escucha, dispositivos ópticos o de cualquier otro medio para el conocimiento de la vida íntima de las personas o de manifestaciones o cartas privadas no destinadas a quien haga uso de tales medios, así como su grabación, registro o reproducción"; "la divulgación de hechos relativos a la vida privada*

---

[34]   STC 196/2004, de 15 de noviembre (F. J. 2) (*Tol 516646*). El pronunciamiento reitera la doctrina establecida, entre otras, en las SSTC 292/2000, de 30 de noviembre (F. J. 16) (*Tol 2772*); 70/2002, de 3 de abril (F. J. 10) (*Tol 258605*); 83/2002, de 22 de abril (F. J. 5) (*Tol 258618*).

*de una persona o familia que afecten a su reputación y buen nombre, así como la revelación o publicación del contenido de cartas, memorias u otros escritos personales de carácter íntimo"*, y, *"la revelación de datos privados de una persona o familia conocidos a través de la actividad profesional u oficial de quien los revela"*. Dicha regulación es coherente con el art. 2.2 de la misma disposición, que claramente establece que no se apreciarán intromisiones ilegítimas cuando estuvieren expresamente autorizadas por ley o cuando el titular del derecho hubiese otorgado al efecto su consentimiento expreso.

Siendo este el panorama legislativo, la importancia del pronunciamiento mencionado se encuentra en la atenta consideración que se efectúa sobre la forma y condiciones en las que se debe expresar el consentimiento y en la interpretación restrictiva de las excepciones a la voluntariedad que en materia de reconocimientos médicos regula la LPRL. Por lo que concierne al consentimiento, el TC exige (sin perjuicio de las condiciones que se puedan imponer por el marco legal) que sea previo, exteriorizado (bien de forma escrita, de forma verbal o mediante actos concluyentes), informado y pleno. Independientemente de la forma en que se exteriorice, el consentimiento debe mostrar la voluntad real de someterse a las pruebas médicas y ser un consentimiento informado. El trabajador, en consecuencia, deberá recibir información expresa y previa sobre cualquier prueba o analítica que pudiera llegar a afectar a su intimidad corporal o sobre cualquier reconocimiento médico que, sin afectar al derecho a la intimidad corporal, constituya una injerencia en el más amplio derecho a la intimidad personal, al tener por objeto datos sensibles que puedan provocar un juicio de valor social de reproche o desvalorización ante la comunidad (por ejemplo, el consumo habitual de drogas), o cuando las pruebas a practicar sean ajenas a la finalidad normativa de vigilancia de la salud en relación con los riesgos inherentes al trabajo. Por último, el consentimiento debe ser pleno, porque debe expresarse respecto del contenido y alcance de las pruebas que se pretenden realizar, de la información que con ellas se busca obtener y de la utilización que va a hacerse de la información sanitaria obtenida[35]. Añade el TC, y ello constituye una matización importante a la vez que cuestionable,

---

[35]    NAVARRO NIETO, F., "Los reconocimientos médicos...", op. cit., pág. 155.

que respecto al resto de supuestos, esto es, en lo que resulte previsible en atención al objeto y propósito de los reconocimientos médicos en relación al trabajo desempeñado, no habrá vulneración del art. 18.1 CE si el trabajador puede tener acceso, de solicitarlo, al conocimiento del contenido y alcance de la detección, tipo de pruebas que le vayan a ser practicadas y sus efectos, sus contraindicaciones y riesgos probables en condiciones normales, así como de las posibles eventualidades y contingencias que en su salud pudieran derivarse de no realizar el reconocimiento médico.

Por lo que se relaciona con la interpretación de las excepciones a la voluntariedad, el TC parte de que el derecho a la intimidad es un derecho fundamental de contenido relativo que puede ser limitado atendiendo a *"razones justificadas de interés general convenientemente previstas por la Ley, entre las que, sin duda, se encuentra la evitación y prevención de riesgos y peligros relacionados con la salud"*. Ahora bien, su naturaleza constitucional exige que la *"limitación deba estar fundada en una previsión legal que tenga justificación constitucional, sea proporcionada y que exprese con precisión todos y cada uno de los presupuestos materiales de la medida limitadora"*[36]. Dichas exigencias, aplicadas a los supuestos de obligatoriedad de los reconocimientos médicos plasmados en la LPRL, exige que estos sólo se efectúen cuando concurran las siguientes circunstancias: a) que exista un interés preponderante del grupo social o de la colectividad laboral o una situación de necesidad objetivable (esto es, los supuestos tipificados en el art. 22.1 LPRL y los consiguientes intereses constitucionales que se pretende proteger); b) que dichos reconocimientos constituyan el instrumento necesario y adecuado en atención al riesgo que se procura prevenir (adecuación y necesidad); y c) que no existan opciones alternativas de menor impacto en el núcleo de los derechos afectados por la medida restrictiva (indispensabilidad)[37]. En definitiva, que además de verificar que efectivamente se trata de uno de los supuestos tipificados en el art. 22 de la LPRL, el juzgador deberá comprobar que el reconocimiento médico constituye una medida proporcionada (adecuada, indispensable y proporcionada) al fin que

---

[36]    STC 196/2004, de 15 de noviembre (F. J. 5) (*Tol 516646*).
[37]    STC 196/2004, de 15 de noviembre (F. J. 6) (*Tol 516646*).

justifica la restricción del derecho a la intimidad del trabajador y, en consecuencia, una restricción legitima de acuerdo con los parámetros que exige nuestro texto constitucional.

No son estas, sin embargo, las directrices seguidas por la jurisprudencia ordinaria, esto es, por el TS o por los Tribunales Superiores de Justicia de las distintas Comunidades Autónomas, pronunciamientos en los que se suele marginar el análisis de la injerencia que la obligatoriedad del reconocimiento médico implica para el derecho a la intimidad del trabajador, escudándose en la existencia de una habilitación legal (art. 22.1 LPRL). Un análisis correcto de la cuestión exigiría esclarecer si el reconocimiento médico de que se trate constituye una lesión del derecho a la intimidad del trabajador y, siendo así, si podría subsumirse en algunos de los casos en los que se puede imponer su carácter obligatorio o, en cambio, es necesario que el trabajador preste el consentimiento (expreso e informado). Para ello necesariamente habría que partir de la vigencia relativa del derecho a la intimidad en el ámbito de las relaciones laborales y entender que, aún rigiendo en dicho ámbito, su contenido puede ceder ante otros intereses relevantes desde el punto de vista constitucional. Estos intereses relevantes, debe destacarse ahora, son los que se han tenido en consideración a la hora de regular los supuestos en los que cabe exigir la obligatoriedad de los reconocimientos médicos, esto es, los supuestos previstos en el art. 22 de la LPRL. En segundo lugar, y a pesar de la tipificación legal, se debe tener en cuenta que dichos supuestos al constituir una limitación de un derecho fundamental, deben ser interpretados de forma rigurosa y restrictiva, garantizando el poder judicial que la realidad de los hechos responde efectivamente a los supuestos legales y que la imposición del reconocimiento médico constituye una medida adecuada, necesaria y proporcionada a la finalidad perseguida con la restricción, comprobación que de ser positiva constataría la existencia de una limitación justificada.

Como hemos anunciado, no se suelen seguir estas directrices por parte de la jurisprudencia ordinaria, pues aunque esta se muestra acorde con la doctrina constitucional, termina considerando que la existencia de las habilitaciones legales contenidas en el art. 22.1 LPRL legitiman, en cualquier caso, la obligatoriedad de los reconocimientos médicos. Así, por ejemplo, ocurre en la STS de 28 diciembre 2006 (F. J. 3°) (*Tol 1038504*), que al examinar la legalidad de la cláusula convencional que declara la obligatoriedad de los reconocimientos médicos previos a la contratación (Anexo III del I Convenio Colectivo de la Sociedad Estatal Correos y Telégrafos), argumenta y declara expresamente que los supuestos de obligatoriedad establecidos por la LPRL constituyen "*tres excepciones concebidas de forma tan amplia, que en la práctica anulan realmente el requisito general de que el trabajador preste su consentimiento, de modo que la excepción se convierte en norma general, siempre, naturalmente que la medida no se acuerde fraudulentamente [...] y se respete la dignidad y la confidencialidad de la salud [...] y tengan por objeto vigilar el estado de salud de los trabajadores 'en función de los riesgos inherentes al trabajo', de manera que solamente el exceso objetivo en el examen de salud de los trabajadores por no concurrir aquella finalidad o las circunstancias descritas, podría constituir, salvo expreso consentimiento individual del trabajador afectado, una intromisión ilegitima en el ámbito de la intimidad personal*"; declaraciones que parecen legitimar, con carácter general, la obligatoriedad de los reconocimientos médicos y que, en consecuencia, pueden ser interpretadas como una exención de la obligación de analizar la adecuación del supuesto concreto al marco legal[38].

Razonamientos similares podemos encontrar en los pronunciamientos de los Tribunales Superiores de Justicia de las CC.AA. Así sucede, por ejemplo, con la STSJ Extremadura núm. 44/2013 de 5 de febrero (*Tol 3240449*), que analiza el despido por indisciplina y desobediencia de un vigilante de seguridad por negarse de forma reiterada a someterse a un reconocimiento médico. El tribunal, que no encuentra lesión del derecho a la intimidad, se limita a declarar: a) que en el supuesto concreto se está ante un supuesto de excepción a la voluntariedad en el reconocimiento médico, aunque no entra a concretar el supuesto específico que justifica la limitación; b) que el trabajador ha sido informado por parte del Gerente de la empresa, sin que se valore la importancia y el alcance que tiene el suministro de esa

---

[38]    Así se percibe en algunos pronunciamientos. La STSJ Andalucía núm. 548/2012 de 16 febrero (*Tol 2503721*), sobre despido de un guardia de seguridad (desobediencia y transgresión de la buena fe contractual), al negarse reiteradamente a someterse a un reconocimiento médico. Aunque en este supuesto el Tribunal, por falta de alegación, no examina la vulneración del derecho a la intimidad, sí que considera, y así lo declara expresamente acogiendo la doctrina del TS, que las excepciones de la LPRL deben interpretarse de forma amplia, lo que termina anulando el requisito (también legal) de que el trabajador preste su consentimiento.

información, y c) que la empresa cliente exigía que los trabajadores hubieran pasado el oportuno reconocimiento médico, como si dicha exigencia constituyese, por sí sola, un requisito válido para demandar su obligatoriedad[39]. El razonamiento, ciertamente, se sustenta en la doctrina constitucional que hemos comentado, esto es, la configuración del derecho a la intimidad como un derecho de contenido relativo que admite limitaciones dirigidas a satisfacer otros bienes o derechos constitucionalizados; pero siendo esta la doctrina aplicable, el Tribunal tendría que haber identificado el supuesto descrito por la LPRL en que se puede encuadrar los hechos para posteriormente razonar si la lesión del derecho se encuentra o no justificada. Lejos de realizar ese conjunto de operaciones, el Tribunal se limita a declarar la legitimidad de la exigencia empresarial, amparándose en que existe habilitación legal expresa[40]. Hubiese sido deseable y necesario, además de constatar la existencia de habilitación legal, valorar si la limitación efectuada sobre el derecho a la intimidad estaba justificada de acuerdo con las circunstancias, esto es, efectuar la ponderación necesaria para determinar qué derecho o interés debía ceder en el contexto analizado. Así lo exige la doctrina constitucional, que claramente considera que el derecho a la intimidad puede ceder ante otros derechos y bienes constitucionalmente relevantes *"siempre que la limitación que haya de experimentar esté fundada en una previsión legal que tenga justificación constitucional, se revele necesaria para lograr el fin legítimo previsto y sea proporcionada para alcanzarlo"*[41].

Razonamientos de estas características sorprenden por varias circunstancias; la más importante es que la lesión del derecho a la intimidad es la cuestión fundamental que se plantea en los distintos supuestos y, siendo así, es ciertamente censurable que los Tribunales ofrezcan argumentaciones tan débiles y desordenadas, máxime cuando los supuestos ofrecen posibilidades, sin alterar el sentido de la resolución, para elaborar razonamientos más elaborados y acertados. La omisión del análisis del derecho a la intimidad imposibilita que exista en el ámbito jurisprudencial, al menos en los pronunciamientos que versan sobre reconocimientos médicos, la delimitación de las distintas

---

[39]   STSJ Extremadura núm. 44/2013 de 5 de febrero (F. J. 3º) (*Tol 3240449*).
[40]   STSJ Extremadura núm. 44/2013 de 5 de febrero (F. J. 3º) (*Tol 3240449*).
[41]   STC 70/2009, de 23 de marzo, (F. J. 3º) (*Tol 1476394*).

facultades que integran el contenido del derecho a la intimidad. Las consideraciones sobre este aspecto se hacen de forma completamente general, sin entrar a diferenciar las distintas facultades y, por tanto, sin valorar la trascendencia y consecuencias que estas y sus posibles limitaciones o restricciones puedan tener en el ámbito de las relaciones laborales. El deber empresarial consistente en vigilar de forma periódica la salud de los trabajadores que se reconoce en el art. 22 de la LPRL y, concretamente, la realización de reconocimientos médicos incide de diversas formas en las facultades que integra el derecho a la intimidad (intimidad corporal, protección de datos personales, protección de datos de tráfico, etc.), por lo que es necesario diferenciarlas para articular un sistema eficaz de tutela.

## 4. VALORACIÓN FINAL. LUCES Y SOMBRAS EN LA DOCTRINA CONSTITUCIONAL

El análisis realizado sobre el derecho a la intimidad, restringido, recordémoslo una vez más, al control del uso de los ordenadores y dispositivos móviles utilizados por el trabajador para cumplir con sus obligaciones laborales y a la realización de reconocimientos médicos obligatorios como manifestación fundamental del deber empresarial de vigilar la salud de los trabajadores, pone de manifiesto que, al menos en el ámbito de las declaraciones formales, las garantías frente a las injerencias aplicadas por parte de la jurisprudencia son completamente homogéneas. Efectivamente, en todos los supuestos, y ello es así porque estas exigencias derivan claramente del marco legal internacional y nacional, se exige o bien que la limitación o injerencia cuente con el consentimiento del trabajador afectado por la medida limitadora, o bien, que sin contar con este consentimiento, las posibles restricciones y el interés que las justifique se encuentren plasmadas expresamente en una disposición de naturaleza legal.

Es precisamente en este punto donde comienzan las diferencias en la interpretación del derecho a la intimidad, pues mientras las posibles restricciones que provienen de la imposición de reconocimientos médicos obligatorios a los trabajadores, están legitimadas y detalladas en el art. 22 de la LPRL, no ocurre lo mismo con las injerencias en el derecho a la intimidad que derivan del control empresarial sobre el uso de los equipos informáticos o dispositivos móviles, aspecto sobre el que sólo existen referencias genéricas en el art. 20 del ET. Obviamente, esta circunstancia ha provocado que la interpretación en cada uno de estos ámbitos difiera considerablemente, aunque los resultados terminen siendo muy similares.

Así, cuando se trata de ejercitar el control sobre equipos informáticos y dispositivos móviles, a pesar de la vaguedad legal y precisamente por ello, la jurisprudencia entiende que tanto la autonomía colectiva como el empresario pueden disponer del ejercicio del derecho por parte del trabajador imponiendo la prohibición directa o indirecta de usar estos mecanismos para fines particulares y efectuando los controles necesarios para verificar que efectivamente los trabajadores siguen estas instrucciones. Este poder de disposición sobre los derechos fundamentales de los trabajadores cuando se ejercitan a través de mecanismos empresariales no se somete a ningún control de legitimidad, puesto que a la hora de valorar la injerencia que este tipo de medidas producen sobre el derecho fundamental del trabajador, se acude a la doctrina de la delimitación de los derechos y no de la limitación; ello implica dejar fuera del contenido constitucional del derecho las conductas del trabajador (alegando que utiliza bienes de titularidad empresarial para ejercitar su derechos), por lo que, independientemente del contenido de la medida limitadora, no cabe apreciar lesión o restricción del derecho fundamental. El problema que se plantea con los reconocimientos médicos presenta un perfil distinto aunque no desconectado con el anterior. El hecho de que exista una regulación legal exhaustiva que contempla los supuestos tasados en que es posible exigir los reconocimientos médicos hace que los jueces y tribunales marginen el análisis de las circunstancias concurrentes con objeto de determinar si en ese caso concreto era posible o no imponer el reconocimiento. De esta forma se considera que las excepciones legales a la voluntariedad constituyen supuestos tan amplios que la obligatoriedad termina siendo la norma general.

En el fondo, el problema es que en la actualidad existe una separación tajante entre las declaraciones formales y las actuaciones sustanciales que contienen la mayoría de los pronunciamientos sobre el derecho a la intimidad en la relación de trabajo. En el ámbito de la declaraciones formales los jueces y tribunales, incluido el TC cuando aplica la doctrina de la delimitación, mantienen el discurso de la eficacia directa de los derechos fundamentales y de la aplicación del principio de proporcionalidad, mientras que en el plano de las actuaciones materiales, la práctica judicial está todavía lejos de aplicar y aceptar esa eficacia inmediata y las consecuencias que derivan de ella. Afortunadamente esto, ni siempre ha sido así, ni es la tónica general en todas las instancias jurisdiccionales.

Efectivamente, al menos por lo que respecta al derecho a la intimidad informática, la construcción efectuada por el Tribunal Constitucional en los pronunciamientos vertidos en los dos últimos años no acoge la doctrina elaborada por instancias jurisprudenciales internacionales. Tanto el TEDH, aunque también pronunciamientos anteriores del TC y del TS, han partido de una concepción amplia del derecho a la intimidad que lo concibe como un ámbito propio y reservado frente a la acción y el conocimiento de los demás, ámbito que requiere de una eficaz protección en el seno de las organizaciones empresariales, especialmente cuando este derecho entra en colisión con cualquiera de las facultades que integran el poder de dirección empresarial. Desde estos planteamientos, la confrontación entre el derecho a la intimidad de los trabajadores y las facultades de vigilancia y control de la actividad laboral se ha manifestado especialmente problemática en el ámbito de las tecnologías de la información y la comunicación implantadas en la empresa (teléfono, correo electrónico, Internet, etc.), sobre todo porque constituyen un cauce habitual para canalizar información de carácter profesional, pero, sin duda, también de carácter eminentemente personal y privado. Ante estas circunstancias, la jurisprudencia ha considerado que, aun procediendo del ámbito laboral, las llamadas telefónicas y los e-mails quedan protegidos por el derecho a la intimidad, puesto que a través de su control y análisis se puede acceder a detalles e informaciones de vida íntima personal y familiar del trabajador. La misma naturaleza y consideraciones se deben efectuar respecto de la información que deriva del uso personal de Internet. Esto no significa que el empresario no pueda controlar el uso que se da a estas herramientas, y que en virtud de este uso imponga sanciones disciplinarias, incluido el despido, sino que a la hora de efectuar estos controles debe evitar injerencias injustificadas en el contenido del derecho a la intimidad, circunstancia que se garantiza respetando el principio de proporcionalidad y poniendo en conocimiento del trabajador que dicho control se va a efectuar.

No es esta la posición que adoptan las sentencias examinadas, que claramente adoptan una postura distinta, apartándose con ello de pronunciamientos anteriores y de la doctrina del TEDH. En cuanto medios destinados a realizar la prestación de trabajo y de titularidad exclusivamente empresarial, el empresario puede prohibir lícitamente su uso para fines personales y, puesto que no ha lugar a su uso para esos fines, los controles efectuados por el empresario no pueden vulnerar el derecho a la intimidad. En otras palabras, si no se pueden usar estos mecanismos con fines personales no ha lugar a alegar, y tampoco a lesionar, el derecho a la intimidad. Ello implica que, en última instancia, es el empresario el que decide si rige o no el derecho a la intimidad de los trabajadores cuando utilizan dichas mecanismos en el seno de las organizaciones productivas, puesto que pueden o no existir expectativas en este sentido dependiendo de que haya o no una prohibición empresarial, lo que no casa en absoluto con la doctrina del TEDH, ni con la vigencia de los derechos fundamentales en el seno de organizaciones productivas, que es lo que esta doctrina pretende sostener.

En consecuencia, los pronunciamientos examinados no estiman la lesión del derecho porque no lo consideran vigente en dicho ámbito. La existencia de una prohibición empresarial en este sentido delimita el contenido del derecho fundamental de forma que no puede hacerse efectivo a través de mecanismo empresariales ni durante el tiempo de trabajo. En contraposición, una aplicación escrupulosa de la doctrina sobre los límites de los derechos fundaméntales debería haber desembocado en la nulidad de las distintas conductas empresariales por lesivas de los derechos mencionados, puesto que los controles articulados para comprobar el uso del ordenador y del correo electrónico, instalados sin conocimiento de los trabajadores, fueron de tal calibre que lesionaron los derechos protegidos por el art. 18 CE.

Este cambio en los criterios de interpretativos pone de manifiesto que es necesario depurar y perfeccionar la técnica de la limitación y, muy especialmente, la aplicación del principio de proporcionalidad. La falta de atención en su aplicación y las incongruencias detectadas entre declaraciones formales y actuaciones materiales provocan, por ejemplo, que entre facultades de un mismo derecho, pervivan posiciones distintas, así ocurre con el derecho a la intimidad y con el derecho a la intimidad informática, pues es la técnica de la limitación la que se aplica en el primer caso y la de la delimitación la que se aplica en el segundo, aun constituyendo manifestaciones de un mismo derecho fundamental.

Por todo lo anterior, debemos avanzar en la interpretación de los derechos fundamentales, y para ello en necesario abordar de inmediato dos cuestiones fundamentales. La primera se relaciona con la dogmática de los derechos fundamentales y requiere que tanto doctrina como jurisprudencia analicen y valoren las diferencias existentes entre limitación y delimitación. En segundo lugar, se requiere que en cada supuesto concreto, la jurisprudencia sea mucho más rigurosa tanto en la aplicación del juicio de proporcionalidad como en la definición y delimitación de las facetas del derecho a la intimidad que se encuentran en juego. Conviene, por tanto, que tanto doctrina como jurisprudencia aboguemos, en nuestros respectivos ámbitos de actuación, por la efectividad del derecho a la intimidad en la organizaciones productivas, y ello pasa necesariamente por definir su contenido e identificar el haz de facultades que lo componen, por determinar con respecto a cada una de ellas hasta dónde puede llegar el consentimiento del trabajador y, por último, por aplicar de forma clara y expresa, y siempre que así se requiera, el juicio de proporcionalidad a cualquier limitación que se pueda establecer desde el ámbito empresarial. Son exigencias mínimas que, como demuestran algunos de los pronunciamientos analizados, están pendientes de determinar y consolidar.

## BIBLIOGRAFÍA

CARRIZOSA PRIETO, E., "El principio de proporcionalidad en el Derecho del Trabajo", *REDT*, núm. 123, 2004.

CARRIZOSA PRIETO, E., "La tutela del trabajador enfermo en el Estatuto de los Trabajadores", *REDT*, núm. 157, 2013.

CAVAS MARTÍNEZ, F., "Vigilancia de la salud y tutela de la intimidad del trabajador", *AS*, núm. 19, 2004. BIB 2005/3.

DURÁN LÓPEZ, F., "Inviolabilidad de la persona del trabajador", VV. AA., *Comentarios a las Leyes Laborales. El Estatuto de los Trabajadores*, T. IV, Edersa, Madrid, 1983.

GOÑI SEI, J. L., *El respeto a la esfera privada del trabajador*, Civitas, Madrid, 1988.

HOLGADO GONZÁLEZ, M., "Intimidad y nuevas tecnologías en el entorno laboral", VV. AA., *Constitución y democracia: ayer y hoy. Libro homenaje a Antonio Torres del Moral*, Editorial Universitas, Madrid, 2012.

IGARTUA MIRÓ, M.T., "Comentario al art. 22 de la Ley de Prevención de Riesgos laborales. Vigilancia de la Salud", en VV. AA., Comentarios a la Ley de Prevención de Riesgos Laborales, Navarra, Aranzadi, 2010.

MARTÍNEZ FONS, D., *El poder de control del empresario en la relación laboral*, CES, Madrid, 2002.

MARTÍNEZ RANDULFE, F., "Derecho a la intimidad y relaciones laborales: Aproximaciones", en VV. AA., *Derechos Fundamentales y Contrato de Trabajo*, Comares, Granada, 1998.

NAVARRO NIETO, F., "Los reconocimientos médicos como instrumentos de vigilancia de la salud laboral. Condicionantes legales y jurisprudenciales", *AS*, núm. 11/2012.

PALOMEQUE LÓPEZ, M. C., *Los derechos laborales en la Constitución Española*, CEC, Madrid, 1991.

RAMOS LUJÁN, H. V., "La intimidad de los trabajadores y las nuevas tecnologías", *RL*, núm. 17, 2003.

TOSCANI GIMÉNEZ, D., Reconocimientos médicos y su régimen jurídico laboral, Albacete, Bomarzo, 2011.

VV. AA, "Los sistemas de control de la actividad laboral mediante las nuevas tecnologías de la información y comunicación", *RL*, núm. 12, 2003.

# LA INCIDENCIA DEL RÉGIMEN DE LA PUBLICACIÓN DE ACTOS ADMINISTRATIVOS DISEÑADO POR LA LEY 30/92 SOBRE EL DERECHO A LA PROTECCIÓN DE DATOS GARANTIZADO POR LA LOPD

Francisco Toscano Gil
*Profesor Contratado Doctor de Derecho Administrativo*
*Universidad Pablo de Olavide de Sevilla*

SUMARIO: 1. PLANTEAMIENTO; 2. TIPOS DE PUBLICACIÓN DE ACTOS ADMINISTRATIVOS; 2.1. Clasificación en atención a la relación entre notificación y publicación; 2.1.1. Publicación supletoria; 2.1.2. Publicación sustitutoria; 2.1.3. Publicación complementaria; 2.2. Clasificación conforme a los fines de la publicación; 2.2.1. Publicación como medio de comunicación del acto; 2.2.2. Publicación por razón de otros fines públicos; 2.3. Clasificación según el medio de publicación; 2.3.1. Publicación en papel; 2.3.2. Publicación por medios electrónicos; 3. INCIDENCIA DE LA PUBLICACIÓN DE ACTOS ADMINISTRATIVOS SOBRE EL DERECHO A LA PROTECCIÓN DE DATOS DE CARÁCTER PERSONAL; 3.1. Desde la perspectiva del principio de legalidad; 3.1.1. Publicación supletoria; 3.1.2. Publicación sustitutoria; 3.1.3. Publicación complementaria; 3.2. Desde la perspectiva del principio de proporcionalidad; 3.2.1. Juicio de idoneidad; 3.2.2. Juicio de necesidad; 3.2.3. Juicio de proporcionalidad en sentido estricto. 4. CONCLUSIONES

## 1. PLANTEAMIENTO

El art. 18.4 de la Constitución Española (en adelante CE) reconoce el derecho a la protección de datos de carácter personal, y lo sustantiva como un derecho diferente del derecho a la intimidad, autónomo o instrumental respecto de éste, e incluso respecto de otros derechos, según la tesis que se siga[1]. En cualquier caso, como derecho funda-

---

[1] Sobre las tesis en torno a la naturaleza del derecho a la protección de datos como derecho autónomo o instrumental de otros derechos, así como sobre su delimitación respecto del derecho a la intimidad, véase GUICHOT REINA, E. (2005): 61

mental que es, la Constitución le dota de las garantías establecidas en el art. 53, convirtiéndolo en objeto de protección frente a la actuación de todos los poderes públicos, incluyendo, como tales, a las Administraciones Públicas. La Ley Orgánica 15/1999, de 13 de diciembre, de Protección de Datos de Carácter Personal (en adelante LOPD), contiene la regulación vigente en nuestro país de este derecho, estableciendo sus límites y garantías[2].

La actuación de las Administraciones Públicas, como la de cualquier particular, es susceptible de incidir sobre el derecho a la protección de datos. La diferencia estriba en que la peculiar posición de la Administración en nuestro modelo de Estado constitucional, como sujeto cuya función es la satisfacción de los intereses generales (art. 103.1 CE), para lo que se le atribuyen potestades exorbitantes del Derecho privado[3], implica la existencia de limitaciones al derecho fundamental que no juegan en los casos en que la afección proviene de un particular[4].

De entre la diversidad de actuaciones administrativas que pueden afectar al derecho a la protección de datos, destaca, por su potencialidad lesiva de éste, la publicación de actos administrativos. En la medida en que el destinatario del acto es una persona, la publicación, que no mera comunicación personal, de éste, puede incidir, por su publicidad, sobre el derecho fundamental, que gravita, precisamente, en torno a datos de la persona[5]. Cuando, como consecuencia del desarrollo de

---

y ss. También al respecto, puede verse ARROYO YANES, L.M. (1993): 127. Por otra parte, acerca de la necesidad de replantearse el concepto de intimidad en el siglo XXI, véase el interesante trabajo de LUCENA CID, I.V. (2012).

[2]   Esta regulación se completa con el Real Decreto 1720/2007, de 21 de diciembre, por el que se aprueba el Reglamento de desarrollo de la Ley Orgánica 15/1999, de 13 de diciembre, de Protección de Datos de Carácter Personal.

[3]   Acerca de la atribución y ejercicio de potestades administrativas en nuestro Derecho, véase el reciente e interesante trabajo de LÓPEZ GONZÁLEZ, J.I. (2011): 267-287.

[4]   En este mismo sentido, véase GUICHOT REINA, E. (2005): 23.

[5]   Hablamos de datos de la persona física (art. 1 LOPD), no de la persona jurídica, que no se considera titular de este derecho fundamental. Si bien el tema no ha sido siempre pacífico entre la doctrina, aunque ha sido clarificado por el reglamento de desarrollo de la Ley (art. 2 Real Decreto 1720/2007, de 21 de diciembre). Al respecto, véase GUICHOT REINA, E. (2005): 120-125, y SANTOS GARCÍA,

las nuevas tecnologías de la información y la comunicación[6], y de la implantación de la Administración electrónica[7], esa publicación no se lleva a cabo por los medios tradicionales, en papel, sino a través de medios electrónicos, las posibilidades de que la publicación del acto administrativo afecte al derecho a la protección de datos se multiplican[8].

El objeto de este trabajo es analizar la incidencia de la publicación de actos administrativos sobre el derecho a la protección de datos de carácter personal. Para ello, partiremos del estudio de los distintos tipos de publicación de actos administrativos que contempla nuestro Derecho. Y, a continuación, abordaremos en qué medida puede afectar al derecho fundamental que nos ocupa cada una de las clases de publicación existentes. Para resolver el posible conflicto entre este derecho y el valor o fin constitucional a que obedezca en cada caso la publicación del acto, debemos pasar ésta, como actuación administrativa que es, por el doble tamiz de los principios de legalidad y proporcionalidad. Sólo de esta forma podremos determinar en qué supuestos la afección del derecho fundamental está justificada, por haberse previsto en la ley, así como concretar las técnicas que, bajo el prisma de la proporcionalidad, contribuyan a amortiguar la injerencia sobre el derecho fundamental.

Vaya por delante que, al tratarse de un problema de ponderación de derechos y valores constitucionales, su estudio resulta, a menudo, bastante insatisfactorio, por la dificultad que entraña el intentar alcanzar criterios ciertos y definitivos. Máxime cuando, como es el caso,

---

D. (2012): 41 y 42. Por otra parte, sobre el concepto de datos de carácter personal, puede verse PIÑAR MAÑAS, J.L. (2010): 183-213.

[6] Véase GAMERO CASADO, E. y MARTÍNEZ GUTIÉRREZ, R. (2010): 35 y ss.

[7] Acerca del concepto de Administración electrónica, puede verse, en extenso, MARTÍNEZ GUTIÉRREZ, R. (2009): 181-205. También al respecto, véase GAMERO CASADO, E. (2010): 91 y 92.

[8] Así se ha puesto de manifiesto, entre otros, en GUICHOT REINA, E. (2009): 265 y 266, RALLO LOMBARTE, A. (2010): 65, y VALERO TORRIJOS, J. (2010): 390 y 391. También la Agencia Española de Protección de Datos (en adelante AEPD) se ha pronunciado en reiteradas ocasiones en esta línea, como puede verse, entre otros, en el Informe 0145/2010 sobre "Publicación de datos personales en tablón de anuncios electrónico", pág. 4. Por otra parte, una reflexión acerca de los nuevos riesgos que la incorporación de las tecnologías de la información y de la comunicación implican para algunos derechos fundamentales, como los de la personalidad, puede verse en HOLGADO GONZÁLEZ, M. (2012): 1971-1988.

la ley no proporciona criterios claros, y, finalmente, hay que estar a los establecidos por las distintas Agencias de Protección de Datos, o, en última instancia, por los Tribunales de Justicia. Aunque, por razón del casuismo existente, y de la constante evolución de la materia, tampoco las Agencias de Protección de Datos proporcionan soluciones definitivas, lo cierto es que, al menos, sus resoluciones son una orientación de valor innegable, constituyéndose, a día de hoy, en la principal fuente de criterios aplicativos de la normativa española de protección de datos.

## 2. TIPOS DE PUBLICACIÓN DE ACTOS ADMINISTRATIVOS

Habida cuenta de que el objeto de este trabajo es la incidencia de la publicación de actos administrativos sobre el derecho a la protección de datos, la primera cuestión que tendremos que abordar es la definición de qué sea la publicación de actos administrativos. A ella llegaremos mediante el estudio de los distintos supuestos de publicación de actos administrativos previstos en nuestro ordenamiento, por los arts. 59 y 60 de la Ley 30/1992, de 26 de noviembre, de Régimen Jurídico de las Administraciones Públicas y del Procedimiento Administrativo Común (en adelante LRJPAC).

Con carácter previo, se impone la delimitación de la publicación de actos administrativos, respecto de otro tipo de publicaciones realizadas por la Administración que no tienen por objeto la publicación de un acto, y a las que no habremos de prestar, por tanto, ninguna atención en este trabajo. Queda fuera, pues, la publicación de disposiciones administrativas, a que se refiere el art. 52.1 de la LRJPAC, que obedece al principio de publicidad de las normas del art. 9.3 CE y a la integración de la eficacia de éstas. Y, dejamos también a un lado, la publicación de información administrativa al ciudadano, en el contexto de los arts. 37.9 y 37.10 de la LRJPAC, y que cumple, entre otras, una función de transparencia administrativa[9].

---

[9]   En relación a estos preceptos, véase FERNÁNDEZ RAMOS, S. (1997): 581-588, y GUICHOT REINA, E. (2012b): 365 y 366. Por otra parte, acerca de la delimitación de la regulación contenida en los arts. 35, 37, 59 y 60 de la LRJPAC, puede verse FERNÁNDEZ SALMERÓN, M. y VALERO TORRIJOS, J. (2005):

El análisis de los distintos supuestos de publicación de actos administrativos será abordado desde la óptica de la clasificación de los mismos en atención a distintos criterios. El primero de los criterios que emplearemos será el que distingue en función de la relación de la publicación del acto con la notificación administrativa, llevándonos a hablar de publicación supletoria, sustitutoria y complementaria. El segundo criterio atiende a la finalidad de la publicación, que en unos casos persigue la comunicación e integración de la eficacia del acto, y en otros se trata de fines públicos distintos de los anteriores. El tercer criterio de distinción empleado es el medio de publicación del acto, según se trate de la publicación tradicional, en papel, o, a resultas del desarrollo de las nuevas tecnologías y de la implantación de la Administración electrónica, publicación a través de medios electrónicos.

## 2.1. Clasificación en atención a la relación entre notificación y publicación

La primera clasificación de la publicación de actos administrativos que vamos a exponer en estas páginas es la que diferencia en función de la relación entre ésta y la notificación administrativa, según la publicación sea supletoria, sustitutoria o complementaria de la notificación. Tanto la clasificación como la terminología utilizada, están tomadas de la obra de los profesores GAMERO CASADO y FERNÁNDEZ RAMOS[10], si bien, advertimos ya, habremos de matizarla, conforme a nuestro criterio, en lo que hace al último de los tipos expuestos, el de la publicación complementaria.

---

100. Por último, aunque no entremos en el tema, no podemos dejar de citar, dada su actualidad en el momento en que se redactan estas líneas, la aprobación de la Ley 19/2013, de 9 de diciembre, de Transparencia, Acceso a la Información Pública y Buen Gobierno.

[10] *Cfr.* GAMERO CASADO, E. y FERNÁNDEZ RAMOS, S. (2013): 452. Otros autores, para referirse a esta misma tipología, utilizan otra terminología, así DE DIEGO DÍEZ, L.A. (2008): 209, habla de publicación residual, principal o complementaria.

## 2.1.1. Publicación supletoria

La publicación supletoria, regulada en el art. 59.5 de la LRJPAC, es la que procede en aquellos casos en que, siendo preceptiva la notificación, ésta no se ha podido realizar. Éste es el caso de la notificación infructuosa, en el que, tras dos intentos fallidos de notificación, la Ley permite suplir ésta por la publicación del acto administrativo. Pero también encajan aquí los supuestos en los que la Administración ignore algunos de los datos que la Ley considera necesarios para poder practicar con éxito la notificación, como son la identidad del interesado, o el lugar de la notificación[11].

La diferencia entre la publicación por notificación infructuosa y la que procede en estos otros supuestos, se encuentra en que la primera exige haber intentado antes la notificación, mientras que en estos otros casos se puede pasar directamente a la publicación, sin intentar previamente la notificación, aunque se exige haber empleado la diligencia mínima debida para obtener la información cuya ausencia impide cursar siquiera la notificación[12]. El punto en común está en que en ambos casos la publicación se lleva a cabo porque, procediendo, en principio, la notificación, existe algún elemento que impide que ésta se pueda practicar. La publicación suple a la notificación, cuando su práctica no ha sido posible. Es una publicación supletoria, porque tiene lugar en defecto de la notificación, que es el medio preferido por la Ley para comunicar el acto al interesado, ya que la publicación no

---

[11]   La Ley también se refiere (art. 59.5 LRJPAC), como supuesto habilitante de la publicación supletoria, a los casos en que la Administración ignore el medio por el que ha de practicarse ésta. Se trata de una referencia que no tiene mucho sentido, puesto que, en última instancia, incluso cuando el interesado, en los casos en que tiene derecho a ello no ha manifestado, en los términos del art. 70.1.a) LRJPAC, su preferencia por un medio concreto de notificación, la Administración siempre puede notificar "por cualquier medio que permita tener constancia de la recepción por el interesado" (art. 59.1 LRJPAC). Así lo ha entendido también MARTÍN REBOLLO, L. (2011): 510. En el mismo sentido, véase BOCANEGRA SIERRA, R. (2005): 1689. Otra interpretación distinta en GAMERO CASADO, E. (2001): 101 y 103, donde se sostiene que la ignorancia acerca del medio de la notificación, debe entenderse como una referencia a la "inexistencia de un medio que permita satisfacer los requisitos del punto 1".

[12]   Así lo ha puesto de manifiesto, con fundamento en la jurisprudencia, GALLARDO CASTILLO, M.J. (2010): 294. También al respecto, pueden verse DE DIEGO DÍEZ, L.A. (2008): 181 y ss.; MUÑOZ MACHADO, S. (2011): 96 y 97.

La incidencia del régimen de la publicación de actos administrativos ....

125

asegura nunca una comunicación real de éste, quedándose en el terreno de la mera formalidad jurídica[13].

## 2.1.2. Publicación sustitutoria

Por el contrario, la publicación sustitutoria no exige plantearse el intento de práctica de la notificación, permitiendo proceder directamente a la publicación del acto, que sustituye de raíz a la notificación. Este tipo de publicación se encuentra regulada en el art. 59.6 de la LRJPAC, que contempla dos supuestos bien distintos, en sus letras a) y b), aunque, en principio, pueda parecer que está hablando de lo mismo, por la existencia de puntos de tangencia entre ambos. El primero de ellos hace referencia a los casos en que "el acto tenga por destinatario a una pluralidad indeterminada de personas", el segundo a los "actos integrantes de un procedimiento selectivo o de concurrencia competitiva".

En ambos casos, el legislador ha valorado la conveniencia de posibilitar o facilitar a la Administración la gestión de la comunicación del acto a los interesados. En el primero porque, claramente, otra cosa es imposible, ya que la indeterminación de las personas a que se dirige el acto impide una comunicación personal de éste, que es sustituida por una comunicación pública a todos. Por tanto, en este supuesto lo que se está haciendo es posibilitar una comunicación del acto que de otra forma sería imposible. En el segundo supuesto, la notificación personal sí es posible, al menos una vez identificados los interesados, tras formular su solicitud en atención a la convocatoria. No obstante, dicha notificación personal a todo interesado puede resultar penosa para la Administración, y en definitiva para la tan deseada eficacia administrativa, dado el alto número de actos a notificar que puede exigir un procedimiento selectivo o de concurrencia competitiva. Por esta razón, en estos casos, el legislador facilita la labor de la Administración, sustituyendo la notificación de estos actos por su publicación.

---

[13] La doctrina subraya la naturaleza supletoria de este tipo de publicación, que precisa, por ello, una interpretación restrictiva de los supuestos en que ésta procede. *Vid.* GAMERO CASADO, E. (2001): 102. También sobre el carácter supletorio de la notificación edictal, entendida como último recurso, véase DE DIEGO DÍEZ, L.A. (2008): 181 y ss., y ENTRENA CUESTA, R. (2011): 519.

Además del carácter sustitutorio de la publicación, los supuestos de hecho regulados presentan otro punto de conexión, la posibilidad de subsumir el primero de los actos del procedimiento al que se refiere el segundo de los supuestos, el procedimiento selectivo o de concurrencia competitiva, en el primero de los supuestos, el relativo a los actos dirigidos a una pluralidad indeterminada de personas. Y es que, normalmente, la convocatoria, que es el acto con el que se inicia el procedimiento selectivo o de concurrencia competitiva, suele ser un acto dirigido a una pluralidad indeterminada de personas[14]. No así el resto de los actos del procedimiento selectivo, que tras la presentación de solicitudes por los interesados, tienen perfectamente determinados a los destinatarios del acto, aunque éstos sigan siendo plurales.

## 2.1.3. Publicación complementaria

Finalmente, cabe referirse a la llamada publicación complementaria, que, a diferencia de los supuestos anteriores, no procede en defecto de o en sustitución de la notificación, sino además de ésta. Ambas, notificación y publicación, del mismo acto, resultan procedentes, la segunda complementa a la primera, a la que se suma. Este tipo de publicación se encuentra regulada en los arts. 59.6.a) y 60.1 de la LRJPAC, que contemplan tres supuestos distintos, en el primer precepto, un primer supuesto cerrado, y, en el segundo, dos supuestos abiertos. La regulación de unos y otros en uno u otro artículo no es casual, sino que responde, como veremos en el siguiente epígrafe, a la distinta naturaleza de la finalidad que justifica la publicación complementaria en uno y en otro caso.

La publicación complementaria del art. 59.6.a) LRJPAC, es la que procede "cuando la Administración estime que la notificación efectuada a un solo interesado es insuficiente para garantizar la notificación a todos, siendo en este (...) caso, adicional a la notificación efectuada". La inclusión de este supuesto en el art. 59.6 se justifica porque comparte con los supuestos enumerados en este precepto la

---

14    Indica BOCANEGRA SIERRA, R. (2005): 1689, que lo que ocurre es que el supuesto del art. 59.6.b) LRJPAC es, en realidad, una especificación del supuesto del art. 59.6.a) LRJPAC. En el mismo sentido, *vid.* GONZÁLEZ PÉREZ, J. y GONZÁLEZ NAVARRO, F. (2012): 1188.

finalidad de la publicación. No obstante, dado que no puede considerarse una publicación sustitutoria de la notificación, en los términos del artículo citado y de los supuestos que éste contempla, el precepto aclara que, en este caso, la publicación es adicional a la notificación, complementaria de ésta.

Entendemos que este supuesto se refiere a los casos en que la LRJPAC permite la formulación conjunta de solicitudes por los interesados (art. 70.2) y establece la norma de que, en estos casos, la Administración se entenderá "con el representante o el interesado que expresamente hayan señalado, y, en su defecto, con el que figure en primer término" (art. 33)[15]. De esta forma, puede decirse que la comunicación del acto a los interesados se produce realmente con la notificación al representante de éstos, siendo la publicación complementaria una garantía adicional de comunicación para los interesados, cuya utilización queda a la discrecionalidad de la Administración[16].

Los supuestos regulados en el art. 60.1 LRJPAC remiten a la determinación de una norma jurídica o a una decisión discrecional del órgano administrativo competente, la decisión de publicar, y no sólo notificar, el acto administrativo. Serán, pues, conforme a este precepto, objeto de publicación los actos administrativos, "cuando así lo establezcan las normas reguladoras de cada procedimiento o cuando lo aconsejen razones de interés público apreciadas por el órgano competente"[17]. Como se puede ver, se trata de dos supuestos bien

---

[15] Así lo han entendido también DE DIEGO DÍEZ, L.A. (2008). 216 y 217; GONZÁLEZ PÉREZ, J. y GONZÁLEZ NAVARRO, F. (2012): 1188 y 1189; MARTÍN REBOLLO, L. (2011): 514.

[16] Como ha apuntado DE DIEGO DÍEZ, L.A. (2008): 217.

[17] Los ejemplos que suele citar la doctrina responden, en esencia, al primer supuesto. Así, suele hacerse referencia a la publicación de las subvenciones concedidas, por motivos de transparencia administrativa, establecida en el art. 18.1 de la Ley 38/2003, de 17 de noviembre, General de Subvenciones (en adelante LGS). Aunque podría haberse planteado como un caso de publicación sustitutoria, dado que el procedimiento de concesión de subvenciones suele ser un procedimiento de concurrencia competitiva o selectiva conforme al art. 59.6.b) LRJPAC (art. 22.1 LGS), lo cierto es que la LGS, actuando aquí como la norma reguladora del procedimiento a que se refiere el art. 60.1 LRJPAC, lo convierte en un supuesto de publicación complementaria. Esto es así porque no sólo exige la notificación personal de la resolución del procedimiento (art. 26 LGS), sino también la publicación, en el caso de las subvenciones concedidas, no así en el de las denega-

distintos, que poco tienen que ver entre sí, más allá del carácter complementario de la publicación del acto en estos casos, y de la renuncia por parte de la LRJPAC a tomar una decisión acerca de en qué casos procede tal publicación.

La decisión se entrega, en el primer supuesto, a una norma jurídica, lo que es, indudablemente, una garantía para el interesado, si bien no se exige que esta norma tenga rango de ley, únicamente que sea la norma reguladora del procedimiento. El segundo supuesto es realmente más delicado, puesto que en este caso es el órgano administrativo competente el que toma la decisión de publicar, cuando así "lo aconsejen razones de interés público", como no podía ser de otra manera. Esta última es una previsión redundante, puesto que no añade nada, dado que las Administraciones Públicas no pueden actuar por razones distintas de las de interés público (art. 103.1 CE), y este interés público habrá de estar también presente en la decisión que tome la norma del primer supuesto. La entrega de la decisión acerca de la publicación complementaria, fuera de los casos en que ésta la tome una norma, a la discrecionalidad del órgano competente, supone, obvio es decirlo, una menor garantía para el interesado que ve publicado el acto a él atinente[18].

En la *mens legislatoris*, la relajación de exigencias en esta materia, pudo deberse a no plantearse la potencialidad lesiva de una publicación administrativa complementaria de la notificación del acto, que quizás se entendía que sumaba, no restaba, a la finalidad de ésta, como una garantía adicional, aunque su fin pudiera ser otro. También

---

das (art. 18.1 LGS). De esta forma, las subvenciones concedidas se notifican y publican, mientras que las denegadas únicamente se notifican, y, si procediera en este último caso su publicación, sería a título de publicación supletoria, no complementaria (art. 26 LGS). El otro supuesto habitual de publicación complementaria que suele citarse, se da en el marco del Derecho sancionador, en el que resulta común que las leyes sectoriales, con fines ejemplarizantes, prevean, además de la notificación, la publicación de la sanción. *Vid.* GAMERO CASADO, E. y FERNÁNDEZ RAMOS, S. (2013): 452. También al respecto, puede verse GUICHOT REINA, E. (2009): 266 y 267. A estos ejemplos añadimos nosotros, en conexión con el objeto de este trabajo, el de la publicación complementaria de las Resoluciones de la AEPD, siendo así que el art. 37.2 de la LOPD dispone que éstas "se harán públicas, una vez hayan sido notificadas a los interesados".

[18] Sobre la naturaleza discrecional de esta decisión, véase GONZÁLEZ PÉREZ, J. y GONZÁLEZ NAVARRO, F. (2012): 1191 y 1192.

pudo estar presente la facultad de salvar las posibles afecciones a los derechos de los interesados, mediante la previsión de la notificación por comparecencia del art. 61 LRJPAC. No obstante, si nos estamos planteando aquí el mayor o menor o nivel de garantías de la actuación de publicación complementaria del acto administrativo, ello es porque, en realidad, la cosa no es tan sencilla, y habrá casos en los que, realmente, esta publicación pueda incidir sobre el derecho a la protección de datos que es objeto de este trabajo. Por tanto, la renuncia del legislador, y la merma de garantías, en estos casos, no es una cuestión menor, como tendremos ocasión de ver más adelante[19].

Sea como sea, no es la LRJPAC la que decide en qué casos procede la publicación complementaria, lo que deja abierto el abanico de posibles publicaciones adicionales a la notificación administrativa, por las más variadas razones, y obliga a tener presente la normativa sectorial para conocer los casos en que esto es posible, fuera de los supuestos, claro está, en que lo decida, discrecionalmente, el órgano competente. En cualquier caso, una cosa sí está clara, y es que, en defecto de previsión normativa, o de decisión expresa tomada por el órgano competente, no cabe nunca la publicación complementaria.

Finalmente, debemos decir que el carácter complementario de la publicación de actos administrativos en estos supuestos, no es algo que resulte literalmente de la norma, que no se pronuncia expresamente en estos términos. La expresión publicación complementaria es, en realidad, una construcción doctrinal, de utilización habitual cuando se aborda el estudio de este precepto[20]. Ahora bien, en nuestra opinión, resulta discutible, dado el carácter abierto del art. 60.1

---

[19] Los problemas que, por esta razón, plantea el art. 60.1 LRJPAC, desde la perspectiva del derecho a la protección de datos de carácter personal, han sido apuntados en GUICHOT REINA, E. (2012b): 367 y 368. En FERNÁNDEZ SALMERÓN, M. y VALERO TORRIJOS, J. (2005): 115 y 116, se sostiene que la existencia del art. 61 LRJPAC no salva la posible inconstitucionalidad del art. 60.1, dado que toda publicación de actos administrativos afectará normalmente a datos de carácter personal, por lo que la aplicación del art. 61 como solución habitual en los casos de afección del art. 18.4 CE desvirtuaría la excepcionalidad con que esta medida está concebida en la Ley.

[20] Como ya hemos apuntado, nosotros hemos tomado esta expresión de GAMERO CASADO, E. y FERNÁNDEZ RAMOS, S. (2013): 452. Pero también la utilizan otros autores como GALLARDO CASTILLO, M.J. (2010): 299.

LRJPAC, que todo supuesto de publicación del acto administrativo a que dé pie éste, sea necesariamente un caso de publicación complementaria[21]. Esta última reflexión deberemos tenerla presente cada vez que en este trabajo nos refiramos a este tipo de publicación[22].

## 2.2. Clasificación conforme a los fines de la publicación

El segundo criterio de clasificación empleado para distinguir entre los distintos tipos de publicación de actos administrativos, remite a la consideración de la finalidad que se persigue con la publicación. La relevancia de este criterio, a los efectos del objeto de este trabajo, debe destacarse, dado que, finalmente, la resolución del conflicto que

---

[21]  Piénsese, por ejemplo, en la publicación de calificaciones de alumnos universitarios. Éstas no se notifican personalmente, siendo resultado de un procedimiento de concurrencia no competitiva, por lo que no pueden considerarse publicación sustitutoria del art. 59.6.b) LRJPAC, ni tampoco publicación complementaria, puesto que, como hemos dicho, no se notifican. Su único fundamento posible, dentro de la LRJPAC, estaría en art. 60.1 LRJPAC, ya no entendido como publicación complementaria, y con remisión a la norma reguladora del procedimiento. Como es bien conocido, la afección del derecho a la protección de datos en este caso, ha sido salvada por el apartado tercero de la Disposición Adicional Vigésimo Primera de la Ley Orgánica 4/2007, de 12 de abril, por la que se modifica la Ley Orgánica 6/2001, de 21 de diciembre, de Universidades. A este respecto, puede verse la Resolución R/00224/2010 de la AEPD sobre "Exposición de notas de alumnos de Universidad en tablón de anuncios", que concluyó con el archivo de las actuaciones, por razón del amparo legal referido. Otro supuesto de publicación conforme al art. 60.1 LRJPAC, que tampoco puede considerarse publicación complementaria, es el apuntado en GONZÁLEZ PÉREZ, J. y GONZÁLEZ NAVARRO, F. (2012): 1191, el acto de apertura del trámite de información pública en el diario oficial que corresponda, ex art. 86 LRJPAC. Se trata de un acto que, por su propia naturaleza, no admite otra cosa que no sea su publicación, y que puede ampararse también en la cláusula del art. 60.1 LRJPAC, "los actos administrativos serán objeto de publicación cuando así lo establezcan las normas reguladoras de cada procedimiento". Tampoco cabe plantearlo, pensamos, como un supuesto de publicación sustitutoria del art. 59.6.a) LRJPAC, puesto que no estamos ante un acto cuya naturaleza exija notificación alguna, sino, en todo caso, publicación.

[22]  La equiparación entre art. 60.1 LRJPAC y publicación complementaria ha sido también cuestionada en ENTRENA CUESTA, R. (2011): 514 y 517, que prefiere limitar la publicación complementaria o adicional al supuesto del segundo inciso del art. 59.6.a) LRJPAC, y hablar en este caso de publicación por razones de interés público o de publicación para conocimiento por la colectividad.

se produzca entre la publicación del acto y el derecho a la protección de datos, exigirá una ponderación de valores constitucionales, el que justifique la publicación y el relativo al propio derecho fundamental.

En este punto, son dos los tipos de publicaciones que deben distinguirse, por un lado, la publicación como medio de comunicación del acto administrativo, y de integración de la eficacia de éste, prevista en los arts. 59.5 y 59.6 LRJPAC, por otro, la publicación para fines públicos distintos del anterior, prevista en el art. 60.1 LRJPAC, así como en las normas que se dicten en desarrollo de éste.

## 2.2.1. Publicación como medio de comunicación del acto

En lo que hace a la publicación como medio de comunicación del acto, de integración de la eficacia de éste, tal función se predica tanto de la publicación supletoria (art. 59.5 LJPAC) como de la publicación sustitutoria (art. 59.6 LRJPAC) de la notificación. La razón es evidente, si en ambos casos la publicación suple o sustituye a la notificación, la publicación no puede tener otra función que la que tiene la notificación. De hecho, en ambos artículos se habla también de notificación, bien de notificación edictal[23], en el art. 59.5, bien de publicación que tiene los mismos efectos que la notificación, en el art. 59.6.

También cumple esta función de comunicación del acto, el caso de publicación complementaria al que se refiere el segundo supuesto del art. 59.6.a) LRJPAC, aquel en el que la Administración realiza una publicación adicional porque entiende que la notificación efectuada a uno solo es insuficiente para garantizar la notificación a todos. Tanto la dicción del artículo, que expresamente señala que la función de la publicación es garantizar la notificación, como el hecho de que ésta se encuentre regulada en el art. 59.6 junto a otros supuestos de publicación cuyo fin es también la comunicación del acto al interesado, contribuyen a sostener esta interpretación[24].

---

[23]    Sobre el sentido de la expresión notificación edictal, véase ENTRENA CUESTA, R. (2011): 514 y 515, donde se distingue entre un sentido amplio y un sentido estricto, siendo el estricto el de la regulada en el art. 56.5 LRJPAC.

[24]    Este tipo de publicación, complementaria, en el que se produce notificación y publicación, con el fin de comunicar el acto al interesado, plantea el problema del momento en el que debe considerarse producida la integración de la eficacia

Por último, debe también tenerse en cuenta que en todos estos supuestos de publicación cuya finalidad última es la integración de la eficacia del acto, aún sin dejar de atender a este fin, pueden encontrarse matices diferenciadores. Estos matices van desde los casos de publicación supletoria del art. 59.5 LRJPAC, que operan como una garantía del interesado, aunque ésta sea meramente formal, a los supuestos de publicación sustitutoria del art. 59.6 LRJPAC, en los que impera la necesidad de facilitar la gestión administrativa en situaciones en las que la notificación personal sería extremadamente gravosa para la eficacia de ésta.

### 2.2.2. Publicación por razón de otros fines públicos

En segundo lugar, debe abordarse la publicación para fines públicos distintos de los anteriores, que es la publicación del art. 60.1 LRJPAC, del que no puede derivarse la concreción de cuál sea el fin de la publicación, más allá de que ha de ser un fin de interés público, como no podía ser de otra manera, y de que éste será distinto del fin de integración de la eficacia del acto que persiguen los supuestos de los arts. 59.5 y 59.6. El problema con los supuestos del art. 60.1 se encuentra en que, dado el carácter abierto de los mismos, la determinación del fin que justifique la publicación se remite a las normas llamadas a concretarlos en la regulación del correspondiente procedimiento, o a la apreciación discrecional del órgano administrativo competente. En algunos casos, como en el de la publicación de subvenciones concedidas del art. 18.1 LGS, se ha subrayado la transparencia administrativa como justificación de esta publicación, y en otros, como cuando se publican sanciones ya comunicadas al interesado, se ha apuntado el carácter ejemplarizante de la publicación. Pero éstos no son más que algunos ejemplos que suelen ponerse, sin que, como decimos, puedan

---

del acto, si con la notificación o con la publicación, lo que tiene especial relevancia a efectos del inicio del cómputo del plazo para los recursos. Esta cuestión ha sido abordada por nuestra doctrina más autorizada, que sostiene que debe estarse a la solución más favorable para el interesado, pudiendo estarse, pues, a la fecha de la publicación, si ésta es posterior a la notificación. *Vid.*, entre otros, BOCANEGRA SIERRA, R. (2005): 1690 y 1691; GARCÍA DE ENTERRÍA, E. y FERNÁNDEZ RODRÍGUEZ, T.R. (2008): 593; MARTÍN REBOLLO, L. (2011): 515; SÁNCHEZ MORÓN, M. (2011): 548.

considerarse cerrados los fines que cabe invocar para justificar este tipo de publicación administrativa.

## 2.3. Clasificación según el medio de publicación

Finalmente, hay que hacer referencia a la distinción entre tipos de publicación, en atención al medio empleado, que aquí reducimos a la diferenciación entre la publicación en papel y la publicación por medios electrónicos, sin que, en realidad, esta diferenciación tenga que acabar necesariamente ahí, puesto que, como veremos, la diversidad de medios de publicación, tanto en papel como electrónicos permite hacer aún más distinciones, dentro de cada categoría.

La publicación en papel se regula principalmente en la LRJPAC, que debe ser completada con lo previsto en las normas especiales o de desarrollo, tanto en los casos en que la Ley llama a la posibilidad de utilizar otros medios de publicación distintos de los previstos en ella (art. 59.5), como en los casos en que la Ley no se pronuncia expresamente sobre el medio a utilizar, porque deja esta cuestión abierta (arts. 59.6 y 60.1). La publicación por medios electrónicos, o publicación electrónica, en los términos de la Ley, se regula en los arts. 11.1 y 12 de la Ley 11/2007, de 22 de junio, de acceso electrónico de los ciudadanos a los Servicios Públicos (en adelante LAE), así como en las normas de desarrollo de estos preceptos que cada Administración decida aprobar en el ejercicio de sus competencias, dado que éstos tienen carácter de norma básica según la Disposición Final Primera de esta Ley.

La relación entre ambos tipos de leyes es la de la ley general frente a ley especial, de tal modo que concurriendo el supuesto de publicación por medios electrónicos, la regulación aplicable es la contenida en la LAE y sus normas de desarrollo, que desplazan en esto a la LRJPAC[25], sin que en ningún caso el régimen jurídico de la publicación electrónica pueda suponer una merma de las garantías del interesado[26].

---

[25]  Sobre la relación entre la LRJPAC y la LAE, puede verse, en detalle, GAMERO CASADO, E. (2010): 124-128.

[26]  Esto es lo que se conoce como el principio de integridad de garantías del ciudadano. *Vid.* GAMERO CASADO, E. (2010): 142-144.

A su vez, la relación entre ambos tipos de publicación se articula mediante el principio de equivalencia de soportes[27], que establece la LAE (arts. 11 y 12), de tal modo que ambos medios de publicación serían posibles, por equivalentes, para los distintos supuestos de publicaciones que establece la LRJPAC (supletoria, sustitutoria y complementaria), en aquellos casos en que el medio previsto en la LAE coincida con el previsto en la LRJPAC.

### 2.3.1. Publicación en papel

Como se ha dicho, la LRJPAC lo que regula es la publicación en papel, siendo así que, dentro de ésta, hay que distinguir entre cinco tipos de publicación: en los diarios o boletines oficiales de las Administraciones Públicas territoriales, por medio de anuncios en los tablones de edictos de los Ayuntamientos, en el tablón de anuncios del Consulado o Sección Consular de la Embajada correspondiente, en los tablones de anuncios de Administraciones Públicas que no sean necesariamente la municipal, y en medios de comunicación o difusión distintos de los anteriores. Todos estos medios de publicación entran en juego en los distintos supuestos regulados en los arts. 59.5, 59.6 y 60.1 LRJPAC, si bien, con distinto carácter en cada uno de ellos.

Así, en lo que hace a la publicación supletoria del art. 59.5 LRJPAC, resulta preceptiva la publicación del acto "por medio de anuncios en el tablón de edictos del Ayuntamiento" del último domicilio conocido del destinatario, y en el diario oficial correspondiente, esto es, "el Boletín Oficial del Estado, de la Comunidad Autónoma o de la Provincia, según cuál sea la Administración de la que proceda el acto a notificar, y el ámbito territorial del órgano que lo dictó"[28]. La publicación ha de producirse por ambos medios, no pudiendo la Administración limitarse a hacerlo en uno solo[29]. Ahora bien, de radicar

---

[27]  En relación al principio de equivalencia de soportes, véase GAMERO CASADO, E. (2010): 153-156.

[28]  Sobre cómo conjugar ambos criterios en orden a determinar el boletín oficial que corresponda, véase DE DIEGO DÍEZ, L.A. (2008): 205 y 206; DE DIEGO DÍEZ, L.A. (2011): 61 y 62.

[29]  Así lo han entendido DE DIEGO DÍEZ, L.A. (2008): 202 y 203; GALLARDO CASTILLO, M.J. (2010): 293 y 294. También en este sentido MARTÍN REBOLLO, L. (2011): 510, pese a que, como ha señalado, no es esto lo que resulta de

el último domicilio conocido en un país extranjero, la publicación no se hará, lógicamente, en el tablón de edictos de ningún Ayuntamiento español, sino "en el tablón de anuncios del Consulado o Sección Consular de la Embajada correspondiente"[30], que sustituye a éste como medio de publicación y que, entendemos, no excluye la publicación en el boletín o diario oficial español que proceda.

No obstante lo dicho, la publicación en el tablón de edictos no tiene sentido, y debe obviarse, en los que casos en que se procede a la publicación supletoria porque el destinatario sea desconocido, o, siendo conocido, lo que no se conozca sea cuál fue su último domicilio. En tales supuestos lo que ocurre es que es, sencillamente, imposible la publicación en el tablón de edictos del Ayuntamiento del último domicilio conocido. Por tanto, debe bastar con la publicación en el diario oficial correspondiente[31].

Por otro lado, en la publicación supletoria resulta potestativa la que se produce a través de los otros medios de difusión, complementarios, a que se refiere el último párrafo del art. 59.5 LRJPAC, siendo habitual acudir a los medios de comunicación privados, esto es, a la prensa diaria que garantice la mayor difusión en el territorio de referencia[32].

---

la literalidad del precepto que, en su redacción actual, obvia la conjunción "y". Por esta razón, resulta llamativo que la reforma operada por Ley 18/2009, de 23 de noviembre, en la Ley de Tráfico de 1990 (arts. 77.3 y 78.1 del Real Decreto Legislativo 339/1990, de 2 de marzo, por el que se aprueba el Texto Articulado de la Ley sobre Tráfico, Circulación de Vehículos a Motor y Seguridad Vial), haya establecido que la publicación supletoria de la notificación en este sector, tenga lugar únicamente en el Tablón Edictal de Sanciones de Tráfico (TESTRA), eliminando la publicación en el diario oficial. Sobre esta última cuestión, puede verse ENTRENA CUESTA, R. (2011): 523 y 524, y GAMERO CASADO, E. (2009): 46.

[30] Al respecto, cabe ver el análisis que se hace de este medio de publicación en DE DIEGO DÍEZ, L.A. (2008): 204 y 205; DE DIEGO DÍEZ, L.A. (2011): 60 y 61.

[31] En este mismo sentido se han pronunciado GONZÁLEZ PÉREZ, J. y GONZÁLEZ NAVARRO, F. (2012): 1189.

[32] Véase GAMERO CASADO, E. y FERNÁNDEZ RAMOS, S. (2013): 453, que citan como ejemplo la utilización de la prensa como medio de publicación complementaria en la vigente Ley de 16 de diciembre de 1954, de Expropiación Forzosa (arts. 18.2, 21.2, y 52.2º).

Cuando la Ley prevé la posibilidad de utilizar estos otros medios de difusión, la contempla como una facultad de "establecer otras formas de notificación complementarias", lo que puede inducir a confusión con los supuestos de publicación complementaria a los que en estas páginas nos hemos referido[33]. Sin embargo, aquí de lo que estamos hablando es del medio de publicación, no del tipo de publicación en su relación con la notificación, que era nuestra referencia cuando hablábamos de publicación complementaria. Por tanto, en este caso, lo complementario no es la publicación respecto de la notificación, sino el medio de publicación distinto del tablón de edictos y del diario o boletín oficial, que siguen constituyendo el medio principal, y preceptivo, de la publicación supletoria o notificación edictal.

Por el contrario, ni en la publicación sustitutoria ni en la complementaria de los arts. 59.6 y 60.1 se concretan los medios de publicación, más allá de una referencia, abierta, en el caso del 59.6.b), a la concreción en la convocatoria del procedimiento selectivo, del "tablón de anuncios o medios de comunicación donde se efectuarán las sucesivas publicaciones", referencia ésta en la que, como se ve, cabe todo.

Puede sostenerse que el medio de publicación empleado en los supuestos de publicación sustitutiva del art. 59.6 no puede ser distinta del empleado en el caso del 59.5, a fin de no mermar las garantías de la notificación cuya finalidad cumple este tipo de publicación. Decimos esto haciendo la salvedad de la publicación por medio de anuncios en el tablón de edictos del Ayuntamiento del último domicilio conocido, puesto que, en la medida en que los supuestos del art. 59.6 sean casos de destinatario indeterminado, no tiene sentido plantearse cuál fue el último domicilio conocido, ni, por tanto, la publicación en atención a éste. El medio de publicación preceptivo aplicable ha de ser, únicamente, el diario oficial que corresponda, según la Administración que dicte el acto y el ámbito territorial del órgano administrativo que lo aprobó.

---

[33] La redacción de este último párrafo del art. 59.5 LRJPAC también ha sido criticada por GAMERO CASADO, E. (2001): 103, quien ha señalado que no queda claro si se está hablando de notificación, de comunicación, o de publicación.

De esta regla deben excluirse las sucesivas publicaciones que se sigan tras la convocatoria del procedimiento selectivo o de concurrencia competitiva en el caso del art. 59.6.b) LRJPAC, puesto que la propia Ley permite que éstas se efectúen a través de otros medios de comunicación, incluyendo un tablón de anuncios, entendemos que el propio de la Administración que dicta el acto, aunque no necesariamente, pues tampoco lo exige la Ley, y pueden haber fórmulas más eficaces. Sin embargo, la convocatoria, como acto de iniciación del procedimiento, sí que debe publicarse, en todo caso, en el diario o boletín oficial de la Administración territorial correspondiente, pudiendo publicarse el resto de los actos del procedimiento en tablones u otros medios de comunicación. Otra solución daría al traste con la otra finalidad que persigue el precepto, cual es la de facilitar y agilizar la gestión administrativa en la tramitación de los procedimientos de concurrencia competitiva.

Distinta deber ser la solución aplicable a las publicaciones complementarias previstas en el art. 60.1 LRJPAC, en las que tampoco la Ley dice nada acerca del medio de publicación, reenviando a la norma reguladora del procedimiento o al criterio del órgano administrativo decisor. No siendo aquí el fin de la publicación, en principio, la comunicación del acto al interesado, no tiene sentido exigir en todo caso un medio de publicación como el que se exige en la publicación supletoria, puesto que podría bastar con otro de menor exigencia formal, pero más adecuado, o de mayor difusión material, que la publicación en un diario o boletín oficial. En cualquier caso, estando la publicación del acto en estos supuestos, sea cual sea su fin específico, vinculada, comúnmente, a un principio de publicidad del mismo, puesto que se publica para que pueda ser conocido por quienes no son sus destinatarios, pensamos que, cabe concluir que el medio de publicación más adecuado será aquel que, ajustándose al fin de la publicación, consiga una publicidad más óptima[34].

---

[34]    Sobre esta cuestión, GONZÁLEZ PÉREZ, J. y GONZÁLEZ NAVARRO, F. (2012): 1192, entienden que, al no remitirse el art. 60.1 LRJPAC al 59.5 de la misma Ley, en cuanto al medio de publicación, no es preciso publicar en el tablón de edictos, opinión ésta que compartimos, no así su afirmación de que lo que procede es la publicación en el diario oficial que corresponda, aplicando la regla del art. 52.1 LRJPAC, que se refiere a publicación de disposiciones administrati-

## 2.3.2. Publicación por medios electrónicos

En lo que hace a la publicación electrónica, la LAE sólo contempla dos tipos de publicación, la publicación electrónica de diarios o boletines oficiales (art. 11) y la publicación electrónica del tablón de anuncios o edictos (art. 12). Por lo demás, la LAE no contempla la publicación electrónica a través de otros medios de difusión complementarios distintos de los anteriores.

Ahora bien, el que la LAE no establezca expresamente un equivalente a los otros medios de difusión a los que se refiere el último párrafo del art. 59.5 LRJPAC, no quiere decir que ello no sea posible. Piénsese que, por su carácter abierto, la referencia del citado artículo de la LRJPAC bastaría por sí sola para articular medios de publicación electrónicos distintos de los anteriores[35]. En este punto, cabría plantearse dos opciones.

La primera opción sería decantarse por la utilización de medios de publicación electrónicos sujetos al mismo nivel de garantías exigidas por la LAE, por ejemplo, hacerlo a través de la sede electrónica de la Administración, fuera del tablón de anuncios electrónico de ésta, al que luego nos referiremos, o además de en el tablón de anuncios electrónico. Pero esta primera opción, no tiene mucho sentido, ya que no se entiende que, teniéndose tablón electrónico, se publique fuera de éste, o además de en éste.

La segunda opción, partiendo del carácter complementario de estos otros medios de difusión, esto es, de publicación utilizada a mayor abundamiento, o por razones de publicidad, consistiría en publicar al margen de las garantías de la LAE. Así, por ejemplo, insertando la publicación en los diarios privados digitales, o en páginas web con un alto índice de tráfico, e incluso en la web institucional de la Ad-

---

vas. También DE DIEGO DÍEZ, L.A. (2008): 217 y 218, entiende que, si se trata de darle mayor publicidad, lo razonable es publicar en el diario oficial, dejando a un lado, claro está, la publicación en tablones, que aquí no tiene sentido.

[35]  El último párrafo del art. 59.5 LRJPAC ha servido de fundamento no sólo para justificar la utilización de medios de difusión electrónicos distintos o complementarios a los regulados en los arts. 11 y 12 LAE, sino también para justificar el recurso a medios electrónicos como medios de difusión distintos o complementarios de los establecidos en la propia LRJPAC, señaladamente antes de que la LAE fuera una realidad. *Vid.* VALERO TORRIJOS, J. (2010): 389 y 390.

ministración de que se trate, pero fuera de su sede electrónica, si la tuviera, o en diarios oficiales electrónicos que no ofrecen garantías de autenticidad e integridad, como ya se viene haciendo en algunos casos en aquellas Comunidades Autónomas que aún no han implantado la publicación electrónica de su boletín oficial conforme a la LAE[36]. Ahora bien, esta segunda opción puede plantear mayores riesgos desde la perspectiva del derecho a la protección de datos que constituye el objeto de este trabajo, dado que se trata de una publicación al margen de las garantías de la LAE.

Volviendo a la regulación por la LAE de la publicación electrónica de diarios o boletines oficiales (art. 11) y de la publicación electrónica del tablón de anuncios o edictos (art. 12), debemos decir que no se trata más que de establecer el equivalente de la publicación de éstos en papel. De esta forma, lo que la Ley hace es facultar a la Administración para publicar éstos en sus sedes electrónicas, declarar la equivalencia de soportes, y exigir la equivalencia de garantías.

Así, en lo que hace a "la publicación de los diarios o boletines oficiales en las sedes electrónicas", se dice que ésta "tendrá, en las condiciones y garantías que cada Administración Pública determine, los mismos efectos que los atribuidos a su edición impresa" (art. 11.1). Expresamente se prevé ya el "carácter oficial y auténtico" de "la publicación del Boletín Oficial del Estado en la sede electrónica del organismo competente", de la que se derivarán "los efectos previstos en el título preliminar del Código Civil y en las restantes normas aplicables". La Disposición Final Segunda de la Ley sitúa en el 1 de enero de 2009 la producción de estos efectos para el Boletín Oficial del Estado, cuya publicación en papel ha sido sustituida desde esa fecha por su publicación electrónica, existiendo ya sólo esta última. En el resto de los diarios oficiales, señaladamente los de las Comunidades Autónomas, no se ha puesto en marcha aún esta publicación electrónica, al menos no en todas ellas[37].

---

[36]   Sobre la utilización de diarios oficiales electrónicos por las Comunidades Autónomas sin garantías de autenticidad e integridad, véase VALERO TORRIJOS, J. (2010): 377 y ss. También puede verse TOSCANO GIL, F. (2012).

[37]   Recuérdese que la aplicación de la LAE está sujeta a disponibilidades presupuestarias, en el caso de Comunidades Autónomas y Entidades locales (Disposición Final Tercera). Por ejemplo, no ha sido hasta la aprobación del Decreto 68/2012,

Por otro lado, la Ley (art. 12) permite que "la publicación de actos y comunicaciones que, por disposición legal o reglamentaria deban publicarse en tablón de anuncios o edictos" pueda "ser sustituida o complementada por su publicación en la sede electrónica del organismo correspondiente". No es más que la previsión de la sustitución de la publicación por medio de anuncios en el tablón de edictos del Ayuntamiento, así como de la publicación en tablones de anuncios de Administraciones distintas de la municipal, por su equivalente electrónico. También cabe, como dice la norma, mantener ambos tipos de publicaciones, de tal forma que la electrónica fuera complementaria de la publicación en papel. Aunque es obvio que, cuando la Ley se pronuncia en estos términos, lo hace pensando en el carácter oficial de la publicación en papel, que puede ser complementado por la publicación electrónica, lo cierto es que esta última, en cuanto vinculada a la sede electrónica también tiene carácter oficial, y, por tanto, la misma condición. Por ello, podría decirse que, de optarse por la publicación electrónica del tablón de anuncios como complementaria de la publicación en papel, si tenemos en cuenta las mayores garantías, y la mayor difusión, que puede ofrecer la primera, realmente, sería más factible pensar que es la electrónica la que funciona como publicación principal y la publicación en papel como complementaria, puesto que es una publicación menos perfecta. Realmente, no tiene sentido mantener una publicación en papel que ofrece menores garantías y difusión que la publicación electrónica, si no es como medio complementario de difusión, apostando, en caso de contradicción, por la versión electrónica.

Con todo, el caso del tablón de edictos electrónico, en sustitución del tablón de edictos en papel, plantea un interesante problema que ya ha sido apuntado por el profesor VALERO TORRIJOS[38]. En los casos en que la LRJPAC exige la publicación mediante anuncios en el tablón de edictos del Ayuntamiento del último domicilio conocido, si se sustituye tal publicación en papel por su publicación electrónica, se ad-

---

de 20 de marzo, de Ordenación del Boletín Oficial de la Junta de Andalucía, que la Comunidad Autónoma andaluza ha establecido el carácter oficial y auténtico del boletín que ya se publicaba en formato digital (arts. 3.1 y 5), terminando con su publicación en papel.

[38]     Cfr. VALERO TORRIJOS, J. (2010): 393 y 394.

vierte enseguida que, una vez la publicación se produce a través de Internet, lo que, ciertamente, garantiza otro tipo de difusión, deja de tener sentido que el tablón de referencia sea el del Ayuntamiento del último domicilio conocido, puesto que ahora éste es electrónico, de tal forma que la referencia territorial pierde su relevancia. Ahora bien, el problema se plantea porque cuando la LAE exige que la publicación electrónica del tablón de anuncios o edictos se haga "en la sede electrónica del organismo correspondiente", realmente no aclara en ningún momento si este organismo ha de ser el Ayuntamiento del último domicilio conocido, o la Administración Pública que dictó el acto, lo que podría ser más razonable.

Pero es que, además, dependiendo de cuál sea esta Administración, dicha publicación en el tablón electrónico puede perder también su sentido. Así ocurre en los casos en que se trate de una Administración general o territorial, que ya tiene su propio diario oficial electrónico, por lo que podría bastar con su publicación en éste, antojándose la publicación en el tablón reiterativa. No ocurre esto en el caso de entidades públicas instrumentales, que además de mandar publicar al diario oficial de que se trate podrán hacerlo también en su propio tablón electrónico, o en lo que hace a los Ayuntamientos, que tampoco tienen diario oficial propio, pudiendo tener sentido publicar tanto en el de la provincia como en su propio tablón electrónico.

En nuestra opinión, habrá que estar a la regulación propia que, en materia de Administración electrónica, se apruebe para cada Administración, desarrollando la normativa básica establecida en la LAE, y excepcionando, en su caso, la regla de la publicación en el tablón de edictos del Ayuntamiento del último domicilio conocido que establece la LRJPAC, bajo un principio de especialidad derivado de la propia LAE. En cualquier caso, la garantía se conserva, no se pierde, ni se ve mermada, puesto que el ciudadano ve publicado el acto tanto en el diario oficial de referencia, como en el tablón de anuncios, aunque éste no sea el del Ayuntamiento del último domicilio conocido.

## 3. INCIDENCIA DE LA PUBLICACIÓN DE ACTOS ADMINISTRATIVOS SOBRE EL DERECHO A LA PROTECCIÓN DE DATOS DE CARÁCTER PERSONAL

Tras el análisis de los distintos tipos de publicación de actos administrativos previstos en la LRJPAC, toca ahora pasar al estudio de la incidencia que en cada caso pueda tener la publicación del acto sobre el derecho a la protección de datos de carácter personal, garantizado por la LOPD en atención a la CE. Nuestro objetivo es indicar los casos en que esta afección del derecho fundamental está justificada, por haberse previsto así en la ley, así como determinar las técnicas que, atendiendo a un criterio de proporcionalidad, permitan minorar el impacto de dicha injerencia.

Al plantear de esta forma nuestro trabajo, lo hacemos bajo el presupuesto de que la publicación del acto administrativo puede incidir sobre el derecho fundamental a la protección de datos de carácter personal. A esta conclusión se llega desde una triple consideración.

En primer lugar, teniendo en cuenta que el acto administrativo puede contener datos de carácter personal, en la medida en que el acto va dirigido precisamente a personas, y que estas, cuando se trata de personas físicas, son titulares del derecho fundamental consagrado en el art. 18.4 CE. Recuérdese que el art. 3.a) LOPD define como dato de carácter personal "cualquier información concerniente a personas físicas identificadas o identificables", siendo estos datos, como hemos dicho, parte probable del contenido del acto. De esta forma, es el destinatario del acto, aunque no necesariamente siempre éste, la persona cuyo derecho puede verse afectado por la publicación[39].

En segundo lugar, atendiendo a que la publicación de ese acto administrativo que contiene datos de carácter personal se considera un "tratamiento de datos", conforme a la definición que de éste da el art. 3.c) LOPD. En este precepto se consideran tratamiento las "operaciones y procedimientos técnicos de carácter automatizado o no, que permitan la recogida, grabación, conservación, elaboración, mo-

---

[39]  Piénsese que también nos podemos encontrar con casos en los que, aún conteniendo el acto datos de carácter personal del destinatario, no sea el derecho de éste el que resulte afectado, sino el de terceras personas, no destinatarias del acto, cuyos datos también sean objeto de publicación.

dificación, bloqueo y cancelación, así como las cesiones de datos que resulten de comunicaciones, consultas, interconexiones y transferencias". A su vez, la misma LOPD, en su art. 3.i), entiende que "cesión o comunicación de datos" es "toda revelación de datos realizada a una persona distinta del interesado". Esto último es algo inherente a la publicación, dada su naturaleza, que no es la de una mera comunicación personal al interesado, sino la de una difusión pública del contenido del acto, que alcanza a terceras personas distintas del interesado[40].

En tercer lugar, debe considerarse que este tratamiento de datos en que consiste la publicación del acto, puede afectar a derechos y libertades de las personas destinatarias del mismo, especialmente, al honor y la intimidad personal y familiar, en los términos del art. 1 LOPD, aunque también a cualquier otra libertad pública o derecho fundamental que resulte condicionado por la forma en que se afecte el derecho reconocido por el art. 18.4 CE[41].

La afección del derecho fundamental por la publicación del acto sólo puede justificarse por la presencia de otro bien o valor constitucional, con el que el derecho entra en conflicto, y a cuyo fin se ordena la publicación[42]. La resolución del conflicto pasa por una necesaria

---

[40]  Sobre la consideración de la publicación de actos administrativos como cesión o comunicación de datos, puede verse, en extenso, FERNÁNDEZ SALMERÓN, M. y VALERO TORRIJOS, J. (2005): 105-116. Éste es también el criterio seguido en la Recomendación 2/2008, de 25 de abril, de la Agencia de Protección de Datos de la Comunidad de Madrid (en adelante APDCM), sobre publicación de datos personales en boletines y diarios oficiales en Internet, en sitios webs institucionales y en otros medios electrónicos y telemáticos (B.O.C.M. núm. 214, de 8 de septiembre de 2008), art. 2.1, así como, por la AEPD, entre otros, en Informe 0152/2008 sobre "Publicación desglosada de la lista de admitidos en colegios públicos y privados concertados", pág. 1, Informe 0197/2010 sobre "Publicación en Boletín Oficial de la Provincia de datos de afectados en tramitación de un expediente de baja de oficio", pág. 4, y Resolución R/01230/2009 sobre publicación en el tablón de anuncios de un colegio público de un listado de alumnos beneficiarios de becas.

[41]  Vid. LUCAS MURILLO DE LA CUEVA, P. (2010): 75-96.

[42]  La necesidad de justificar la limitación del derecho fundamental en otro bien o valor constitucional constituye uno de los puntales de la dogmática de los derechos fundamentales. Vid. GUICHOT REINA, E. (2005): 129. Por tanto, se trata de un presupuesto previo en cualquier análisis que se haga sobre la afección del derecho a la intimidad por la normativa jurídico-administrativa, incluso en materia tributaria, como puede verse en ARRIBAS LEÓN, M. (2013).

ponderación de valores constitucionales, que tiene mucho de casuística, y que debe realizar el aplicador del Derecho, aquí, el órgano
administrativo responsable de la publicación, o, en última instancia,
el órgano judicial que revise la actuación de la Administración. De
esta operación resultará, atendiendo a criterios de proporcionalidad
en sentido amplio, la adopción de medidas que permitan atenuar la
injerencia de la publicación sobre el derecho fundamental.

Es desde esta doble perspectiva desde la que se abordan las siguientes páginas de este trabajo. Por un lado, desde la determinación
de los supuestos en los que está justificada la afección del derecho
a la protección de datos, por razón de la presencia de otros valores
o bienes constitucionales, apreciados por una norma de rango legal.
Por el otro, definiendo las técnicas que, insertadas en el régimen jurídico de la publicación, puedan minorar la repercusión del impacto,
conforme a un principio general de proporcionalidad de la actividad
administrativa.

### 3.1. Desde la perspectiva del principio de legalidad

La LOPD (arts. 6 y 11) establece que el tratamiento de datos de carácter personal, en la que se incluye la cesión o comunicación de éstos,
requiere del consentimiento del afectado, salvo que el tratamiento esté
autorizado por una ley, u obedezca a una relación jurídica, de la que
éste sea parte, y para cuya realización o cumplimiento el tratamiento
sea necesario. Por tanto, si la publicación del acto administrativo se
considerara un tratamiento de datos, ésta sólo será procedente con el
consentimiento del destinatario del acto, por razón de una relación
jurídica entre éste y la Administración, o cuando así lo autorice una
ley[43].

---

[43]   En este sentido, véase Resolución R/00831/2008 de la AEPD sobre "Publicación
       en Boletín Oficial de datos de salud de la denunciante", así como Resolución
       R/02076/2009 de la AEPD sobre publicación de datos relativos a procedimiento
       sancionador en página web institucional. En esta última, la AEPD deja claro que
       "el ejercicio de las funciones propias de las Administraciones públicas en el ám-
       bito de sus competencias", no es por sí sola causa habilitadora de la publicación
       inconsentida. También al respecto, puede verse ARROYO YANES, L.M. (2010):
       536-560, y TRONCOSO REIGADA, A. (2010b): 950-1006.

En la medida en que la publicación del acto se considere una actuación administrativa que incide sobre un derecho fundamental, la habilitación legal a la Administración para llevar a cabo el tratamiento de datos que supone la publicación, será lo ordinario en estos casos. Por tanto, es desde la perspectiva de la vinculación positiva de la Administración al principio de legalidad, desde la que serán tratados los distintos supuestos de publicación de actos administrativos que abordaremos en estas páginas.

Como ya se ha tratado suficientemente en la primera parte de este trabajo, la publicación de actos administrativos está regulada por la LRJPAC, que funciona a modo de ley habilitante de la publicación, y, por tanto, de ley que autoriza el tratamiento de datos. Esta afirmación tan tajante requiere, no obstante, de una cierta matización y desglose, puesto que no todos los supuestos de publicación previstos en la LRJPAC son iguales, sino que obedecen, como se ha visto, a fines distintos. Además, la regulación de los mismos no queda en todo caso cerrada por la LRJPAC, dejándose su régimen jurídico, e incluso sus fines, abiertos a la concreción por otras normas, que puede ser preciso examinar en cada caso concreto, dada la incidencia que fines y régimen jurídico pueden tener, de forma variable, sobre el derecho a la protección de datos. Es, por tanto, ésta, la perspectiva desde la que vamos a abordar este tema en las páginas siguientes, atendiendo al principio de legalidad, esto es, a la ley como presupuesto habilitante de la actuación administrativa que afecta al derecho fundamental, lo que se justifica siempre en el cumplimiento de un fin de interés público con reconocimiento constitucional (art. 103.1 CE).

### 3.1.1. Publicación supletoria

Comenzando con la publicación supletoria, o notificación edictal, del acto administrativo, poco es lo que hay que decir desde la perspectiva de su justificación legal, puesto que se encuentra prevista expresamente en el art. 59.5 LRJPAC[44], y, además, en unos términos

---

[44] Así lo ha entendido también GUICHOT REINA, E. (2012b): 366. Esta misma lectura es la que se hace, entre otros, en el Informe 0197/2010 de la AEPD sobre "Publicación en Boletín Oficial de la Provincia de datos de afectados en tramitación de un expediente de baja de oficio", pág. 4, y en el Informe 0214/2010 de la

muy claros, al menos en comparación con los otros supuestos que trataremos después. De los tres supuestos previstos en la LRJPAC, éste es el que ofrece el régimen jurídico más determinado. El artículo citado funciona como precepto habilitante de este tipo de publicación, arrojando pocas dudas sobre los aspectos más relevantes a la hora de valorar el posible conflicto entre la publicación y el derecho fundamental. Tanto su finalidad, que es la comunicación del acto al interesado, como el medio de publicación, tablón de edictos y boletín o diario oficial, sean en papel o electrónicos, resultan relativamente meridianos en el lenguaje de la Ley[45]. Por tanto, si se da el supuesto de hecho descrito en el art. 59.5 LRJPAC, la publicación del acto está justificada, aún incidiendo sobre el derecho a la protección de datos de carácter personal.

Ciertamente, se podrán plantear otras cuestiones en torno a este tipo de publicación, si cumple realmente con el fin de comunicación del contenido del acto al interesado, o si no podría haberse logrado este fin con otros medios menos intrusivos. Pero esto ya no es un problema de legalidad, sino de proporcionalidad de la medida, y a ello habremos de atender en el epígrafe siguiente, pero no en estas páginas.

### 3.1.2. Publicación sustitutoria

La publicación sustitutoria del acto administrativo plantea, sin embargo, mayores problemas desde el punto de vista del principio de legalidad, dada la indefinición de supuestos de hecho y medios de publicación en la ley. Cierto es que la publicación en estos casos

---

AEPD sobre "Publicación en Diarios Oficiales de las notificaciones y su indexación en los motores de búsqueda en Internet", pág. 2. También puede verse el art. 31 de la Recomendación 2/2008, de 25 de abril, de la APDCM, sobre publicación de datos personales en boletines y diarios oficiales en Internet, en sitios webs institucionales y en otros medios electrónicos y telemáticos (B.O.C.M. núm. 214, de 8 de septiembre de 2008).

[45]  Salvamos de este supuesto la excepción de la publicación del acto administrativo en materia de tráfico en el TESTRA, tablón electrónico de naturaleza preceptiva para el interesado, al que se reduce todo tipo de publicación en esta materia (arts. 77.3 y 78.1 del Real Decreto Legislativo 339/1990, de 2 de marzo, por el que se aprueba el Texto Articulado de la Ley sobre Tráfico, Circulación de Vehículos a Motor y Seguridad Vial, en la redacción dada a la misma por Ley 18/2009, de 23 de noviembre, por la que se modifica éste, en materia sancionadora).

encuentra su habilitación en el art. 59.6 LRJPAC, pero aún así, el carácter abierto de los supuestos enunciados, actos que tengan por destinatarios a una pluralidad indeterminada de personas (letra a) y actos integrantes de un procedimiento selectivo o de concurrencia competitiva de cualquier tipo (letra b)[46], deja sin precisar algunas de las cuestiones más relevantes para la resolución del conflicto entre publicación y derecho fundamental.

Es preciso, pues, que una norma jurídica reguladora del procedimiento, no necesariamente una norma con rango de ley, concrete en cada caso el supuesto de hecho, así como el medio de publicación del acto. Ambos aspectos resultan importantes para poder valorar la posible injerencia sobre el derecho a la protección de datos, puesto que a esta valoración no le es ajena ni el fin al que atiende la publicación, que guarda relación directa con la concreción del supuesto, ni el medio elegido para llevarla a cabo, que puede afectar de distintas maneras al derecho fundamental.

En lo que hace al fin de la publicación, piénsese que, aunque éste consista en la comunicación del acto al interesado, ésta no deja de hacerse por esta vía por una razón de eficacia administrativa, como una forma de facilitar y agilizar la gestión administrativa. Como ha señalado el profesor GUICHOT REINA, la eficacia administrativa no puede ser nunca un fin en sí mismo, cuando se trata de justificar la afección de derechos fundamentales, como es el derecho a la protección de datos[47]. Por tanto, es preciso descender al supuesto concreto para así poder valorar en qué medida el fin perseguido, en un sector concreto de la actividad administrativa, justifica la incidencia sobre el derecho.

En lo que hace al medio elegido para llevar a cabo la publicación del acto, tampoco éste es irrelevante, puesto que no es lo mismo publicar en papel que por medios electrónicos, dada la mayor difusión que

---

[46]    Sobre la publicación de datos relativos a procedimientos de concurrencia competitiva, véanse los criterios que se establecen en los arts. 14-19 de la Recomendación 2/2008, de 25 de abril, de la APDCM, sobre publicación de datos personales en boletines y diarios oficiales en Internet, en sitios webs institucionales y en otros medios electrónicos y telemáticos (B.O.C.M. núm. 214, de 8 de septiembre de 2008).

[47]    *Cfr.* GUICHOT REINA, E. (2005): 149.

tiene esta última forma de publicación, además de mayores garantías en términos de integridad y autenticidad de los datos. Tampoco es lo mismo publicar en boletines oficiales, que son fuentes accesibles al público, que en tablones, así como mediante otros medios de publicación distintos de los anteriores. Por todo esto, es preciso descender a la norma reguladora del procedimiento, que concrete el medio de publicación procedente en el supuesto concreto de que se trate.

### 3.1.3. Publicación complementaria

Finalmente, hemos de plantearnos la relación entre principio de legalidad y publicación complementaria del acto administrativo, tipo de publicación del acto prevista en el art. 60.1 LRJPAC. Desde luego, desde la perspectiva del principio de legalidad, éste es el más insuficiente de los supuestos establecidos en la LRJPAC, puesto que deja completamente abierto tanto el fin de la publicación, como el medio de ésta.

La concreción de estos extremos por la norma reguladora del procedimiento, al menos en lo que hace a la determinación del supuesto de hecho y a la definición del fin al que éste obedece, ha de llevarse a cabo necesariamente por una norma con rango de ley, que precise las determinaciones del art. 60.1 LRJPAC, no bastando con las genéricas previsiones de este precepto[48]. Esto es, por su indeterminación, pensamos que el art. 60.1 LRJPAC no puede ser, por sí solo, el precepto legal habilitante, debiendo ser complementado por otra norma con rango de ley. A diferencia de los supuestos de publicación sustitutoria a que antes nos referíamos, en los que el art. 59.6 LRJPAC era lo suficientemente preciso como para admitir un mayor juego del ejercicio

---

[48]   En este sentido, puede verse la Resolución R/01230/2009 de la AEPD sobre publicación en el tablón de anuncios de un colegio público de un listado de alumnos beneficiarios de becas. En ésta se pone de manifiesto que, no tratándose de un procedimiento de concurrencia competitiva, como era el caso de las referidas ayudas, no procede amparar la publicación inconsentida de ayudas públicas en el art. 59.6.b) LRJPAC, pero tampoco por sí solo en el art. 60.1 LRJPAC, que requiere de un desarrollo posterior en el que se concrete el supuesto de publicación. En esta misma línea, puede verse el art. 19 de la Recomendación 2/2008, de 25 de abril, de la APDCM, sobre publicación de datos personales en boletines y diarios oficiales en Internet, en sitios webs institucionales y en otros medios electrónicos y telemáticos (B.O.C.M. núm. 214, de 8 de septiembre de 2008).

de la potestad reglamentaria, en este caso, creemos que no resulta procedente el recurso a una norma reglamentaria, dado el mayor nivel de indeterminación del art. 60.1 LRJPAC. No obstante, sí que puede recurrirse al reglamento para la elección del medio de publicación, al igual que se hacía en el supuesto anterior.

Es más, también cabría plantearse otras posibles opciones, si, en base, precisamente, al carácter abierto del precepto, no nos limitamos a la concepción que se suele tener de éste como regulador de un supuesto de publicación complementaria de la notificación, concepción ésta que ya ha sido cuestionada en estas páginas, y lo vemos, más bien, como un pórtico a otros tipos de publicación de actos administrativos, en supuestos y por razones distintas de los previstos expresamente en la LRJPAC. Esta concepción más abierta de la naturaleza de la publicación regulada en el art. 60.1 LRJPAC, daría pie a que la habilitación legal a la publicación de actos administrativos "cuando lo aconsejen razones de interés público apreciadas por el órgano competente", pudiera llevarse a cabo aún en los casos en que hubiera incidencia sobre el derecho a la protección de datos, siempre y cuando a esta decisión de la publicación por el órgano competente se acompañara el consentimiento del afectado, o entre éste y la Administración existiera esa relación jurídica a que se refiere la LOPD (arts. 6 y 11), que justifica el tratamiento de datos sin autorización legal.

## 3.2. Desde la perspectiva del principio de proporcionalidad

Con justificar en un fin público previsto por la ley, la incidencia que la publicación del acto administrativo produce sobre el derecho fundamental a la protección de datos de carácter personal, no es suficiente. Para que la actuación administrativa se repute constitucional, es necesario que la afección del derecho no resulte desproporcionada, esto es, que se ajuste al principio de proporcionalidad, incluyendo la ponderación de los bienes o valores constitucionales presentes, conforme a la conocida jurisprudencia del Tribunal Constitucional[49].

---

[49]    Específicamente, sobre la aplicación del principio de proporcionalidad en esta materia, véase GUICHOT REINA, E. (2009): 255 y 256, así como, por parte de la AEPD, el Informe 0145/2010 sobre "Publicación de datos personales en tablón de anuncios electrónico", págs. 4 y 5, y, por parte de la APDCM, el art. 6 de

El art. 4 de la LOPD atiende, en gran medida, a este principio, cuando, bajo la rúbrica "calidad de los datos", establece algunas normas que, como tendremos ocasión de ver, van a resultar determinantes en la aproximación que hagamos en estas páginas[50]. Así, se dispone que el tratamiento de los datos sólo cabe cuando éstos "sean adecuados, pertinentes y no excesivos en relación con el ámbito y las finalidades determinadas, explícitas y legítimas para las que se hayan obtenido" (art.4.1 LOPD); que los datos tratados deben ser "exactos y puestos al día de forma que respondan con veracidad a la situación actual del afectado" (art. 4.3 LOPD); y que el afectado tiene derecho a la cancelación o rectificación de los datos en los casos en que éstos resulten ser inexactos (art. 4.4 LOPD) o dejen de ser necesarios o pertinentes para la finalidad para la que fueron recabados (art.4.5 LOPD).

En una primera aproximación, lo primero que hay que comprobar, si se quiere determinar si la publicación del acto se adecua o no al principio de proporcionalidad, es que el presupuesto de hecho exigido por la norma se haya dado. Esto es, se trata de constatar, como paso previo a cualquier valoración posterior acerca de la proporcionalidad de la medida, si tenemos una realidad que justifique la aplicación de la norma de la que resulta la limitación del derecho.

La publicación no justificada, por no concurrir la realidad descrita por la norma, se considera un tratamiento no ajustado a Derecho, que genera en el afectado el derecho a la cancelación de sus datos (art. 16.2 LOPD), que el responsable del tratamiento tiene la obligación de hacer efectivo en el plazo de diez días (art. 16.1 LOPD)[51].

---

la Recomendación 2/2008, de 25 de abril, sobre publicación de datos personales en boletines y diarios oficiales en Internet, en sitios webs institucionales y en otros medios electrónicos y telemáticos (B.O.C.M. núm. 214, de 8 de septiembre de 2008). Acerca de la recepción y aplicación del principio de proporcionalidad por nuestro Tribunal Constitucional en sus primeros años, puede verse el clásico de LÓPEZ GONZÁLEZ, J.I. (1988): 58-74, y, más recientemente, los trabajos de BARNÉS VÁZQUEZ, J. (1998): 15-49, y MEDINA GUERRERO, M. (1996): 117 y ss. También, sobre el fundamento constitucional, la naturaleza jurídica y el contenido de este principio, puede verse el trabajo de CARRIZOSA PRIETO, E. (2004): 475-482 y 485-494.

50   Acerca del art. 4 de la LOPD, véase TRONCOSO REIGADA, A. (2010a): 340-394.

51   Sobre esta cuestión, puede verse el Informe 0145/2010 de la AEPD sobre "Publicación de datos personales en tablón de anuncios electrónico", págs. 7 y 8. Tam-

Lo mismo ocurre en el caso de datos excesivos, que pueden considerarse datos que, en el exceso, no está justificada su publicación, siendo así que la ley exige que los datos objeto de tratamiento "sean adecuados, pertinentes, y no excesivos en relación con el ámbito y las finalidades determinadas, explícitas y legítimas para las que se hayan obtenido" (art. 4.1 LOPD).

Pero incluso concurriendo la realidad que justifica la aplicación de la norma, la propia naturaleza del acto administrativo, de carácter consuntivo, lleva a que tal justificación se encuentre sujeta a una limitación temporal, la propia de la aplicación del acto, cuya eficacia se agota en el tiempo. Por tanto, la publicación del acto deja de tener sentido, por haber perdido su justificación, en el momento en que se entienda realizado el fin previsto por la ley. El transcurso del tiempo también genera en el afectado el derecho a la cancelación de sus datos de carácter personal, cuando éstos hayan dejado de ser necesarios o pertinentes para la finalidad perseguida con la publicación (art. 4.5 LOPD)[52].

En los supuestos de publicación supletoria y sustitutoria de los arts. 59.5 y 59.6 LRJPAC, el cumplimiento del fin de la publicación, que no es otro que su comunicación al interesado y la integración de la eficacia del acto, se considera alcanzado con el transcurso del plazo para la interposición de los recursos procedentes. Por tanto, una vez transcurrido éste, el afectado tiene derecho a exigir la cancelación de sus datos personales de la publicación administrativa, en el caso de que la Administración no los hubiera cancelado de oficio.

---

bién al respecto, véase la Resolución R/00752/2010 de la AEPD sobre publicación en boletín oficial de la provincia de sanción de tráfico abonada previamente en periodo voluntario, por lo que se consideran datos inexactos, no puestos al día, y sin veracidad (art. 4.3 LOPD), generando en el interesado el derecho a la cancelación (art. 16.2 LOPD). En la misma línea, Resolución R/01176/2010 de la AEPD sobre publicación en boletín oficial de la provincia de datos inexactos por razón de multa de tráfico, en la que la notificación edictal contiene datos de domicilio incorrecto, pese a que éstos fueron comunicados personalmente en varias ocasiones a la Dirección General de Tráfico por la interesada. Y, finalmente, Resolución R/00705/2011 de la AEPD sobre publicación en boletín oficial de la provincia de un requerimiento previo a la práctica de un embargo por una deuda ya saldada con anterioridad, con infracción también del art. 4.3 LOPD.

52   Acerca de esta cuestión, véase el reciente trabajo de GUICHOT REINA, E (2012a): 125-169.

Cuando se comprueba la concurrencia de los hechos descritos en la norma que justifica la publicación, la valoración acerca de si ésta respeta el principio de proporcionalidad, requiere, a continuación, aproximarse al régimen jurídico de la publicación, llevando a cabo un triple juicio, el propio de este principio: juicio de idoneidad, juicio de necesidad, y juicio de proporcionalidad en sentido estricto. Desde la aplicación de este triple juicio a la publicación del acto administrativo, pretendemos comprobar en las páginas siguientes en qué medida en cada uno de los supuestos de publicación se respeta el principio de proporcionalidad, pero también indicar aquellas técnicas o instrumentos que, traídas al régimen de la publicación, en atención a este principio, pueden contribuir a disminuir el impacto de ésta sobre el derecho fundamental[53].

### 3.2.1. Juicio de idoneidad

Aplicar el juicio de idoneidad a la publicación del acto administrativo, es tanto como preguntarse si con ésta se puede alcanzar el fin perseguido por la misma. Como este fin varía en cada supuesto de publicación del acto, la respuesta a esta pregunta exige descender necesariamente a la norma reguladora de cada tipo de publicación, que, como sabemos, no se agota siempre en la LRJPAC.

En los casos de publicación supletoria y publicación sustitutoria del acto, sí es posible dar una respuesta partiendo tan sólo del análisis de la LRJPAC (arts. 59.5 y 59.6), aunque es cierto que en el segundo de los supuestos expuestos, la finalidad de la publicación debe ser completada atendiendo a las especificaciones propias de la norma reguladora del procedimiento, que es una norma distinta de la LRJPAC. No obstante, en ambos casos, el fin primordial de la publicación del acto administrativo es el mismo, la comunicación del acto al interesado, siquiera sea por distintos motivos, y con matices diversos, en cada caso.

Si tratamos de responder a esta cuestión, pensando que con la publicación del acto lo que se pretende es una comunicación real de su

---

[53]  Sobre la aplicación del principio de proporcionalidad a la actividad administrativa, véase LÓPEZ GONZÁLEZ J.I. (1988): 117-125.

contenido al interesado, nos encontraremos enseguida con una respuesta negativa. Sabido es que el ciudadano medio no acostumbra a leer los diarios o boletines oficiales, o a consultar los tablones de edictos, tanto da que éstos sean en papel o electrónicos, aunque es cierto que la publicación electrónica facilita enormemente el acceso a éstos.

Ahora bien, como también es sabido, la publicación del acto en estos casos, no busca tanto lograr una comunicación real de su contenido al interesado, como garantizar el cumplimiento de un trámite formal de integración de su eficacia, necesario para que éste produzca efectos jurídicos, en supuestos en los que la comunicación real no resulta posible o es muy difícil de alcanzar. Dado que la LRJPAC otorga a estos supuestos esa función de integración de la eficacia del acto, que se entiende alcanzada cuando la publicación se lleva a cabo ajustándose a los requisitos de legalidad establecidos, puede responderse, desde esta otra perspectiva, que los supuestos de publicación supletoria y sustitutoria de la LRJPAC sí que permiten alcanzar la finalidad perseguida, pasando así el juicio de idoneidad aplicado a la publicación.

A diferencia de los supuestos anteriores, la aplicación del juicio de idoneidad al tercer tipo de publicación previsto en la LRJPAC (art. 60.1), no resulta factible desde el solo análisis de este precepto, que deja tanto por concretar, lo que hace necesario el estudio concreto de la norma habilitadora de la publicación de que se trate. No obstante, la enorme casuística a que ello nos llevaría, obligándonos a analizar todo nuestro ordenamiento jurídico, nos impide abordar en estas páginas tal tarea. De esta forma, lo único que podemos hacer aquí es apuntar la necesidad de valorar en cada caso de publicación que puedan prever las leyes, si su incidencia sobre el derecho fundamental pasa o no este juicio, que dependerá del fin perseguido por la norma habilitadora.

### 3.2.2. Juicio de necesidad

La aplicación del juicio de necesidad a la publicación del acto administrativo, obliga a valorar si de los distintos medios posibles para alcanzar el fin de la publicación, el medio elegido es el que permite llegar a éste con un menor nivel de injerencia en el derecho fundamental. O, dicho de otra manera, exige preguntarse si no existe un medio que,

con una afección menor del derecho, permita lograr los mismos fines
con la misma eficacia. Para responder a esta pregunta es necesario
analizar el régimen jurídico de la publicación desde un doble plano.
En una primera aproximación, prestando atención a lo que se conoce
como el medio de la publicación, para así poder valorar si se ha elegido el medio que, con la menor incidencia posible sobre el derecho
fundamental, permita alcanzar el fin de ésta con igual eficacia. En una
segunda aproximación, descendiendo al detalle concreto de la forma
en que se ha de implementar dicho medio, a fin de valorar la utilización de técnicas que permitan modular el impacto de la publicación
sobre el derecho fundamental. De forma que, siendo posible optar
entre la aplicación o no de estas técnicas al medio elegido, se decida aplicar éstas, si su aplicación resultara una opción menos gravosa
para el derecho, logrando los mismos resultados para el fin público
perseguido.

Antes de comenzar nuestro análisis, tenemos que destacar el papel
de la persona titular del órgano administrativo que toma la decisión
acerca de la publicación, y al que cabe considerar responsable del tratamiento de datos en que ésta consiste, conforme al art. 3.d) LOPD[54].
Es esta persona la que, en cada caso concreto, debe decidir si publicar,

---

[54]  El art. 3.d) de la LOPD define como responsable del fichero o tratamiento a la
      "persona física o jurídica, de naturaleza pública o privada, u órgano adminis-
      trativo, que decida sobre la finalidad, contenido y uso del tratamiento". Ahora
      bien, en la publicación de actos administrativos también puede existir, junto al
      responsable del tratamiento un encargado del mismo, en aquellos casos en que el
      titular del órgano administrativo tome la decisión acerca de la publicación, pero
      no la lleve a cabo directamente, por sus propios medios, sino que la encargue a
      un tercero. Este tercero que se ocupe de la publicación sería considerado "en-
      cargado del tratamiento", conforme a la definición que de éste da el art. 3.g) de
      la LOPD, que entiende por tal a "la persona física o jurídica, autoridad pública,
      servicio o cualquier otro organismo que, solo o conjuntamente con otros, trate
      datos de personales por cuenta del responsable del tratamiento". En estos casos,
      el encargado del tratamiento debe someterse a los términos del art. 12 LOPD,
      en el que se regula el "acceso a los datos por cuenta de terceros", de tal modo
      que el tercero, encargado del tratamiento, guardará con el responsable una rela-
      ción que se regula por un contrato a celebrar entre ambos. Sobre esta cuestión,
      puede verse también el art. 4 de la Recomendación 2/2008, de 25 de abril, de la
      APDCM, sobre publicación de datos personales en boletines y diarios oficiales
      en Internet, en sitios webs institucionales y en otros medios electrónicos y tele-
      máticos (B.O.C.M. núm. 214, de 8 de septiembre de 2008).

así como realizar la valoración que le lleve a elegir el medio de publicación menos intrusivo, dentro del margen de maniobra que le deje la norma reguladora de ésta, e, igualmente, es suya la opción de aplicar a ésta las técnicas o instrumentos que permitan modular el impacto sobre el derecho fundamental.

Comenzando con la elección del medio de publicación, lo primero que hay que indicar es que no es lo mismo publicar en boletines o diarios oficiales, que tienen el carácter de fuente accesible al público, conforme al art. 3.j) LOPD, que en tablones de anuncios o mediante otros medios de publicación distintos de los anteriores[55]. Es cierto que en la publicación supletoria del art. 59.5 LRJPAC, el responsable de la publicación no tiene elección, puesto que para este tipo de publicación la ley exige necesariamente utilizar tanto el tablón de edictos como el boletín o diario oficial que corresponda. Sin embargo, en los supuestos de publicación sustitutoria y complementaria previstos en la LRJPAC (art. 59.6 y 60.1), la determinación del medio de publicación queda, como ya sabemos, bastante más abierta. Por tanto, puede concluirse que, en estos casos, la elección de la publicación en diarios o boletines oficiales, cuando pueda alcanzarse el mismo fin, con igual eficacia, a través de otros medios de publicación, no pasaría el juicio de necesidad, por constituir una medida más restrictiva del derecho. Eso sí, la opción del responsable de la publicación dependerá de que la norma de desarrollo de los arts. 59.6 y 60.1 LRJPAC le deje margen de elección[56].

---

[55]    Los datos de carácter personal contenidos en fuentes accesibles al público, como son los boletines o diarios oficiales, pueden ser tratados sin el consentimiento de su titular, cuando "su tratamiento sea necesario para la satisfacción del interés legítimo perseguido por el responsable del fichero o por el del tercero a quien se comuniquen los datos, siempre que no se vulneren los derechos y libertades fundamentales del interesado" (arts. 6.2 y 11.2.b. LOPD). Con más detalle, acerca de lo que esto supone, puede verse FERNÁNDEZ SALMERÓN, M. y VALERO TORRIJOS, J. (2005): 101-103 y 116-119, GUICHOT REINA, E. (2009): 264 y 265, y SANTOS GARCÍA, D. (2012): 152 y 153.

[56]    Al respecto, puede verse el art. 7 de la Recomendación 2/2008, de 25 de abril, de la APDCM, sobre publicación de datos personales en boletines y diarios oficiales en Internet, en sitios webs institucionales y en otros medios electrónicos y telemáticos (B.O.C.M. núm. 214, de 8 de septiembre de 2008), en la que se recomienda que, siempre que una norma con rango de ley no establezca lo contrario, se opte por la publicación en medios distintos de los boletines o diarios oficiales.

En segundo lugar, la determinación del medio de publicación también exige decantarse entre la publicación en papel y la publicación por medios electrónicos. En la aplicación del juicio de necesidad debe considerarse que la publicación electrónica tiene una mayor repercusión sobre el derecho a la protección de datos, dada la potencialidad de las nuevas tecnologías para multiplicar la publicidad de éstos, si bien, ofreciendo, al mismo tiempo, cuando se sitúe en el contexto de la LAE, mayores garantías en términos de autenticidad e integridad de los datos.

Ahora bien, si cuando hablamos de publicación electrónica, nos referimos exclusivamente a la publicación por medios electrónicos del boletín oficial o del tablón de anuncios (arts. 11 y 12 LAE), lo cierto es que hacerlo, planteándose que el responsable de la publicación puede elegir el medio de ésta, no tiene mucho sentido. Piénsese que la publicación electrónica de diarios oficiales y tablones de anuncios, viene predeterminada por la norma reguladora del boletín o tablón de la Administración de que se trate, que, cuando incorpora a su organización la utilización de este medio de publicación, lo hace sustituyendo la publicación en papel, que deja de ser una opción, por una elemental razón de simplificación administrativa (art. 4.j LAE).

Esto que decimos vale tanto para los casos de publicación supletoria del art. 59.5 LRJPAC, que tiene lugar siempre en tablones y diarios oficiales, como para los casos de publicación sustitutoria y complementaria de los arts. 59.6 y 60.1 LRJPAC, en los que la norma reguladora del supuesto de que se trate haya optado por publicación en tablones y diarios oficiales. En principio, ni en unos ni en otros, la publicación en un boletín o tablón electrónico, es una elección del órgano responsable de ésta, a la que pueda aplicarse el juicio de necesidad, siendo así que será una norma jurídica la que habrá determinado previamente este medio de publicación electrónica.

Otra cosa es que la norma reguladora del supuesto de publicación de que se trate, contemple como principal la publicación en papel, por ser ésta la única de la que dispone la Administración que dicta el acto, y, como complementaria, o incluso alternativa, la publicación en un boletín o diario oficial electrónico de otra Administración distinta de la que resuelve. Si esto es una elección del órgano competente, sí que cabe aplicarle el juicio de necesidad, preguntándose si con la publicación en papel no habría sido suficiente para alcanzar el fin perseguido, o si ésta no habría sido un medio menos intrusivo para lograrlo, en términos de igual eficacia.

Por otra parte, la publicación electrónica en tablones de anuncios o diarios oficiales no es la única forma de publicación electrónica posible, puesto que también puede plantearse la publicación de actos administrativos en sitios electrónicos distintos de los anteriores, como, por ejemplo, la página web institucional de una Administración Pública. En los casos de publicación supletoria del art. 59.5 LRJPAC, estos otros medios de publicación electrónicos no pueden tener otra naturaleza que la de medio de publicación complementario, en el sentido que a éste se le da en el último párrafo del artículo citado. Mayor juego pueden tener estos otros medios de publicación electrónica en los supuestos de los arts. 59.6 y 60.1 LRJPAC, en los que la publicación electrónica en un medio distinto de un tablón o diario oficial, puede perfectamente ser el medio de publicación principal, si así lo decide la norma reguladora del supuesto de que se trate.

En estos casos cabe plantearse las características del medio de publicación electrónica, que puede incorporar como técnica que ayude a minorar el impacto de ésta sobre el derecho a la protección de datos, el acceso restringido al contenido de la publicación. Así, éste puede limitarse a los interesados, no necesariamente sólo al afectado, mediante la ubicación del contenido del acto en un sitio electrónico cerrado al que sólo se pudiera acceder identificándose mediante una clave personal. De esta forma, se logra la finalidad de la publicación del acto, cuando ésta sea la comunicación del mismo a los interesados, mediante un medio menos lesivo del derecho fundamental que su publicación en abierto.

También es posible disminuir la afección del derecho por la publicación, simplemente no llevando a cabo la publicación, en la conocida fórmula del art. 61 LRJPAC. En realidad, no se trata tanto de no publicar, como de publicar, sea cual sea el medio de publicación, limitando ésta a "una somera indicación del contenido del acto y del lugar donde los interesados podrán comparecer, en el plazo que se establezca, para conocimiento del contenido íntegro del mencionado acto y constancia de tal conocimiento". Estamos ante una medida que la LRJPAC prevé para los casos en que el órgano competente aprecie que la publicación del acto "lesiona derechos o intereses legítimos", entre los que se pueden encontrar, aunque no sólo, el derecho a la protección de datos de carácter personal[57]. Desde la perspectiva abordada en este epígrafe, se trata de una medida que, en los casos en que opte por ella el responsable de la publicación, debe ser valorada positivamente, puesto que supone la opción por un medio menos gravoso e igual de eficaz para alcanzar el fin de la publicación[58].

Como es obvio, esta medida es aplicable únicamente a los casos en que la publicación tiene por finalidad comunicar el contenido del acto al interesado (arts. 59.5 y 59.6 LRJPAC). En supuestos en los que ésta obedezca a un principio de publicidad o transparencia administrativa, en desarrollo de la habilitación del art. 60.1 LRJPAC, el recurso al art. 61 LRJPAC impediría alcanzar el fin de la publicación administrativa.

Otro instrumento a utilizar, a fin de que la publicación del acto resulte menos lesiva para el derecho a la protección de datos, es cuidar la configuración de los motores de búsqueda propios del sitio electrónico en el que se lleve a cabo la publicación, así como la indexación en motores de búsqueda ajenos, como Google, que, sabido es, disparan exponencialmente la difusión de los datos[59].

---

[57]    La doctrina parte de una interpretación amplia de la expresión "derechos e intereses legítimos" utilizada por el art. 61 LRJPAC, que no se limita a los derechos al honor y a la intimidad, ni al derecho a la protección de datos de carácter personal. *Vid.* DE DIEGO DÍEZ, L.A. (2008): 223. Aunque, como ya se ha dicho, también hay quien sostiene que el derecho a la protección de datos no puede considerarse incluido entre los derechos e intereses legítimos a que se refiere este artículo. *Cfr.* FERNÁNDEZ SALMERÓN, M. y VALERO TORRIJOS, J. (2005): 116.

[58]    La utilización del art. 61 LRJPAC es valorada, entre otros, en los siguientes Informes de la AEPD: Informe 0152/2008 sobre "Publicación desglosada de la lista de admitidos en colegios públicos y privados concertados", pág. 4, Informe 0145/2010 sobre "Publicación de datos personales en tablón de anuncios electrónico", págs. 5 y 6, Informe 0197/2010 sobre "Publicación en Boletín Oficial de la Provincia de datos de afectados en tramitación de un expediente de baja de oficio", págs. 4 y 5, e Informe 0214/2010 sobre "Publicación en Diarios Oficiales de las notificaciones y su indexación en los motores de búsqueda en Internet", pág. 2.

[59]    Así se ha indicado en el Informe 0214/2010 de la AEPD sobre "Publicación en Diarios Oficiales de las notificaciones y su indexación en los motores de búsqueda en Internet", págs. 3-5, así como en el art. 11 de la Recomendación 2/2008, de 25 de abril, de la APDCM, sobre publicación de datos personales en boletines

Por las mismas razones, en los casos en que la publicación se lleve a cabo no sólo en un diario o boletín oficial electrónico, sino también en un tablón de anuncios electrónico, o en cualquier otro sitio electrónico, se debe evitar la duplicación de contenidos. La solución es utilizar técnicas que limiten la publicación real del contenido del acto al boletín o diario oficial, articulándose la publicación en el resto de sitios electrónicos mediante una referencia o enlace a la publicación en el boletín[60].

Por último, también debe valorarse, en los casos en que sea posible, la disociación de los datos personales que se publiquen, mediante el procedimiento al que se refiere el art. 3.f) LOPD[61]. En este artículo se define el "procedimiento de disociación", como "todo tratamiento de datos personales de modo que la información que se obtenga no pueda asociarse a persona identificada o identificable". Esta publicación no nominativa, obviamente sólo es posible para los supuestos de publicación del acto administrativo que no tengan por finalidad la comunicación del acto al interesado. Por tanto, no procede, desde

---

y diarios oficiales en Internet, en sitios webs institucionales y en otros medios electrónicos y telemáticos (B.O.C.M. núm. 214, de 8 de septiembre de 2008). En la misma línea, pueden verse las resoluciones de la AEPD que se citan a continuación. En éstas se recomienda a la Administración responsable de la publicación (en las dos primeras la Dirección General de Tráfico, en la última la Tesorería General de la Seguridad Social), que dé instrucciones al boletín oficial correspondiente para que realice las acciones tendentes a impedir la captación del dato erróneo por parte de los buscadores, mediante la activación de un robot TXT que evite la captación por los motores de búsqueda de Internet, así como que éstos puedan asociarlo al interesado: Resolución R/00752/2010 sobre publicación en boletín oficial de la provincia de sanción de tráfico abonada previamente en periodo voluntario, Resolución R/01176/2010 sobre publicación en boletín oficial de la provincia de datos inexactos por razón de multa de tráfico, y Resolución R/00705/2011 sobre publicación en boletín oficial de la provincia de un requerimiento previo a la práctica de un embargo por una deuda ya saldada con anterioridad.

[60]  Así se ha apuntado en el art. 8.5 de la Recomendación 2/2008, de 25 de abril, de la APDCM, sobre publicación de datos personales en boletines y diarios oficiales en Internet, en sitios webs institucionales y en otros medios electrónicos y telemáticos (B.O.C.M. núm. 214, de 8 de septiembre de 2008).

[61]  En este sentido, véase lo dispuesto en el art. 6.4 de la Recomendación 2/2008, de 25 de abril, de la APDCM, sobre publicación de datos personales en boletines y diarios oficiales en Internet, en sitios webs institucionales y en otros medios electrónicos y telemáticos (B.O.C.M. núm. 214, de 8 de septiembre de 2008).

luego, en el supuesto del art. 59.5 LRJPAC, ni tampoco en el caso del
59.6.b) LRJPAC, en los que muy difícilmente se podrá cumplir con el
fin de la publicación si no es identificando por su nombre y apellidos
al interesado.

Para finalizar este epígrafe, tenemos que decir que, en nuestra opinión, también desde la perspectiva de la valoración propia del juicio
de necesidad podría cuestionarse la publicación supletoria del art.
59.5 LRJPAC en tablones y boletines oficiales electrónicos, dada la
potencialidad de incidir sobre el derecho que ésta tiene. Debe tenerse
en cuenta que, mediante un régimen de notificación electrónica bien
articulado, que soslaye todos los problemas que la práctica de la notificación tradicional plantea en la realidad, podría evitarse acudir
siquiera a la publicación, que es la que puede lesionar el derecho fundamental[62]. No obstante, el problema aquí es que, por ahora, con la
normativa vigente, la utilización de la notificación electrónica sigue
siendo voluntaria para el interesado (art. 28.1 LAE)[63].

### 3.2.3. Juicio de proporcionalidad en sentido estricto

El último juicio que, en la construcción técnica del principio de
proporcionalidad que conocemos, debe aplicarse a la publicación
del acto administrativo, para verificar si el principio se respeta, es
el llamado juicio de proporcionalidad en sentido estricto. Éste consiste en la ponderación de valores o bienes constitucionales que se
realiza cuando se ponen, de un lado, los fines públicos obtenidos con
la publicación (art. 103 CE), y, de otro, el derecho fundamental que
resulta afectado (art. 18.4 CE), y, se valora si son más los beneficios
obtenidos mediante el logro de estos fines que el perjuicio producido
al derecho fundamental[64].

Es éste un juicio que ha de realizar en todo caso el aplicador, responsable del tratamiento, cuando decida acerca de la publicación, y

---

[62]   Puede verse una reflexión similar en GUICHOT REINA, E. (2012b): 376.
[63]   Al respecto, véase REGO BLANCO, M.D. (2010): 578 y ss.
[64]   La necesaria diferenciación entre los conceptos de ponderación y proporciona-
       lidad ha sido tratada en RODRÍGUEZ DE SANTIAGO, J.M. (2000): 105 y ss.,
       donde se equipara la ponderación a la proporcionalidad en sentido estricto, pero
       no a todo el contenido propio de este principio.

de las fórmulas a implementar para minorar el impacto de ésta sobre el derecho. Por tanto, la aplicación de este juicio no es algo que pueda resolverse de forma categórica o genérica, sino que es casuística, y, en última instancia, revisable activando los medios de control previstos en la ley, como son la reclamación a la Agencia de Protección de Datos que corresponda, y la interposición de recurso contencioso-administrativo ante los Tribunales de este orden judicial[65].

En esta ponderación es necesario tener en cuenta las variables que pueden suponer tanto el fin de la publicación, como el medio elegido, así como el tipo de dato personal de que se trate, habida cuenta de que la LOPD no trata a todos estos por igual[66].

## 4. CONCLUSIONES

La publicación de un acto administrativo puede incidir en muy diversos grados sobre el derecho fundamental a la protección de datos garantizado por nuestro Texto Constitucional (art. 18.4). Esta afirmación no es más que el resultado de la constatación de la existencia de una regulación dispersa de la publicación de los actos administrativos en nuestro ordenamiento, que no se queda en la regulación básica establecida en los arts. 59 y 60 de la LRJPAC. Los tres preceptos que la LRJPAC dedica a los distintos tipos de publicación, el 59.5, el 59.6

---

[65]  Conforme al art. 18 LOPD. *Vid.* GUICHOT REINA, E. (2005): 405 y 406.

[66]  En este sentido, puede verse como la AEPD pondera en sus resoluciones la presencia de datos relativos a la salud de las personas, considerados datos especialmente protegidos, conforme al art. 7.3 LOPD: Informe 0152/2008 sobre "Publicación desglosada de la lista de admitidos en colegios públicos y privados concertados", Resolución R/00831/2008 sobre "Publicación en Boletín Oficial de datos de salud de la denunciante", y Resolución R/00468/2009 sobre "Publicación en Internet de ayudas a discapacitados". En este último caso, se publicó en página web de la Administración, difundiéndose los datos a través de Google, una relación de admitidos para ayudas a discapacitados, incluyendo información sobre el tipo y el porcentaje de la discapacidad. La necesidad de valorar el tipo de dato de que se trate, también ha sido subrayada por el art. 8 de la Recomendación 2/2008, de 25 de abril, de la APDCM, sobre publicación de datos personales en boletines y diarios oficiales en Internet, en sitios webs institucionales y en otros medios electrónicos y telemáticos (B.O.C.M. núm. 214, de 8 de septiembre de 2008). Acerca de los distintos tipos de datos de carácter personal, véase GUICHOT REINA, E. (2005): 210-224.

y el 60.1, se sitúan, por este orden, en una escala de mayor a menor precisión del régimen jurídico de esta institución, o, si se prefiere, de menor a mayor entrega de su regulación a la normativa de desarrollo. De lo que resulta una diversidad de regímenes jurídicos que puede afectar de muy diferentes maneras al derecho objeto de este trabajo, según el fin de la publicación y los medios empleados.

Por tanto, más allá del caso de la publicación supletoria del art. 59.5 LRJPAC, que es el que tiene una regulación más acabada en esta Ley, no es posible establecer unos criterios generales y definitivos, que, de forma cerrada, sirvan para abordar cualquier posible conflicto que se produzca entre los fines de la publicación y el derecho a la protección de datos. Máxime en un tema como éste, que, al estar tocado por la utilización de las tecnologías de la información y la comunicación, está sujeto a una constante evolución. Habrá que estar, pues, al régimen jurídico estableci-do por cada norma, y descender a cada caso concreto, para solventar el conflicto entre bienes o valores constitucionales.

Finalmente, en cada caso concreto, lo definitivo será el criterio del aplicador del Derecho, aquí el órgano administrativo responsable de la publicación, que será quien decida si ésta procede, así como acerca de la aplicación de las medidas que permitan una menor incidencia sobre el derecho. A la persona titular del órgano administrativo se le debe pedir que, para garantizar la constitucionalidad de su decisión, tome ésta ponderando cuidadosamente los intereses en presencia, y guardando la proporcionalidad exigida por nuestra Constitución. En este punto, resultan tremendamente útiles los criterios que, resolvien-do supuestos concretos, proporcionan las Agencias de Protección de Datos, así como los Tribunales de Justicia, al controlar la actividad de las Administraciones Públicas en su aplicación de la LOPD.

## BIBLIOGRAFÍA

ARRIBAS LEÓN, M. (2013): "La obligación tributaria de información telemáti-ca sobre bienes y derechos situados en el extranjero", *CEFGestión. Revista de actualización empresarial*, núm. 182.

ARROYO YANES, L.M. (1993): "El derecho de autodeterminación informativa frente a las Administraciones Públicas (comentario a la STC 254/93, de 20 de julio)", *Revista Andaluza de Administración Pública*, núm. 16.

ARROYO YANES, L.M. (2010): "Las Administraciones Públicas y la excepción al principio de prestación del consentimiento por parte del interesado a la recogida y tratamiento de sus datos personales: Título II. Principios de la Protección de Datos. Artículo 6", en TRONCOSO REIGADA, A. (Dir.), *Comentario a la Ley Orgánica de Protección de Datos de Carácter Personal*, Civitas, Madrid.

BARNÉS VÁZQUEZ, J. (1998): "El principio de proporcionalidad. Estudio preliminar", *Cuadernos de Derecho Público*, núm. 5.

BOCANEGRA SIERRA, R. (2005): "Notificación y publicación (de actos)", en Muñoz Machado, S. (Dir.), *Diccionario de Derecho Administrativo. Tomo II*, Iustel, Madrid.

CARRIZOSA PRIETO, E. (2004): "El principio de proporcionalidad en el Derecho del Trabajo", *Revista Española de Derecho del Trabajo*, núm. 123.

DE DIEGO DÍEZ, L.A. (2008): *Garantías en la práctica de las notificaciones administrativas*, Bosch, Barcelona.

DE DIEGO DÍEZ, L.A. (2011): *Notificaciones administrativas por edictos. Patologías y deficiencias*, Tiran Lo Blanch, Valencia.

ENTRENA CUESTA, R. (2011): "Consideraciones sobre la notificación edictal", en LÓPEZ MENUDO, F. (coord.), *Derechos y garantías del ciudadano. Estudios en homenaje al Profesor Alfonso Pérez Moreno*, Iustel, Madrid.

FERNÁNDEZ SALMERÓN, M. y VALERO TORRIJOS, J. (2005): "La publicidad de la información administrativa en internet: implicaciones para el derecho a la protección de datos personales", *Revista Aragonesa de Administración Pública*, núm. 26.

FERNÁNDEZ RAMOS, S. (1997): *El derecho de acceso a los documentos administrativos*, Marcial Pons, Madrid.

GALLARDO CASTILLO, M.J. (2010): *Régimen Jurídico de las Administraciones Públicas y Procedimiento Administrativo Común. Comentario sistemático a la Ley 30/1992, de 26 de noviembre*, Tecnos, Madrid.

GAMERO CASADO, E. (2001): *Los medios de notificación en el procedimiento administrativo común*, IAAP, Sevilla.

GAMERO CASADO, E. (2009): "El régimen de notificaciones: la dirección electrónica vial (DEV) y el tablón edictal de sanciones de tráfico (TESTRA)", *Documentación Administrativa*, núm. 284-285.

GAMERO CASADO, E. (2010): "Objeto, ámbito de aplicación y principios generales de la Ley de Administración Electrónica; su posición en el sistema de fuentes", en GAMERO CASADO, E. y VALERO TORRIJOS, J. (coord.), *La Ley de Administración Electrónica. Comentario sistemático a la Ley 11/2007 de 22 de junio, de Acceso Electrónico de los Ciudadanos a los Servicios Públicos*, 3ª ed., Aranzadi, Cizur Menor.

GAMERO CASADO, E. y FERNÁNDEZ RAMOS, S. (2013): *Manual Básico de Derecho Administrativo*, 10ª ed., Tecnos, Madrid.

GAMERO CASADO, E. y MARTÍNEZ GUTIÉRREZ, R. (2010): "El Derecho Administrativo ante la Era de la Información", en GAMERO CASADO, E. y VALERO TORRIJOS, J. (coord.), *La Ley de Administración Electrónica. Co-*

mentario sistemático a la Ley 11/2007 de 22 de junio, de Acceso Electrónico de los Ciudadanos a los Servicios Públicos, 3ª ed., Aranzadi, Cizur Menor.

GARCÍA DE ENTERRÍA, E. y FERNÁNDEZ RODRÍGUEZ, T.R. (2008): Curso de Derecho Administrativo I, 14ª ed., Thomson-Civitas, Madrid.

GONZÁLEZ PÉREZ, J. y GONZÁLEZ NAVARRO, F. (2012): Comentarios a la Ley de Régimen Jurídico de las Administraciones Públicas y Procedimiento Administrativo Común (Ley 30/1992, de 26 de noviembre), 5ª ed., Thomson-Civitas, Cizur Menor.

GUICHOT REINA, E. (2005): Datos personales y Administración Pública, Thomson-Civitas, Cizur Menor.

GUICHOT REINA, E. (2009): Publicidad y Privacidad de la Información Administrativa, Thomson-Civitas, Cizur Menor.

GUICHOT REINA, E. (2012a): "La publicidad de datos personales en Internet por parte de las Administraciones Públicas y el derecho al olvido", Revista Española de Derecho Administrativo, núm. 154.

GUICHOT REINA, E. (2012b): "Transparencia versus protección de datos", en BLASCO ESTEVE, A. (coord.), El Derecho público de la crisis económica. Transparencia y sector público. Hacia un nuevo Derecho administrativo. Actas del VI Congreso de la Asociación Española de Profesores de Derecho Administrativo, INAP, Madrid.

HOLGADO GONZÁLEZ, M. (2012): "Intimidad y nuevas tecnologías en el entorno laboral", en Constitución y democracia: ayer y hoy. Libro Homenaje a Antonio Torres del Moral, Editorial Universitas, Madrid.

LÓPEZ GONZÁLEZ, J.I. (1988): El principio general de proporcionalidad en Derecho Administrativo, Instituto García Oviedo, Sevilla.

LÓPEZ GONZÁLEZ, J.I. (2011): "Garantías jurídicas de la atribución y ejercicio de potestades administrativas", en GONZÁLEZ ORTEGA, S., GARCÍA MURCIA, J., y ELORZA GUERRERO, F. (coord.), Monografías de Temas Laborales 47. Presente y futuro de la intervención pública en las relaciones laborales y de seguridad social. Libro homenaje al Profesor Fermín Rodríguez-Sañudo Gutiérrez, Consejo Andaluz de Relaciones Laborales, Sevilla.

LUCAS MURILLO DE LA CUEVA, P. (2010): "El objeto de la Ley Orgánica de Protección de Datos de Carácter Personal: Título I. Disposiciones generales. Artículo 1", en TRONCOSO REIGADA, A. (Dir.), Comentario a la Ley Orgánica de Protección de Datos de Carácter Personal, Civitas, Madrid.

LUCENA CID, I.V. (2012): "La protección de la intimidad en la era tecnológica: hacia una reconceptualización", Revista Internacional de Pensamiento Político, núm. 7.

MARTÍN REBOLLO, L. (2011): Leyes administrativas, 17ª ed., Aranzadi, Cizur Menor.

MARTÍNEZ GUTIÉRREZ, R. (2009): Administración Pública electrónica, Civitas, Cizur Menor.

MEDINA GUERRERO, M. (1996): La vinculación negativa del legislador a los derechos fundamentales, Madrid, McGraw-Hill.

MUÑOZ MACHADO, S. (2011): *Tratado de Derecho Administrativo y Derecho Público General. Vol. IV*, Iustel, Madrid.

PIÑAR MAÑAS, J.L. (2010): "Concepto de datos de carácter personal: Título I. Disposiciones Generales. Artículo 3", en TRONCOSO REIGADA, A. (Dir.), *Comentario a la Ley Orgánica de Protección de Datos de Carácter Personal*, Civitas, Madrid.

RALLO LOMBARTE, A. (2010): "La Administración electrónica y el derecho a la protección de datos personales", en DE LA HERA PASCUAL, C. (coord.), *Administración electrónica: estudios, buenas prácticas y experiencias en el ámbito local*, Fundación Democracia y Gobierno Local, Madrid.

REGO BLANCO, M.D. (2010): "Registros, comunicaciones y notificaciones electrónicas", en GAMERO CASADO, E. y VALERO TORRIJOS, J. (coord.), *La Ley de Administración Electrónica. Comentario sistemático a la Ley 11/2007 de 22 de junio, de Acceso Electrónico de los Ciudadanos a los Servicios Públicos*, 3ª ed., Aranzadi, Cizur Menor.

RODRÍGUEZ DE SANTIAGO, J.M. (2000): *La ponderación de bienes e intereses en el Derecho Administrativo*, Marcial Pons, Madrid.

SÁNCHEZ MORÓN, M. (2011): *Derecho Administrativo. Parte General*, 7ª ed., Tecnos, Madrid.

SANTOS GARCÍA, D. (2012): *Nociones generales de la Ley Orgánica de Protección de Datos y su Reglamento*, 2ª ed., Tecnos, Madrid.

TOSCANO GIL, F. (2012): "La nueva regulación del Boletín Oficial de la Junta de Andalucía: aspectos jurídicos de la utilización de medios electrónicos", *Actualidad Administrativa*, núm. 19-20.

TRONCOSO REIGADA, A. (2010a): "El principio de calidad de los datos: Título II. Principios de la Protección de Datos. Artículo 4", en TRONCOSO REIGADA, A. (Dir.), *Comentario a la Ley Orgánica de Protección de Datos de Carácter Personal*, Civitas, Madrid.

TRONCOSO REIGADA, A. (2010b): "La comunicación de datos personales: Título II. Principios de la Protección de Datos. Artículo 11", en TRONCOSO REIGADA, A. (Dir.), *Comentario a la Ley Orgánica de Protección de Datos de Carácter Personal*, Civitas, Madrid.

VALERO TORRIJOS, J. (2010): "Acceso a los servicios y a la información por medios electrónicos", en GAMERO CASADO, E. y VALERO TORRIJOS, J. (coord.), *La Ley de Administración Electrónica. Comentario sistemático a la Ley 11/2007 de 22 de junio, de Acceso Electrónico de los Ciudadanos a los Servicios Públicos*, 3ª ed., Aranzadi, Cizur Menor.

# LOS BIENES Y DERECHOS SITUADOS EN EL EXTRANJERO: SU DECLARACIÓN INFORMATIVA A EFECTOS TRIBUTARIOS

MÓNICA ARRIBAS LEÓN
*Profesora Titular de Derecho Financiero y Tributario*
*Universidad Pablo de Olavide de Sevilla*

SUMARIO: 1. INTRODUCCIÓN; 2. EL DERECHO A LA INTIMIDAD Y LAS OBLIGA-
CIONES DE INFORMACIÓN TRIBUTARIA; 3. LA OBLIGACIÓN DE INFORMACIÓN
SOBRE BIENES Y DERECHOS SITUADOS EN EL EXTRANJERO; 3.1. Regulación; 3.2.
Justificación de la medida; 3.3. Técnica legislativa empleada; 3.4. Contenido subjetivo y objetivo de la obligación de información; 3.4.1. Información sobre cuentas situadas en el extranjero; 3.4.1.1. Elemento subjetivo; 3.4.1.2. Elemento objetivo; 3.4.1.3. Excepciones a la
obligación de informar; 3.4.2. Información sobre valores, derechos, seguros y rentas depositados, gestionados y obtenidas en el extranjero; 3.4.2.1. Elemento subjetivo; 3.4.2.2. Elemento objetivo; 3.4.2.3. Excepciones a la obligación de informar; 3.4.3. Información sobre bienes
inmuebles y derechos sobre bienes inmuebles situados en el extranjero; 3.4.3.1. Elemento
subjetivo; 3.4.3.2. Elemento objetivo; 3.4.3.3. Excepciones a la obligación de informar; 3.5.
Elemento temporal y formal de estas obligaciones de informar; 4. CONSECUENCIAS DEL
INCUMPLIMIENTO DE LA OBLIGACIÓN DE INFORMAR; 4.1. Régimen de infracciones y sanciones; 4.2. Otras consecuencias; 4.2.1. Existencia de una ganancia patrimonial no
justificada en el Impuesto sobre la Renta de las Personas Físicas; 4.2.2. Presunción de obtención de renta en el Impuesto sobre Sociedades; 5. CONCLUSIONES

## 1. INTRODUCCIÓN

En el último trimestre del año pasado se creó una nueva obligación
de información tributaria de carácter específico sobre bienes y derechos
situados en el extranjero, que no supone el pago adicional de cuantía
alguna y se ha llevado a la práctica por primera vez en este año 2013. Ya
está por lo tanto implantada. De hecho, según los datos que figuran en la
página web de la Agencia Estatal de Administración Tributaria, han sido
154.800 las declaraciones presentadas hasta el 11 de noviembre[1].

---

[1]   Información extraída de las estadísticas de declaraciones presentadas por internet consultable en:

En las páginas siguientes vamos a analizar su régimen, aunque antes dedicaremos un epígrafe al fundamento constitucional de las obligaciones de información, categoría a la que pertenece, y la injerencia legítima que éstas suponen en el derecho a la intimidad de los ciudadanos.

## 2. EL DERECHO A LA INTIMIDAD Y LAS OBLIGACIONES DE INFORMACIÓN TRIBUTARIA

El artículo 18 de la Constitución Española consagra el derecho a la intimidad en su apartado 1 en los siguientes términos:

> "Se garantiza el derecho al honor, a la intimidad personal y familiar y a la propia imagen".

El Tribunal Constitucional se ha encargado de precisar el contenido de este derecho. En el Fundamento Jurídico 7 de la Sentencia 11/1981, de 8 de abril[2], determina que "ningún derecho, ni aún los de naturaleza o carácter constitucional, pueden considerarse como ilimitados", reiterando esa misma idea en el Fundamento Jurídico 5 de la Sentencia 110/1984, de 26 de noviembre[3], en la que asevera: "Todo derecho tiene sus límites". Por lo tanto, queda claro que "el derecho fundamental a la intimidad, al igual que los demás derechos fundamentales, no es absoluto, sino que se encuentra delimitado por los restantes derechos fundamentales y bienes jurídicos constitucionalmente protegidos", tal y como recoge el Fundamento Jurídico 4 de la Sentencia 156/2001, de 2 de julio[4].

La pregunta subsiguiente es si los datos con trascendencia tributaria entran en el ámbito de la intimidad protegido por la Constitución. A este respecto, el Fundamento Jurídico 4 de la Sentencia 233/2005, de 26 de septiembre[5], deja constancia de que "es doctrina consolidada de este Tribunal la de que los datos económicos, en principio, se incluyen en el ámbito de la intimidad. Así lo han puesto de relieve, claramente, las

---

    http://www.agenciatributaria.es/static_files/AEAT/Contenidos_Comunes/La_ Agencia_Tributaria/Tramites_on_Line/Otros_Servicios/ESTADISTICAS/Declaraciones_presentadas_por_Internet/2013/estadinet04112013.pdf.

2    *(Tol 109335)*.

3    *(Tol 79399)*.

4    *(Tol 12993)*.

5    *(Tol 719584)*.

SSTC 45/1989, de 20 de febrero, FJ 9; 233/1999, de 16 de diciembre, FJ 7; y 47/2001, de 15 de febrero, FJ 8", y continúa dos párrafos después señalando que "para que la afectación del ámbito de intimidad constitucionalmente protegido resulte conforme con el art. 18.1 CE, es preciso que concurran cuatro requisitos: en primer lugar, que exista un fin constitucionalmente legítimo; en segundo lugar, que la intromisión en el derecho esté prevista en la ley; en tercer lugar (sólo como regla general), que la injerencia en la esfera de privacidad constitucionalmente protegida se acuerde mediante una resolución judicial motivada; y, finalmente, que se observe el principio de proporcionalidad, esto es, que la medida adoptada sea idónea para alcanzar el fin constitucionalmente legítimo perseguido con ella, que sea necesaria o imprescindible al efecto (que no existan otras medidas más moderadas o menos agresivas para la consecución de tal propósito con igual eficacia) y, finalmente, que sea proporcionada en sentido estricto (ponderada o equilibrada por derivarse de ella más beneficios o ventajas para el interés general que perjuicios sobre otros bienes o valores en conflicto)".

A la luz de esos condicionantes, la cuestión ahora es determinar si las obligaciones de información tributaria, como es la que nos ocupa, cumplen con esos requisitos. La ya citada Sentencia 110/1984, en el Fundamento Jurídico 5, sostiene que no siempre es fácil "acotar con nitidez el contenido de la intimidad" y, ante la pregunta que se formula de en qué medida la Administración puede exigir datos relativos a la situación económica de un contribuyente, responde con contundencia: "No hay duda de que en principio puede hacerlo. La simple existencia del sistema tributario y de la actividad inspectora y comprobatoria que requiere su efectividad lo demuestra. Es claro también que este derecho tiene un firme apoyo constitucional en el art. 31.1 de la Norma fundamental". Quizás el Tribunal se expresa con mayor claridad en el Fundamento Jurídico 5 de la Sentencia 233/2005; por su importancia en el aspecto que estamos tratando vamos a transcribir íntegro el párrafo primero:

> "5. Como hemos señalado una de las exigencias que necesariamente habrán de observarse para que una intromisión en la intimidad protegida sea susceptible de reputarse como legítima es que persiga un fin constitucionalmente legítimo, o, lo que es igual, que tenga justificación en otro derecho o bien igualmente reconocido en nuestro texto constitucional [SSTC 37/1989, de 15 de febrero, FFJJ 7 y 8; 142/1993, de 22 de abril, FJ 9; 7/1994, de 17 de

enero, FJ 3 B); 57/1994, de 28 de febrero, FJ 6; 207/1996, de 16 diciembre, FJ 4 a); 234/1997, de 18 de diciembre, FJ 9 b); 70/2002, de 3 de abril, FJ 10 a)].  A este respecto es indiscutible que la lucha contra el fraude fiscal es un fin y un mandato que la Constitución impone a todos los poderes públicos, singularmente al legislador y a los órganos de la Administración tributaria (SSTC 79/1990, de 26 de abril, FJ 3; 46/2000, de 17 de febrero, FJ 6; 194/2000, de 19 de julio, FJ 5; y 255/2004, de 22 de diciembre, FJ 5), razón por la cual este Tribunal Constitucional ha tenido ya ocasión de declarar que para el efectivo cumplimiento del deber que impone el art. 31.1 CE es imprescindible la actividad inspectora y comprobatoria de la Administración tributaria, ya que de otro modo se produciría una distribución injusta en la carga fiscal (SSTC 110/1984, de 26 de noviembre, FJ 3; y 76/1990, de 26 de abril, FJ 3).  De lo anterior se sigue que el legislador ha de habilitar las potestades o los instrumentos jurídicos que sean necesarios y adecuados para que, dentro del respeto debido a los principios y derechos constitucionales, la Administración esté en condiciones de hacer efectivo el cobro de las deudas tributarias (STC 76/1990, de 26 de abril, FJ 3). Y no cabe duda de que 'el deber de comunicación de datos con relevancia tributaria se convierte, entonces, en un instrumento necesario, no sólo para una contribución justa a los gastos generales (art. 31.1 CE), sino también para una gestión tributaria eficaz, modulando el contenido del derecho fundamental a la intimidad personal y familiar del art. 18.1 CE' (AATC 197/2003, de 16 de junio, FJ 2; y 212/2003, de 30 de junio, FJ 2; y en sentido similar SSTC 110/1984, de 26 de noviembre, FJ 5; 143/1994, de 9 de mayo, FJ 6; y 292/2000, de 30 de diciembre, FJ 9)".

El fundamento de las obligaciones de información se encuentra por lo tanto en el artículo 31.1 de la Constitución, que dispone:

"Todos contribuirán al sostenimiento de los gastos públicos de acuerdo con su capacidad económica mediante un sistema tributario justo inspirado en los principios de igualdad y progresividad que, en ningún caso, tendrá alcance confiscatorio".

Es precisamente dentro del deber de contribuir del artículo 31 de nuestra Carta Magna donde debemos situar el soporte de las obligaciones de información, que son la manifestación más importante de las obligaciones tributarias formales recogidas por el artículo 29 de la Ley 58/2003, de 17 de diciembre, General Tributaria (LGT en adelante), entendidas como aquellas que sin tener carácter pecuniario son impuestas por la normativa a los obligados tributarios, deudores o no del tributo, y cuyo cumplimiento está relacionado con el desarrollo de actuaciones o procedimientos tributarios. De ese precepto constitucional se deduce una idea fundamental: los deberes de información lo son en la medida en que sean necesarios para la aplicación de un sistema tributario justo y han de desarrollarse en el respeto al principio de legalidad consagrado en el apartado 3 del propio artículo 31[6].

En resumen, las obligaciones de información, a pesar de afectar al derecho a la intimidad, cumplen con los requisitos exigidos por el Tribunal Constitucional para que tal injerencia sea legítima: hay un fin constitucionalmente protegido, como es el deber de contribuir del artículo 31 y la lucha contra el fraude; la intromisión, es decir, los deberes, están previstos en una Ley, la LGT; y observan, con carácter general, el principio de proporcionalidad. La imposición legal de obligaciones de información tributaria no conculca por lo tanto el principio constitucional de intimidad.

## 3. LA OBLIGACIÓN DE INFORMACIÓN SOBRE BIENES Y DERECHOS SITUADOS EN EL EXTRANJERO

### 3.1. Regulación

La regulación estatal de esta nueva obligación se encuentra en los siguientes tres textos normativos:

- La LGT, que la instaura en su disposición adicional decimoctava, fruto de la modificación que en este cuerpo legislativo lleva a cabo la Ley 7/2012, de 29 de octubre, de modificación de la normativa tributaria y presupuestaria y de adecuación de la normativa financiera para la intensificación de las actuaciones en la prevención y lucha contra el fraude (en adelante Ley 7/2012).

- El Reglamento General de las actuaciones y los procedimientos de gestión e inspección tributaria y de desarrollo de las normas comunes de los procedimientos de aplicación de los tributos, apro-

---

6   Como bien observan CHECA GONZÁLEZ y MERINO JARA, remitiéndose a unas palabras de PALAO TABOADA publicadas en la página 133 de la revista Gaceta Fiscal, núm. 45, 1987, "la imposición de deberes de información a cargo de terceros sólo será legítima cuando ella sea realmente necesario para una imposición justa y, en consecuencia, el provecho que de su cumplimiento obtiene la Administración compense claramente la carga que se impone a los particulares" ("El derecho a la intimidad como límite a las funciones investigadoras de la Administración tributaria", *Anuario de la Facultad de Derecho*, núm. 6, 1988, página 156).

bado por Real Decreto 1065/2007, de 27 de julio (RGGIT en adelante), que desarrolla las previsiones legales en los artículos 42.bis, 43.ter y 54.bis[7].

– Y la Orden del Ministerio de Hacienda y Administraciones Públicas 72/2013, de 30 de enero (Orden HAP/72/2013 en adelante), que aprueba el modelo 720 de declaración.

Pero también los territorios históricos del País Vasco y la Comunidad Foral de Navarra han previsto esta misma obligación en términos muy similares a la Ley estatal. En Álava, la crea la disposición adicional decimonovena de la Norma Foral 6/2005, de 28 de febrero, General Tributaria, añadida por el artículo 1.28 de la Norma Foral 18/2013, de 3 de junio, de principios básicos y medidas de lucha contra el fraude fiscal en el territorio histórico de Álava y otras medidas tributarias[8]. En Guipúzcoa, es la disposición adicional undécima de la Norma Foral 2/2005, de 8 de marzo, General Tributaria del Territorio Histórico de Guipúzcoa, introducida por el artículo 1.Diecinueve de la Norma Foral 5/2013, de 17 de julio, de medidas de lucha contra el fraude fiscal, asistencia mutua para el cobro de créditos y de otras modificaciones tributarias[9]. En Vizcaya, la disposición adicional vigesimoséptima de la Norma Foral 2/2005, de 10 de marzo, General Tributaria, insertada por el artículo 3.36 de la Norma Foral 3/2013, de 27 de febrero, que aprueba medidas adicionales para reforzar la lucha contra el fraude fiscal y otras modificaciones tributarias[10]. Y

---

[7] Estos preceptos fueron incluidos en el RGGIT por el artículo segundo, apartados Dos, Tres y Cuatro respectivamente, del Real Decreto 1558/2012, de 15 de noviembre, por el que se adaptan las normas de desarrollo de la Ley 58/2003, de 17 de diciembre, General Tributaria, a la normativa comunitaria e internacional en materia de asistencia mutua, se establecen obligaciones de información sobre bienes y derechos situados en el extranjero, y se modifica el reglamento de procedimientos amistosos en materia de imposición directa, aprobado por Real Decreto 1794/2008, de 3 de noviembre.

[8] Hasta ahora no se ha producido el oportuno desarrollo reglamentario ni se ha aprobado el modelo de declaración, por lo que no se ha implantado aún en la práctica.

[9] Guipúzcoa no tiene todavía desarrollo reglamentario puesto que la previsión normativa entró en vigor el 23 de julio.

[10] En Vizcaya, que es el territorio foral vasco que aprobó antes la medida, el desarrollo reglamentario es efectuado por el Decreto Foral de la Diputación Foral de Vizcaya 89/2013, de 25 de junio, por el que se desarrolla la obligación de información sobre bienes y derechos situados en el extranjero, que introduce cuatro nuevos artículos

en Navarra, es la disposición adicional 18ª de la Ley Foral 13/2000, General Tributaria la que la contempla, disposición añadida por el artículo 2.8 de la Ley Foral 21/2012, de 26 de diciembre, de modificación de diversos impuestos y otras medidas tributarias de Navarra[11].

## 3.2. Justificación de la medida

La Ley 7/2012 realiza en su artículo 1 diversas modificaciones en la LGT. El apartado diecisiete de ese artículo 1 introduce una disposición adicional decimoctava rubricada: *Obligación de información sobre bienes y derechos situados en el extranjero*. Afecta sólo a los bienes y derechos que se tengan en el extranjero a partir de 31 de diciembre de 2012, es configurada con carácter periódico anual y a ella se vincula un régimen especial de sanciones por su incumplimiento total, tardío o inexacto.

La justificación de la nueva obligación de información la encontramos en la Exposición de Motivos de la Ley 7/2012 en los siguientes términos:

> "La globalización de la actividad económica en general, y de la financiera en particular, así como la libertad en la circulación de capitales, junto con la reproducción de conductas fraudulentas que aprovechan dichas circunstancias, hacen aconsejable el establecimiento de una obligación específica de información en materia de bienes y derechos situados en el extranjero".

Por su parte, el título de los textos legales vascos que implantan la medida es coincidente con el estatal: la lucha contra el fraude. El

---

en el Reglamento por el que se regulan las obligaciones tributarias formales del Territorio Histórico de Vizcaya, aprobado mediante el Decreto Foral 205/2008, de 22 de diciembre. Sin embargo, según establece la disposición final primera del Decreto Foral, será aplicable "por primera vez a las declaraciones a presentar en el año 2014 en relación a los bienes y derechos de los que se sea titular a 31 de diciembre de 2013". No se aplicará por lo tanto hasta el año próximo.

[11] La Comunidad Foral Navarra es el único territorio histórico que ya tiene implantada la medida en la práctica. La Orden Foral 80/2013, de 1 de marzo, de la Consejera de Economía, Hacienda, Industria y Empleo por la que se desarrolla la obligación de información sobre bienes y derechos situados en el extranjero regulada en la disposición adicional decimoctava de la Ley Foral 13/2000, de 14 de diciembre, General Tributaria, y se aprueba el modelo 720, "Declaración informativa de bienes y derechos situados en el extranjero" es la que efectúa el oportuno desarrollo y aprueba el modelo de declaración.

preámbulo de las normas forales de Álava y Guipúzcoa apuntan como causa de la necesidad de constituir esta obligación específica de información a la "libertad de circulación de capitales y mercancías en la Unión Europea, así como la relajación o eliminación de los controles sobre el origen y destino de ingentes masas de dinero", que "ha discurrido pareja con una falta total de armonización fiscal incluso en zonas económicas comunes y con la negativa de hecho o de derecho a implantar mecanismos de transmisión generalizada e inmediata de datos fiscales entre las distintas administraciones tributarias". La Norma Foral de Vizcaya, de forma más directa, se refiere sencillamente al aumento de "la efectividad de las actuaciones de lucha contra el fraude fiscal". La Ley Foral de Navarra guarda silencio al respecto.

En resumen, el argumento principal aducido por las normas para la inserción de la nueva obligación de información hay que buscarlo en la prevención y la lucha contra el fraude.

La doctrina ha criticado esta justificación. Así, para FERNÁNDEZ AMOR, teniendo en cuenta "el sistema de declaración existente en tributos como el IRPF, el IS, el IRNR o el IP se observa cómo la información que se obtiene mediante la nueva declaración ya puede ser obtenida a través de las declaraciones de los/las contribuyentes, siendo tarea de los órganos de control correspondientes la obtención de aquella que pueda ser objeto de ocultación"; sobre la base de esa realidad defiende que "la medida presenta problemas en relación con la proporcionalidad y los límites a los costes fiscales indirectos"[12].

## 3.3. Técnica legislativa empleada

La técnica legislativa empleada ha sido la inclusión de una disposición adicional en el texto de la LGT estatal y de las normas generales

---

[12]  FERNÁNDEZ AMOR, J. A., "Examen de la declaración de bienes sitos en el extranjero a través de los principios jurídicos de las obligaciones tributarias formales", *Crónica Tributaria: Boletín de Actualidad*, núm. 1/2013, página 18. Compartimos con este autor las dificultades que plantea la nueva obligación desde la perspectiva de la proporcionalidad y sus costes indirectos, pero no así que la información que se brinda pueda obtenerse a través de las declaraciones de otras figuras impositivas; tal y como se encuentran redactadas las normas actuales, sobre todo las del Impuesto sobre el Patrimonio, esto no es así.

tributarias forales vascas y de Navarra, con dos partes bien diferenciadas: en el apartado 1 se regula la nueva obligación de información y en el apartado 2 el régimen de infracciones y sanciones.

A nuestro juicio, tal proceder es criticable aunque pueda estar motivado en el deseo por regular de forma conjunta en un mismo precepto el régimen de la obligación y las consecuencias inherentes a infracciones cometidas en su cumplimiento. Parece evidente que los legisladores, estatal y forales, han dado prioridad a una regulación integral de la obligación y sus consecuencias frente a la estructura sistemática de sus textos normativos generales tributarios. Compartimos con PEDREIRA MENÉNDEZ que la ubicación de la norma en vez de aclarar, "entorpece y estropea la estructura lógica de nuestra LGT"[13].

Las cinco disposiciones adicionales que venimos analizando (la estatal y las cuatro forales) comienzan insertando la nueva obligación en el ámbito de las obligaciones tributarias formales[14], señalándose de manera expresa que estamos ante una obligación de información[15]. En nuestra opinión, tendría más sentido haberla incluido en ese lugar, entre las obligaciones de información. O, al menos, coincidimos con ANEIRÓS PEREIRA, hubiera sido deseable que existiese una mención a la nueva obligación en tales artículos en aras a la seguridad jurídica[16].

Más evidente resulta la necesidad de modificar la ubicación de la segunda parte de las disposiciones adicionales. Al establecer una serie

---

[13]　PEDREIRA MENÉNDEZ, J., "La obligación de información sobre bienes y derechos situados en el extranjero", *Quincena Fiscal Aranzadi*, núm. 4, 2013, pág. 39. FERNÁNDEZ AMOR también se muestra contrario a la técnica legislativa empleada ("Examen de la declaración...", *op. cit.*, páginas 17-18).

[14]　Artículo 29 de la LGT, artículo 29 de la Norma Foral General Tributaria de Álava, artículo 29 de la Norma Foral General Tributaria de Guipúzcoa, artículo 17.4 de la Norma Foral General de Vizcaya y artículo 27.5 de la Ley Foral General Tributaria de Navarra.

[15]　Artículo 93 de la LGT, artículo 90 de la Norma Foral General Tributaria de Álava, artículo 90 de la Norma Foral General Tributaria de Guipúzcoa, artículo 92 de la Norma Foral General de Vizcaya y artículo 103 de la Ley Foral General Tributaria de Navarra.

[16]　ANEIRÓS PEREIRA, J., "La nueva obligación de informar sobre los bienes y derechos en el extranjero", *Quincena Fiscal Aranzadi*, núm. 3, 2013, pág. 21.

de infracciones y sanciones deberían ser incluidas junto a éstas en el Capítulo III del Título IV de la LGT y no al margen[17].

## 3.4. Contenido subjetivo y objetivo de la obligación de información

El apartado 1 de la disposición adicional decimoctava de la LGT señala:

> "1. Los obligados tributarios deberán suministrar a la Administración tributaria, conforme a lo dispuesto en los artículos 29 y 93 de esta Ley y en los términos que reglamentariamente se establezcan, la siguiente información:
>
> a) Información sobre las cuentas situadas en el extranjero abiertas en entidades que se dediquen al tráfico bancario o crediticio de las que sean titulares o beneficiarios o en las que figuren como autorizados o de alguna otra forma ostenten poder de disposición.
>
> b) Información de cualesquiera títulos, activos, valores o derechos representativos del capital social, fondos propios o patrimonio de todo tipo de entidades, o de la cesión a terceros de capitales propios, de los que sean titulares y que se encuentren depositados o situados en el extranjero, así como de los seguros de vida o invalidez de los que sean tomadores y de las rentas vitalicias o temporales de las que sean beneficiarios como consecuencia de la entrega de un capital en dinero, bienes muebles o inmuebles, contratados con entidades establecidas en el extranjero.
>
> c) Información sobre los bienes inmuebles y derechos sobre bienes inmuebles de su titularidad situados en el extranjero."

La Agencia Estatal de Administración Tributaria, en una contestación a preguntas frecuentes (INFORMA), se ha planteado si nos encontramos ante una obligación de información, como se desprende del uso del singular en la rúbrica del precepto, o ante tres obligaciones diferentes, una por cada tipo de bien (cuentas, valores e inmuebles), declarando que "cada uno de los tres bloques de bienes constituye una obligación de información diferente"[18]. FALCÓN y TELLA se

---

[17]   En el caso de las normas forales generales tributarias de los territorios históricos vascos la remisión también debería efectuarse al Capítulo III del Título IV. Sólo en el caso de Navarra la remisión sería al Capítulo IV del Título III, que es el dedicado a infracciones y sanciones.

[18]   Así se manifiesta en respuesta a una pregunta relativa a la declaración informativa del modelo 720, que puede consultarse junto al resto en el siguiente enlace:

cuestiona la finalidad que se persigue con el planteamiento de este asunto y apunta en una dirección: justificar el hecho de que la sanción mínima que luego veremos se aplique de modo separado por cada categoría de bienes; para este autor, si ese fuese su objetivo, la norma sería nula puesto que incurriría en una infracción del principio de proporcionalidad[19]. Pero esa es precisamente la intención, que la propia Agencia deja bien patente en otra de sus respuestas a preguntas frecuentes; ante el interrogante planteado de cuál sería la sanción mínima si no se presenta la declaración informativa existiendo obligación respecto a los tres tipos de bienes o sólo respecto a uno de ellos, anuncia que "en el primero de los casos, en el que se incumplen las tres obligaciones de información, sería de 30.000 €. En el segundo supuesto, en el que se incumple una sola obligación de información, la sanción mínima seria de 10.000 €".

A continuación vamos a analizar de forma individualizada estos tres subapartados de la norma siguiendo para ello la misma estructura: sujetos obligados a cumplir esta obligación, contenido de la información a suministrar y excepciones a la obligación de informar, para abordar después el momento y forma de cumplir la obligación.

Antes, no obstante, queremos dejar constancia de que hubo intentos para que se incluyeran en esta obligación de información otro tipo de recursos como obras de arte, lingotes de oro, barcos y aeronaves, alhajas o efectivo no depositado en cuentas. Nos referimos a la enmienda núm. 77 presentada en el Congreso de los Diputados por el Grupo Parlamentario Socialista al Proyecto de Ley, que proponía la inserción de una letra d) relativa a bienes muebles y derechos sobre los mismos cuyo valor unitario exceda de 50.000 euros y que, en el momento de la declaración, se encuentren situados en el extranjero, y una letra e) sobre bienes muebles y derechos sobre los mismos matriculados o que consten en registros de países extranjeros. La justificación aducida fue completar el ámbito de la obligación de información,

---

http://www.agenciatributaria.es/AEAT.internet/Inicio_es_ES/La_Agencia_Tributaria/Campanas/Declaraciones_informativas_2012/_INFORMACION/Ayuda/Preguntas_frecuentes__Modelo_720/Preguntas_frecuentes__Modelo_720.shtml

[19]  FALCÓN Y TELLA, R., "El modelo 720 (y II): ¿es una obligación, son tres, o se trata de una obligación inexigible hasta que se apruebe un modelo para la presentación en papel?", *Quincena Fiscal Aranzadi*, núm. 12, 2013, págs. 9-10.

"extendiéndola a la titularidad de bienes muebles de valor relevante que al momento de la declaración se encuentren en el extranjero — por ejemplo, una obra de arte— y a los bienes que están matriculados o consten en registros de terceros países como por ejemplo vehículos, embarcaciones o aeronaves"[20]. Algún autor también echa en falta la extensión de la obligación a otro tipo de bienes como podrían ser las joyas, vehículos, embarcaciones o metales preciosos, que por sus características podrían tener mayor vinculación con la elusión fiscal[21]. Pero, como hemos visto, este tipo de elementos no entran dentro de la esfera objetiva de la nueva obligación de información.

### 3.4.1. Información sobre cuentas situadas en el extranjero

La obligación recogida en la letra a) de la disposición adicional decimoctava de la LGT se vincula en general con cuentas abiertas en entidades que se dediquen al tráfico bancario o crediticio situadas en el extranjero. El nuevo artículo 42.bis del RGGIT, bajo la rúbrica *Obligación de informar acerca de cuentas en entidades financieras situadas en el extranjero*, desarrolla las previsiones legales con relación a este bien.

#### 3.4.1.1. *Elemento subjetivo*

Lo primero que hace el citado precepto reglamentario, en su apartado 1, es delimitar el aspecto subjetivo de la obligación determinando qué tipo de personas y en base a qué derecho quedan afectadas por la norma. Así se refiere a las personas físicas residentes, personas jurídicas residentes, establecimientos permanentes en territorio español

---

[20] Dicha enmienda, publicada junto al resto en el Boletín Oficial del Congreso de los Diputados de 2 de octubre de 2012, fue rechazada. En la tramitación en el Senado este Grupo Parlamentario volvió a plantear la misma cuestión en la enmienda núm. 77, sumándose el Grupo Parlamentario Entesa pel Progrés de Catalunya con la enmienda núm. 31, bajo idéntica motivación tal y como puede comprobarse en el Boletín Oficial del Senado de 15 de octubre de 2012, aunque tampoco prosperó.

[21] ESCANDÓN RUBIO, I. y LITA FERRIOLS, E., "Cuestiones controvertidas al respecto de la declaración tributaria especial y de la obligación de información sobre bienes y derechos situados en el extranjero", *Actualidad Jurídica Uría Menéndez*, núm. Extra 1, 2012, pág. 131.

de personas o entidades no residentes y entidades a que se refiere el artículo 35.4 de la LGT[22], siempre que sean titulares, representantes, autorizados o beneficiarios de la cuenta, tengan poder de disposición sobre la misma o sean titulares reales según el concepto dado por el artículo 4.2 de la Ley 10/2010, de 28 de abril, de prevención del blanqueo de capitales y de la financiación del terrorismo (Ley 10/2010 en adelante)[23 y 24]. Y todo lo anterior referido a dos situaciones distintas: que lo sean a 31 de diciembre o que lo hayan sido en algún momento durante el año aunque ya no ostenten tal condición a 31 de diciembre.

De ese elenco de sujetos, hay dos sobre los debemos centrar nuestra atención por motivos diferentes: las personas físicas residentes y quienes tengan poder de disposición.

Respecto a los primeros, queremos destacar que el artículo 42.bis del RGGIT no se refiere a los contribuyentes del IRPF sino a las personas físicas residentes, que es un concepto distinto. Ello implica acudir a los criterios del artículo 9 de la Ley 35/2006, de 28 de noviembre, del Impuesto sobre la Renta de las Personas Físicas y de modificación parcial de las leyes de los Impuestos sobre Sociedades, sobre la Renta de no Residentes y sobre el Patrimonio (LIRPF en adelante) que es

---

[22]  Artículo 35.4 de la LGT: "Tendrán la consideración de obligados tributarios, en las Leyes en que así se establezca, las herencias yacentes, las comunidades de bienes y demás entidades que, carentes de personalidad jurídica, constituyan una unidad económica o un patrimonio separado susceptibles de imposición".

[23]  Artículo 4.2 de la Ley 10/2010, de 28 de abril, de prevención del blanqueo de capitales y de la financiación del terrorismo: "2. A los efectos de la presente Ley, se entenderá por titular real: a) La persona o personas físicas por cuya cuenta se pretenda establecer una relación de negocios o intervenir en cualesquiera operaciones. b) La persona o personas físicas que en último término posean o controlen, directa o indirectamente, un porcentaje superior al 25 por ciento del capital o de los derechos de voto de una persona jurídica, o que por otros medios ejerzan el control, directo o indirecto, de la gestión de una persona jurídica. Se exceptúan las sociedades que coticen en un mercado regulado de la Unión Europea o de países terceros equivalentes. c) La persona o personas físicas que sean titulares o ejerzan el control del 25 por ciento o más de los bienes de un instrumento o persona jurídicos que administre o distribuya fondos, o, cuando los beneficiarios estén aún por designar, la categoría de personas en beneficio de la cual se ha creado o actúa principalmente la persona o instrumento jurídicos".

[24]  Sería el caso de un cónyuge (A) respecto a una cuenta bancaria ganancial abierta en el extranjero en la que constase como único titular el otro cónyuge (B). (B) tendría que declarar como titular formal y (A) como titular real.

donde se define el concepto de residente en base a tres circunstancias: 1. Permanencia más de 183 días durante el año natural en territorio español; 2. Que radique en España el núcleo principal o la base de sus actividades o intereses económicos; 3. Residencia habitual en territorio español del cónyuge del que no esté legalmente separado y los hijos menores, salvo prueba en contrario. Parece que esta cuestión no debería plantear dificultades interpretativas puesto que la remisión es evidente. Sin embargo, la Agencia Estatal de Administración Tributaria, en sendas contestaciones a preguntas frecuentes sobre el modelo 720, no sigue esa línea. Por una parte, en una contestación señala que por persona física residente debe entenderse "la totalidad de contribuyentes que han de tributar en el IRPF por la integridad de su renta", lo que significa incluir no sólo a quienes lo son por aplicación de los criterios recogidos en el artículos 9 sino también en el artículo 10; y en otra contestación excluye de la obligación de informar a los trabajadores desplazados a territorio español, y por ende residentes según el artículo 9 de la LIRPF, que se acojan al régimen previsto en el artículo 93 del mismo cuerpo legislativo, ya que no están "obligados a tributar por el Impuesto por la integridad de su renta". A nuestro juicio, la Agencia se ha extralimitado en su interpretación del criterio reglamentario en ambas contestaciones, incluyendo a sujetos que deberían quedar al margen de esta obligación, los contribuyentes del impuesto no residentes en territorio español, y excluyendo a otros que deberían quedar bajo el ámbito de aplicación, los trabajadores acogidos al régimen especial del artículo 93 de la LIRPF. Lo que vincula a los ciudadanos son las normas jurídicas y no las contestaciones de la Agencia, y a nuestro parecer las normas son claras para ambos supuestos: las personas físicas contribuyentes del IRPF que no sean residentes no quedan afectadas por la nueva obligación de información mientras que los residentes no contribuyentes del IRPF por acogerse al régimen del artículo 93 de la LIRPF sí quedan obligados.

Por cuanto hace a quienes tengan poder de disposición en las cuentas, coincidimos con las voces que apuntan la conveniencia de eliminar a estos sujetos del precepto en aras de la seguridad jurídica, por dos motivos principales: por un lado, porque el concepto de poder de disposición es un concepto jurídico indeterminado; por otro, porque la obligación de información ya se extiende de forma genérica sobre el titular formal y el titular real de los bienes, lo que no hace necesario incluir a éstos[25].

## 3.4.1.2. Elemento objetivo

Según el apartado 2 del artículo 42.bis del RGGIT, la información a suministrar afecta a cuentas corrientes, de ahorro, imposiciones a plazo, cuentas de crédito y cualesquiera otras cuentas o depósitos dinerarios que se encuentren situados en el extranjero, con independencia de la modalidad o denominación que adopten, aunque no exista retribución, y alcanzará a los siguientes datos:

- Razón social o denominación completa de la entidad bancaria o de crédito así como su domicilio.
- Identificación completa de las cuentas.
- Fecha de apertura o cancelación, o, en su caso, fechas de concesión y revocación de la autorización.
- Saldos de las cuentas a 31 de diciembre y el saldo medio correspondiente al último trimestre del año. Esta información deberá ser suministrada por quien tuviese la condición de titular, representante, autorizado o beneficiario o tenga poderes de disposición sobre las citadas cuentas o la consideración de titular real a esa fecha. El resto de titulares, representantes, autorizados, beneficiarios, personas con poderes de disposición o titulares reales deberán indicar el saldo de la cuenta en la fecha en la que dejaron de tener tal condición.

El RGGIT no precisa cómo debe calcularse el saldo medio del último trimestre, lo que suscita la duda de si tal importe deberá determinarse aplicando los criterios recogidos en el artículo 12 de la Ley 19/1991, de 6 de junio, del Impuesto sobre el Patrimonio (LIP en adelante). En nuestra opinión, no debería ser así; el artículo 12 de la LIP prevé excluir del cómputo ciertas partidas como los fondos retirados

[25]   ESCANDÓN RUBIO, I. y LITA FERRIOLS, E., "Cuestiones controvertidas…", *op. cit.*, pág. 130; SÁNCHEZ PEDROCHE, J. A., "Primeras y preocupantes impresiones sobre el anteproyecto de ley de modificación de la normativa tributaria y presupuestaria para la lucha contra el fraude", *Quincena Fiscal Aranzadi*, núm. 11, 2012, pág. 114.

para la adquisición de bienes o derechos que figuren en el patrimonio o para la cancelación de deudas, o los importes de deudas ingresadas; es decir, prescinde de determinadas cuantías en la medida en que están vinculadas a otros elementos patrimoniales que deben ser objeto de tributación en el propio impuesto. Sin embargo, tal proceder, que tiene todo el sentido cuando se habla del gravamen sobre el patrimonio neto de las personas físicas, pierde su razón para estas simples declaraciones informativas, motivo por el que el saldo medio debería calcularse tomando en consideración todas las cifras existentes, sin eliminar ninguna.

### 3.4.1.3.  Excepciones a la obligación de informar

El apartado 4 del artículo 42.bis del RGGIT establece cinco exenciones a esta obligación de informar, las cuatro primeras de carácter subjetivo y la última objetiva.

Respecto a las primeras, quedan exoneradas de ser declaradas aquellas cuentas de las que sean titulares los siguientes sujetos:

a) Las entidades a que se refiere el artículo 9.1 del texto refundido de la Ley del Impuesto sobre Sociedades, aprobado por el Real Decreto Legislativo 4/2004, de 5 de marzo (LIS en delante), es decir, el Estado, las Comunidades Autónomas, las Entidades Locales, los organismos autónomos, las entidades públicas encargadas de la gestión de la Seguridad Social, etc.

b) Las personas jurídicas y demás entidades residentes en territorio español, así como los establecimientos permanentes en España de no residentes, siempre que estén registradas en su contabilidad de forma individualizada e identificadas por su número, entidad de crédito y sucursal en la que figuren abiertas y país o territorio en que se encuentren situadas.

c) Las personas físicas residentes en territorio español que desarrollen una actividad económica y lleven su contabilidad de acuerdo con lo dispuesto en el Código de Comercio, cuando tengan las cuentas anotadas en dicha documentación contable de forma individualizada e identificadas por su número, entidad de crédito y sucursal en la que figuren abiertas y país o territorio en que se encuentren situadas.

d) Las personas físicas, jurídicas y demás entidades residentes en territorio español, respecto a las cuentas abiertas en establecimientos en el extranjero de entidades de crédito domiciliadas en España que deban ser objeto de declaración por dichas entidades conforme a lo previsto en el artículo 37 del RGGIT, siempre que hubieran podido ser declaradas conforme a la normativa del país donde esté situada la cuenta[26].

En resumen, no tienen que declarar sus cuentas en el extranjero ciertas entidades públicas, ni quienes las tengan contabilizadas, ni quienes las tengan abiertas en entidades que deban presentar la declaración informativa a que se refiere el artículo 37 del RGGIT.

Además, con independencia de circunstancias subjetivas, no existirá obligación de informar sobre ninguna cuenta cuando se cumplan se modo simultáneo dos condiciones: 1. Que los saldos conjuntos a 31 de diciembre no superen los 50.000 euros; 2. Que los saldos medios del cuarto trimestre no excedan conjuntamente los 50.000 euros. Ambos

---

[26]   Artículo 37 del RGGIT: "Obligación de informar acerca de cuentas en entidades de crédito. 1. Las entidades de crédito y las demás entidades que, de acuerdo con la normativa vigente, se dediquen al tráfico bancario o crediticio, vendrán obligadas a presentar una declaración informativa anual referente a la totalidad de las cuentas abiertas en dichas entidades o puestas por ellas a disposición de terceros en establecimientos situados dentro o fuera del territorio español. Cuando se trate de cuentas abiertas en establecimientos situados fuera del territorio español no existirá obligación de suministrar información sobre personas o entidades no residentes sin establecimiento permanente en territorio español. 2. La información a suministrar a la Administración tributaria comprenderá la identificación completa de las cuentas y el nombre y apellidos o razón social o denominación completa y número de identificación fiscal de las personas o entidades titulares, autorizadas o beneficiarias de dichas cuentas, los saldos de las mismas a 31 de diciembre y el saldo medio correspondiente al último trimestre del año, así como cualquier otro dato relevante al efecto para concretar aquella información que establezca la Orden Ministerial por la que se apruebe el modelo correspondiente. La información a suministrar se referirá a cuentas corrientes, de ahorro, imposiciones a plazo, cuentas de crédito y cualesquiera otras cuentas con independencia de la modalidad o denominación que adopten, aunque no exista retribución, retención o ingreso a cuenta. El nombre y apellidos o razón social o denominación completa y número de identificación fiscal de las personas o entidades titulares, autorizadas o beneficiarias se referirán a las que lo hayan sido en algún momento del año al que se refiere la declaración."

límites no van referidos al valor que le corresponde al contribuyente-declarante sino al saldo total de la cuenta, con independencia de que pueda ser titularidad de más de un sujeto y a cada uno le corresponda menos de ese importe; es decir, se informará de los saldos totales sin prorratear en función del número de titulares, aunque se indicará el porcentaje de participación del declarante.

En caso de superarse cualquiera de los límites anteriores deberá informarse sobre todas las cuentas. Para la determinación de ese importe no sólo se tendrán en cuenta los saldos positivos de todas las cuentas en el extranjero, sino que también deberán declararse los eventuales saldos negativos; la Agencia Estatal de Administración Tributaria, en una contestación a preguntas frecuentes, precisa que para "determinar si se supera dicho umbral, se han de netear los saldos negativos con los positivos".

### 3.4.2. Información sobre valores, derechos, seguros y rentas depositados, gestionados y obtenidas en el extranjero

Esta obligación de información se recoge en el apartado b) de la disposición adicional decimoctava de la LGT y es objeto de desarrollo por el artículo 42.ter del RGGIT.

#### 3.4.2.1. Elemento subjetivo

Respecto al elemento subjetivo, las normas vuelven a describir la misma esfera de sujetos que para el supuesto de cuentas en el extranjero, es decir, personas físicas residentes, personas jurídicas residentes, establecimientos permanentes en territorio español de personas o entidades no residentes y entidades a que se refiere el artículo 35.4 de la LGT. La condición que se exige es que sean titulares o titulares reales según el concepto dado por la Ley 10/2010 a 31 de diciembre o que lo hubieran sido durante el ejercicio aunque hubieran perdido tal condición a 31 de diciembre[27].

---

[27]    Apartado 1, párrafo primero in fine y último, del artículo 42.ter del RGGIT.

### 3.4.2.2. Elemento objetivo

Cinco son los elementos patrimoniales que contempla el artículo 43.ter del RGGIT:

- Valores o derechos representativos de la participación en cualquier tipo de entidad jurídica situados en el extranjero (apartado 1.i).
- Valores representativos de la cesión a terceros de capitales propios situados en el extranjero (apartado 1.ii).
- Valores aportados para su gestión o administración a cualquier instrumento jurídico, incluyendo fideicomisos y "trusts" o masas patrimoniales que, no obstante carecer de personalidad jurídica, puedan actuar en el tráfico económico, situados en el extranjero (apartado 1.iii).
- Seguros de vida o invalidez cuando la entidad asegurada esté situada en el extranjero (apartado 3.a).
- Rentas temporales o vitalicias percibidas de entidades situadas en el extranjero siempre que sea como consecuencia de la entrega de un capital en dinero, de derechos de contenido económico o de bienes muebles o inmuebles (apartado 3.b).

La información a suministrar respecto a los tres primeros comprende dos extremos. Por una parte, la razón social o denominación completa de la entidad jurídica, del tercero cesionario o identificación del instrumento o relación jurídica, según corresponda, así como su domicilio. Por otra, el saldo a 31 de diciembre de cada año de los respectivos valores y derechos, incluyendo el número y clase de valores de los que sea titular; si el obligado no es titular de estos elementos a 31 de diciembre pero lo ha sido durante el año, los datos serán los correspondientes al momento en que perdió su condición de titular.

Los tomadores de seguros de vida o invalidez deberán identificar a la entidad aseguradora y su domicilio, e indicar el valor de rescate a 31 de diciembre.

Y los beneficiarios de rentas temporales o vitalicias tendrán que identificar a la entidad y su domicilio, así como el valor de capitalización a 31 de diciembre.

En este caso, el apartado 6 del artículo 42.ter del RGGIT sí ordena, a diferencia de lo que vimos respecto a las cuentas, que para calcular las valoraciones anteriores habrá de acudirse a las normas del Impuesto sobre el Patrimonio, lo que supone una remisión a los artículos 13 a 17 de la LIP.

La Agencia Estatal de Administración Tributaria, en varias contestaciones a preguntas frecuentes, ha precisado que esta obligación de información no se extiende a los planes de pensiones contratados en el extranjero mientras no se produzca la incidencia que da lugar al cobro de la pensión en forma de renta temporal o vitalicia; tampoco a las opciones sobre acciones, ni a los préstamos, créditos o cuentas en participación no representados por valores. Por el contrario, sí incluye a los seguros *unit linked*, ya que el hecho de que el tomador asuma los riesgos de la inversión en que se materializan las provisiones no altera la obligación de declarar, o a las cuentas de centralización de tesorería o de *cash pool*.

### 3.4.2.3. *Excepciones a la obligación de informar*

La norma reglamentaria especifica casos de exoneración de la obligación de informar. En concreto, reitera los supuestos subjetivos ya analizados al hilo de las cuentas en el extranjero vinculados a ciertas entidades públicas exentas del Impuesto sobre Sociedades y entidades que tengan contabilizados de manera individualizada los elementos patrimoniales. No aparece sin embargo recogido el relativo a las personas físicas que lleven contabilidad ajustada al Código de Comercio, que no se verán afectadas por ninguna excepción y por lo tanto tendrán que informar de los valores, derechos, seguros y rentas depositados, gestionados u obtenidos en el extranjero.

De igual modo, enumera una causa objetiva: cuando los valores de los activos, los valores liquidativos, los valores de rescate y los valores de capitalización no superen conjuntamente el importe de 50.000 euros. Recordamos que este límite, como vimos para las cuentas en entidades de crédito, se aplica sobre el valor total al margen de cuotas de participación y no sobre el porcentaje que le corresponde al titular-declarante. Si se supera dicho límite deberá informarse sobre todos los títulos, activos, valores, derechos, seguros o rentas situados en el extranjero.

### 3.4.3. Información sobre bienes inmuebles y derechos sobre bienes inmuebles situados en el extranjero

La obligación recogida en la letra c) de la disposición adicional decimoctava de la LGT se relaciona con bienes inmuebles sitos en el extranjero. El nuevo artículo 54.bis del RGGIT, bajo la rúbrica *Obligación de informar sobre bienes inmuebles y derechos sobre bienes inmuebles situados en el extranjero*, desarrolla las previsiones legales con relación a este bien.

En este punto debemos llamar la atención sobre la especialidad de Navarra. La Ley Foral 14/2013, de 17 de abril, de Medidas contra el Fraude Fiscal, extendió la obligación de información de la letra c) a los muebles y derechos sobre ellos con efectos para las declaraciones que deban presentarse a partir del 1 de enero de 2014. Para darle cumplimiento, la Orden Foral 365/2013, de 28 de octubre, de la Consejería de Economía, Hacienda, Industria y Empleo desarrolla la nueva obligación[28].

#### 3.4.3.1. Elemento subjetivo

Coincidiendo con los dos supuestos anteriores, la norma pormenoriza a las personas físicas residentes, personas jurídicas residentes, establecimientos permanentes en territorio español de personas o entidades no residentes y entidades a que se refiere el artículo 35.4 de la LGT, siempre que a 31 de diciembre sean titulares u ostenten la titularidad real según la Ley 10/2010, o hayan tenido tal condición durante el año.

#### 3.4.3.2. Elemento objetivo

La información que debe brindarse alcanza a cuatro extremos: la identificación del inmueble, con especificación de su tipología; su si-

---

[28]  El artículo único de la Orden Foral 365/2013 adiciona un artículo 4.bis a la Orden Foral 80/2013, de 1 de marzo, señalando que la obligación de presentar la declaración informativa de bienes y derechos en el extranjero se extiende a los bienes muebles y derechos sobre los mismos cuyo valor unitario sea superior a 50.000 euros. Esta declaración deberá contener los siguientes datos: identificación del mueble con especificación sucinta de su tipología, situación del mueble, fecha de adquisición y valor de adquisición.

tuación, que comprende el país o territorio en que se encuentre situado, localidad, calle y número; la fecha de adquisición, si el inmueble sigue bajo la titularidad del obligado a 31 diciembre, y ésta junto a la de transmisión si durante el año se ha producido el cese de la condición de titular; y el valor de adquisición si el bien sigue bajo la titularidad del obligado a 31 diciembre o el valor de adquisición y el de transmisión a la fecha del cese de la condición de titular caso de que ésta sea anterior.

Respecto a ese cuarto componente, el valor de adquisición, los apartados 3 y 4 del artículo 54.bis del RGGIT efectúan una remisión a las normas del Impuesto sobre el Patrimonio para el supuesto de titularidad de contratos de multipropiedad, aprovechamiento por turnos, propiedad a tiempo parcial o fórmulas similares, y para el caso de titularidad de derechos reales de uso o disfrute y nuda propiedad.

Llama la atención que para fijar el valor del inmueble cuando se ostenta la propiedad no exista idéntica remisión. El RGGIT se refiere sólo al valor de adquisición, sin posibilidad de jugar con las otras dos magnitudes definidas en el artículo 10 de la LIP, salvo excepciones. La Agencia Estatal de Administración Tributaria, en sendas contestaciones a preguntas frecuentes, delimita este concepto es un doble sentido: por una parte, cuando los inmuebles son adquiridos por herencia o donación, el valor de adquisición debe entenderse como el valor real del bien en el momento de su adquisición; por otra, el valor de adquisición incluye gastos inherentes a la compra e impuestos. En ambas cuestiones la Agencia se limita a dar traslado a los criterios de cuantificación de las ganancias y pérdidas patrimoniales recogidos en la LIRPF. Respecto a la primera precisión, la Agencia se está remitiendo al artículo 36 de la LIRPF donde, para las adquisiciones a título lucrativo, el importe real resultará de la aplicación de las normas del Impuesto sobre Sucesiones y Donaciones, señalando el artículo 18.2 de la Ley 29/1987, de 18 de diciembre, del Impuesto sobre Sucesiones y Donaciones tal valor real como el consignable por los interesados en su declaración; por lo tanto, como valor real deberá tomarse el declarado a efectos del Impuesto sobre Sucesiones y Donaciones, salvo que éste fuera inferior al comprobado por la Administración, en cuyo caso tendrá prevalencia este último. La segunda puntualización es sólo fruto de tomar en consideración lo previsto en el artículo 35.1.b) de la LIRPF, que dispone que los gastos y tributos inherentes a la adquisición forman parte del valor de adquisición del bien.

### 3.4.3.3. *Excepciones a la obligación de informar*

El apartado 6 del artículo 54.bis del RGGIT exceptúa de la obligación de informar a los inmuebles situados en el extranjero que sean titularidad de las entidades públicas exentas del Impuesto sobre Sociedades, de empresarios o profesionales residentes que lleven contabilidad ajustada al Código de Comercio y tengan individualizados los inmuebles o de personas jurídicas y entidades residentes que tengan registrados en su contabilidad los inmuebles.

Además, se mantiene también para este tipo de elemento patrimonial la descarga de la obligación cuando el valor conjunto de los bienes o derechos situados en el extranjero no supere los 50.000 euros, con independencia, en caso de cotitularidades, de las cuotas de participación de cada uno. Consideramos esta cifra excesivamente baja para el supuesto de inmuebles, al implicar que un gran número de residentes en territorio español tengan que cumplir con la obligación de información a pesar de no tener nada que ver con posibles actitudes de elusión fiscal; nos referimos por ejemplo a los inmigrantes que trabajan en España pero tienen una vivienda en sus países de origen, cuyo valor con bastante probabilidad puede superar esa cuantía y por lo tanto se verán obligados a cumplimentar la declaración so pena de sanciones importantes. Creemos que en este caso se ha perdido de vista el objetivo que se persigue con esta declaración informativa, la lucha contra el fraude, pudiendo quedar afectados importantes colectivos que en su mayoría son ajenos a operaciones fraudulentas[29]. En nuestra opinión hubiera sido deseable un límite cuantitativo mayor.

---

[29]    PEDREIRA MENÉNDEZ deja constancia de que la "renta que podría estar siendo ocultada a la Administración española es la relativa a las imputaciones de renta inmobiliaria en el IRPF o los rendimientos del capital inmobiliario si los tuvieran arrendados. Desde luego no parece que estas cantidades vayan a mejorar sustancialmente la ratio de ingresos por estos tributos" ("La obligación de información...", *op. cit.*, pág. 41)

## 3.5. *Elemento temporal y formal de estas obligaciones de informar*

Los artículos 42.bis.5, 42.ter.5 y 54.bis.7 del RGGIT precisan esta cuestión diferenciando dos situaciones: la que quienes ostentan alguna de las condiciones a 31 de diciembre de cualquier año a partir de 2012 incluido y la que quienes no son titulares a tal fecha pero lo han sido en algún momento durante el año con posterioridad al 1 de enero de 2013.

Por cuanto hace a los primeros, deberán presentar la oportuna declaración cumplimentando el modelo oficial aprobado a tal efecto entre el 1 de enero y el 31 de marzo del año siguiente a aquel a que se refiera la información, excepción hecha del ejercicio 2012 puesto que el modelo estatal no estuvo publicado hasta el 30 de enero[30] y el modelo foral navarro se publicó en el oportuno Boletín Oficial del 3 de abril[31]. No obstante, las normas reglamentarias han previsto que no existirá la obligación de declarar estos elementos en años sucesivos si el valor de los elementos no experimenta un incremento superior a 20.000 euros respecto a la última declaración efectuada. De esta forma, y como regla general, la declaración sólo habrá que presentarla una vez respecto a cada uno de los grupos indicados, salvo que al año siguiente, o en posteriores, se aumente el valor en más de 20.000 euros respecto al declarado.

Quienes hayan sido titulares durante parte del año pero hubiesen perdido tal condición a 31 de diciembre vienen obligados a presentar declaración siempre, en el mismo plazo que los anteriores.

Como ya hemos dejado constancia al tratar la regulación, la Orden HAP/72/2013 aprueba el modelo 720 de declaración con eficacia en el territorio común y la Orden Foral de Navarra 80/2013 hace lo propio para el respectivo territorio. El artículo 4 de la primera y el artículo 8 de la segunda sólo prevén la presentación telemática a través

---

[30]   Para este ejercicio 2012, según recoge la disposición transitoria única de la Orden HAP/72/2013, el plazo de declaración ha comprendido del 1 de febrero al 30 de abril, es decir, se ha retrasado un mes el plazo general.

[31]   La disposición transitoria única de la ya citada Orden Foral 80/2013 señala que el plazo de presentación del modelo 720 correspondiente al ejercicio 2012 se realizará entre el 1 de mayo y el 30 de junio de 2013.

de internet, bien por el propio declarante o por un tercero autorizado que actúe en su representación.

FALCÓN y TELLA se muestra totalmente contrario a que, tal y como se encuentran redactadas las normas jurídicas, pueda entenderse el soporte telemático como el único admisible. Argumenta que la disposición adicional decimoctava, apartado 2, párrafo segundo de la LGT sólo tipifica como infracción la no utilización de medios telemáticos cuando la presentación por tales medios sea preceptiva, pero sin prejuzgar los casos en que existe tal obligatoriedad; el Reglamento de Gestión e Inspección, por su parte, tampoco determina supuestos obligatorios de presentación telemática; es la Orden que aprueba el modelo la que establece la presentación telemática, con manifiesta extralimitación pues tendría que haber sido el Decreto, y no la Orden, el que impusiera la obligación de presentación telemática. A consecuencia de ello, su conclusión es que no se puede sancionar por la falta de utilización de medios telemáticos ya que ni la ley ni el reglamento prevén la obligación de declarar por esos medios; es más, como no hay aprobado un modelo en papel, defiende que no se puede sancionar a quienes no hayan presentado la declaración antes del 30 de abril. Según las propias palabras de este autor, "la discordancia existente entre la ley y el reglamento, que no prevén ningún supuesto de declaración telemática, por un lado, y la Orden, que sólo contempla la declaración telemática, por otros, lleva a concluir que actualmente la obligación es jurídicamente inexigible y, por lo tanto, no se puede sancionar su incumplimiento"[32].

## 4. CONSECUENCIAS DEL INCUMPLIMIENTO DE LA OBLIGACIÓN DE INFORMAR

### 4.1. Régimen de infracciones y sanciones

El apartado 2 de la disposición adicional decimoctava de la LGT regula el régimen de las infracciones y sanciones vinculadas a la presente obligación de declarar.

---

[32]    FALCÓN y TELLA, R., "El modelo 720...", *op. cit.*, págs. 11-12.

Tres son las infracciones que se contemplan, calificadas como muy graves y que son declaradas de modo expreso como incompatibles con las establecidas en los artículos 198 y 199 de la LGT[33]:

- Presentar la declaración fuera de plazo sin requerimiento administrativo previo.
- Presentar la declaración de forma incompleta, inexacta o con datos falsos.
- Presentar la declaración por medios no telemáticos.

En el siguiente cuadro podemos ver la sanción que le corresponde a cada incumplimiento en función del tipo de elemento patrimonial respecto al que se comete la transgresión:

| Infracción / Elemento | No presentar la declaración en plazo sin previo requerimiento administrativo | Presentar la declaración de forma incompleta, inexacta o con datos falsos | Presentar la declaración por medios no telemáticos |
|---|---|---|---|
| Cuentas | 100 euros por cada dato o conjunto de datos, con un mínimo de 1.500 euros | 5.000 euros por cada dato o conjunto de datos, con un mínimo de 10.000 euros | 100 euros por cada dato o conjunto de datos, con un mínimo de 1.500 euros |
| Valores, seguros y rentas | 100 euros por cada dato o conjunto de datos, con un mínimo de 1.500 euro | 5.000 euros por cada dato o conjunto de datos, con un mínimo de 10.000 euros | 100 euros por cada dato o conjunto de datos, con un mínimo de 1.500 euro |
| Inmuebles | 100 euros por cada dato o conjunto de datos, con un mínimo de 1.500 euro | 5.000 euros por cada dato o conjunto de datos, con un mínimo de 10.000 euros | 100 euros por cada dato o conjunto de datos, con un mínimo de 1.500 euro |

¿Qué debe entenderse por dato o conjunto de datos? El apartado 6 del artículo 42.bis del RGGIT lo define en el ámbito de las cuentas

---

[33] El artículo 198 de la LGT recoge las infracciones por no presentar en plazo autoliquidaciones o declaraciones sin que se produzca perjuicio económico, por incumplir la obligación de comunicar el domicilio fiscal o por incumplir las condiciones de determinadas autorización, mientras que el artículo 199 de la LGT regula la infracción por presentar incorrectamente autoliquidaciones o declaraciones sin que se produzca perjuicio económico o contestaciones a requerimientos individualizados de información.

en entidades financieras situadas en el extranjero[34]; para los valores, derechos, seguros y rentas depositados, gestionados u obtenidas en el extranjero lo ofrece el artículo 42.ter.7 del RGGIT[35]; y es el apartado 8 del artículo 54.bis del RGGIT el que determina el concepto de dato y conjunto de datos para los inmuebles sitos en el extranjero[36].

Estamos, sin ninguna duda, ante un régimen sancionador muy severo, con penas pecuniarias altísimas, que la doctrina ya ha calificado

---

[34]   Artículo 42.bis. 6 del RGGIT: "A efectos de lo dispuesto en la disposición adicional decimoctava de la Ley 58/2003, de 17 de diciembre, General Tributaria, constituyen distintos conjuntos de datos las informaciones a que se refieren los apartados 2.a) y 2.b) anteriores, para cada entidad y cuenta. A estos mismos efectos, tendrá la consideración de dato cada una de las fechas y saldos a los que se refieren los párrafos c) y d) del apartado 2 así como el saldo a que se refiere el último párrafo del apartado 3, para cada cuenta".

[35]   Artículo 42.ter. 7 del RGGIT: "A efectos de lo dispuesto en la disposición adicional decimoctava de la Ley 58/2003, de 17 de diciembre, General Tributaria, constituyen conjunto de datos los relativos a la identificación y domicilio de cada una de las entidades jurídicas, terceros cesionarios, instrumentos o relaciones jurídicas, instituciones de inversión colectiva y entidades aseguradoras a que se refieren los apartados 1.a), 2 y 3. A estos mismos efectos, tendrá la consideración de dato cada una de las informaciones exigidas en los apartados anteriores para cada tipo de elemento patrimonial individualizado conforme a continuación se indica: a) En el apartado 1.b), por cada clase de acción y participación. b) En el apartado 1.c), por cada clase de valor. c) En el apartado 1.d), por cada clase de valor. d) En el apartado 2, por cada clase de acción y participación. e) En el apartado 3.a), por cada seguro de vida. f) En el apartado 3.b), por cada renta temporal o vitalicia. También tendrá la consideración de dato cada uno de los saldos a que se refieren el último párrafo del apartado 1, por cada clase de valor, y el último párrafo del apartado 2, por cada clase de acción y participación".

[36]   Artículo 54.bis. 8 del RGGIT: "A efectos de lo dispuesto en la disposición adicional decimoctava de la Ley 58/2003, de 17 de diciembre, General Tributaria, constituyen distintos conjuntos de datos las informaciones a que se refieren los párrafos a) y b) del apartado 2, en relación con cada uno de los inmuebles a los que se refiere dicho apartado y en relación con cada uno de los inmuebles sobre los que se constituyan los derechos a que se refieren los apartados 3 y 4. A estos mismos efectos, tendrán la consideración de dato los siguientes: a) Cada fecha y valor a que se refieren los párrafos c) y d) del apartado 2 en relación con cada uno de los inmuebles. b) Cada fecha y valor a que se refiere el apartado 3, en relación con cada uno de los derechos. c) Cada fecha y valor a que se refiere el apartado 4, en relación con cada uno de los derechos. d) Cada fecha y valor de transmisión a que se refiere el apartado 5, en relación con cada uno de los inmuebles".

como "desproporcionado"[37] o "desorbitado"[38] y que difícilmente soporta, desde el plano de su constitucionalidad y más en concreto del
respeto al principio de proporcionalidad, una comparación con el régimen general de las sanciones establecido en los artículos 198 y 199
de la LGT para supuestos de infracción tributaria por no presentar o
presentar de manera incorrecta declaraciones sin que se produzca un
perjuicio económico.

## 4.2. Otras consecuencias

El apartado 3 de la disposición adicional decimoctava de la LGT
dispone:

> "Las Leyes reguladoras de cada tributo podrán establecer consecuen-
> cias específicas para el caso de incumplimiento de la obligación de infor-
> mación establecida en esta disposición adicional".

Y nuevamente la propia Ley 7/2012, modificando preceptos de las
Leyes reguladoras del Impuesto sobre la Renta de las Personas Físicas
y del Impuesto sobre Sociedades, prevé consecuencias específicas para
el incumplimiento de esta obligación de información en el seno de
ambas figuras tributarias.

### 4.2.1. Existencia de una ganancia patrimonial no justificada en el Impuesto sobre la Renta de las Personas Físicas

El artículo 3.Dos de la Ley 7/2012 modifica el artículo 39 de la
LIRPF, añadiendo un nuevo apartado 2 en tal precepto con el siguiente tenor literal:

> "En todo caso tendrán la consideración de ganancias de patrimonio no
> justificadas y se integrarán en la base liquidable general del periodo impo-

---

[37] FALCÓN y TELLA, R., "El Anteproyecto de Ley de intensificación de la lucha
contra el fraude: especial referencia a la obligación de informar sobre los bienes
y derecho situados en el extranjero", *Quincena Fiscal Aranzadi*, núm. 10, 2012,
pág. 10. También PEDREIRA MENÉNDEZ afirma que "el importe de las sanciones que ha introducido la Disposición adicional decimoctava LGT no respeta el
adecuado principio de proporcionalidad entre la gravedad del incumplimiento y el
importe de la sanción" ("La obligación de información...", *op. cit.*, págs. 50-51).

[38] SÁNCHEZ PEDROCHE, J. A., "Primeras y preocupantes...", *op. cit.*, pág. 113.

sitivo más antiguo entre los no prescritos susceptible de regularización[39], la tenencia, declaración o adquisición de bienes o derechos respecto de los que no se hubiera cumplido en el plazo establecido al efecto la obligación de información a que se refiere la disposición adicional decimoctava de la Ley 58/2003, de 17 de diciembre, General Tributaria.

No obstante, no resultará de aplicación lo previsto en este apartado cuando el contribuyente acredite que la titularidad de los bienes o derechos corresponde con rentas declaradas, o bien con rentas obtenidas en periodos impositivos respecto de los cuales no tuviese la condición de contribuyente por este impuesto".

De esta forma, quienes no presenten la declaración informativa en plazo, al margen de las sanciones oportunas que resulten de la aplicación de la disposición adicional decimoctava de la LGT, deberán considerar los bienes y derechos situados en el extranjero como ganancias patrimoniales no justificadas, tributando como tales en el IRPF al integrarlas en la base liquidable general del período impositivo más antiguo entre los no prescritos susceptible de regularización.

La imputación temporal de esta renta presenta importantes dudas, sobre todo al compararla con la regla general del apartado 1 del mismo artículo 39 que se refiere al "periodo impositivo respecto del que se descubran". En el caso de que los bienes y derechos estén en el extranjero, el legislador obvia el período real de generación e incluso el de su descubrimiento para remitirse al "más antiguo entre los no prescritos"; es decir, aunque se demuestre el periodo real de generación de la renta, ésta no se imputará a dicho ejercicio fiscal sino al más antiguo no prescrito. No alcanzamos a comprender la diferencia de trato en función de la ubicación de los bienes y derechos, ya que, por ejemplo, va a tener significativas consecuencias en la cuantificación de los oportunos intereses de demora. Estén donde estén los bienes, en territorio español o fuera, la imputación debería referirse de modo coincidente al periodo en que descubran o, caso de conocerse, al que fueron generadas las rentas.

La disposición adicional segunda de la Ley 7/2012 matiza un poco esa regla de imputación, ya que no se hará al más antiguo no prescrito

---

[39]    La expresión "susceptible de regularización" es una aclaración introducida como consecuencia de la aprobación de la enmienda núm. 57 presentada por el Grupo Parlamentario Popular en la tramitación del Proyecto de Ley en el Congreso de los Diputados.

sino al más antiguo entre los no prescritos en el que las modificaciones en cuestión "hubiesen estado en vigor"[40]. Como estas previsiones tienen eficacia a partir de la entrada en vigor de la Ley 7/2012, es decir, el 31 de octubre de 2012, al día siguiente de su publicación en el Boletín Oficial del Estado, tal y como recoge su disposición final quinta, la imputación entendemos que no podrá realizarse a un ejercicio fiscal anterior al ejercicio 2012.

El párrafo 2 del artículo 39 de la LIRPF prevé dos causas para evitar la aplicación del mandato: acreditar que la titularidad de esos bienes y derechos situados en el extranjero se corresponde con rentas ya declaradas o con rentas obtenidas cuando no se tuviese la condición de residente. Estamos por lo tanto ante una presunción que admite prueba en contrario, si bien ésta (demostrar que los bienes se adquirieron con rentas declaradas o con rentas obtenidas cuando se era no residente en España) a veces es compleja de obtener al ser el dinero un bien fungible y no ser sencillo demostrar el vínculo entre la renta obtenida y los bienes adquiridos, salvo una prueba documental completa.

Esta previsión de prueba en contrario, sin embargo, no existía en el Anteproyecto de Ley. Por tal razón SIMÓN ACOSTA, al analizar el Anteproyecto, afirmó "este precepto y los que con él concuerdan contiene algunos excesos que deben ser corregidos. Su contraste con lo dispuesto en el apartado 1 del art. 39 de la LIRPF indica que (...) nos encontramos (...) ante una ficción jurídica por la cual los bienes y derechos no declarados y situados en el extranjero son, ope legis, renta gravada en el IRPF"; según argumenta este autor, tal medida "o es un impuesto o es una sanción. Si es un impuesto, infringe abiertamente el principio de capacidad económica, porque la posesión de patrimonio no exterioriza la misma capacidad contributiva que la renta, así como el principio de no confiscatoriedad, dado que la cuota tributaria será muy superior a la renta que pueden producir los bienes. Si es una sanción hay que tildarla

---

[40]   La disposición adicional segunda fue introducida a raíz de la enmienda núm. 67 presentada por el Grupo Parlamentario Popular en el Congreso de los Diputados bajo la siguiente justificación: "Como complemento a las modificaciones del apartado dos del artículo 3 y del artículo 4 de este Proyecto de Ley y con el mismo objetivo de evitar dudas interpretativas sobre el ámbito temporal de aplicación de las modificaciones incluidas en los artículos 39 de la Ley 35/2006 y 134 del texto refundido de la Ley del Impuesto sobre Sociedades."

de inconstitucional porque no se contempla la aplicación de las garantías del procedimiento sancionador, porque probablemente la sanción es desproporcionada y porque no parece que se respete el principio non bis in idem"[41].

El artículo 39.2 de la LIRPF no contempla la tercera causa que sí admite el apartado 1 para el resto de incrementos de patrimonio no justificados: que se pruebe que esos elementos patrimoniales se tienen "desde una fecha anterior a la del periodo de prescripción". La doctrina ha reaccionado duramente contra la ausencia de esta prueba como mecanismo para eludir la aplicación de la regla; supone introducir la imprescriptibilidad y ello, sin ninguna duda, atenta contra el principio de seguridad jurídica[42].

Además, según señala la disposición adicional primera de la Ley 7/2012, la consideración de la existencia de una ganancia de patrimonio no justificada consecuencia de la falta de declaración en plazo de bienes y derechos situados en el extranjero determinará por sí misma la comisión de una infracción tributaria muy grave, que será sancionada con multa pecuniaria proporcional del 150 por ciento del importe de la base de la sanción.

### 4.2.2. Presunción de obtención de renta en el Impuesto sobre Sociedades

El artículo 4 de la Ley 7/2012 inserta un nuevo apartado 6 en el artículo 134 de la LIS, modificando el actual 6 que enumera como 7, quedando ambos redactados de la siguiente forma:

---

[41]  SIMÓN ACOSTA, E., "Bienes en el extranjero e incrementos no justificados de patrimonio", *Actualidad Jurídica Aranzadi*, núm. 847, 2012, pág. 3. También SÁNCHEZ PEDROCHE llama la atención sobre este extremo ("Primeras y preocupantes…", *op. cit.*, pág. 114)

[42]  FALCON y TELLA, R., "El Anteproyecto…", *op. cit.*, pág. 11; PEDREIRA MENÉNDEZ, J., "La obligación de información…", *op. cit.*, pág. 55; ANEIRÓS PEREIRA, J., "La nueva obligación…", *op. cit.*, págs. 46-47; ALMAGRO MARTÍN, C., "Mecanismos presuntivos como herramienta para la afloración de rentas: a vueltas con las ganancias no justificadas", *Quincena Fiscal Aranzadi*, núm. 5, 2013, pág. 72; ESCANDÓN RUBIO, I. y LITA FERRIOLS, E., "Cuestiones controvertidas…", *op. cit.*, pág. 133.

"6. En todo caso, se entenderá que han sido adquiridos con cargo a renta no declarada que se imputará al periodo impositivo más antiguo de entre los no prescritos susceptible de regularización[43], los bienes y derechos respecto de los que el sujeto pasivo no hubiera cumplido en el plazo establecido al efecto la obligación de información a que se refiere la disposición adicional decimoctava de la Ley 58/2003, de 17 de diciembre, General Tributaria. No obstante, no resultará de aplicación lo previsto en este apartado cuando el sujeto pasivo acredite que los bienes y derechos cuya titularidad le corresponde han sido adquiridos con cargo a rentas declaradas o bien con cargo a rentas obtenidas en periodos impositivos respecto de los cuales no tuviese la condición de sujeto pasivo de este Impuesto.

7. El valor de los elementos patrimoniales a que se refieren los apartados 1 y 6, en cuanto haya sido incorporado a la base imponible, será válido a todos los efectos fiscales."

Con efectos para los períodos impositivos que finalicen a partir del 31 de octubre de 2012, se considera que los bienes y derechos situados en el extranjero que no se han declarado en el modelo 720, debiendo haberlo sido, se han adquiridos con renta no declarada que se imputará al periodo impositivo más antiguo entre los no prescritos en el que hubiese estado en vigor la norma[44]. Al igual que para el caso de las ganancias de patrimonio no justificadas en el Impuesto sobre la Renta de las Personas Físicas, la disposición adicional primera de la Ley 7/2012 establece que esta presunción de rentas en el Impuesto sobre Sociedades supone la comisión de una infracción tributaria muy grave que se sancionará con una multa pecuniaria proporcional del 150 por ciento del importe de la base de la sanción.

Estamos simplemente ante el trasvase al Impuesto sobre Sociedades de la regla que acabamos de analizar respecto al Impuesto sobre

---

[43]  La expresión "susceptible de regularización" es una aclaración introducida como consecuencia de la aprobación de la enmienda núm. 58 presentada por el Grupo Parlamentario Popular al texto del Proyecto de Ley en el Congreso de los Diputados.

[44]  Al igual que para el caso de las ganancias de patrimonio no justificadas en el Impuesto sobre la Renta de las Personas Físicas, la disposición adicional segunda de la Ley 7/2012 inserta esta prevención para las presunciones de rentas en el Impuesto sobre Sociedades. Esto significa que el primer periodo impositivo al que se puede imputar es aquél cuyo fin haya tenido lugar a partir del 31 de octubre de 2012.

la Renta de las Personas Físicas. Por ello, para evitar duplicidades nos remitimos a las críticas vertidas en el apartado anterior.

## 5. CONCLUSIONES

La crítica más dura a esta nueva obligación de información la hemos encontrado en FALCÓN y TELLA, para quien "resulta desproporcionada, arbitraria e incompatible con la seguridad jurídica", añadiendo que "resulta también incompatible con la libre circulación de capitales, por cuanto que supone una restricción injustificada de la misma", motivos por los que concluye que "dicha obligación debería eliminarse, así como las presunciones establecidas en los arts. 39.2 de la LIRPF y 134.6 LIS"[45].

Nosotros no llegaremos tan lejos. A nuestro juicio es evidente que la nueva obligación de información presenta indudables aspectos mejorables que hemos tratado de poner de relieve, tales como la eliminación de quienes tengan un simple poder de disposición sobre las cuentas del ámbito de la obligación de declarar, la ampliación del límite cuantitativo para no tener que declarar inmuebles sitos en el extranjero o, sobre todo, la necesaria y urgente revisión del régimen de las sanciones vinculadas con el incumplimiento o cumplimiento inexacto de la obligación, equiparándolas a las generales de los artículos 198 y 199 de la LGT.

Dudas más serias de constitucionalidad nos provocan los artículos 39.2 de la LIRPF y 134.6 de la LIS, tras las modificaciones operadas por la Ley 7/2012. La imprescriptibilidad de las obligaciones que se introduce en ambos preceptos atenta claramente contra el principio de seguridad jurídica. Además, el principio de proporcionalidad queda en entredicho ya que, al margen del régimen sancionador severo que contempla en su apartado 2 la disposición adicional decimoctava de la LGT por la falta de presentación de la declaración informativa, o su presentación inexacta o fuera de plazo, las normas de ambos impuestos califican el descubrimiento de la nueva renta como una

---

[45] FALCÓN y TELLA, R., "El modelo 720 (I): ¿es una obligación, son tres, o se trata de una obligación inexigible hasta que se apruebe un modelo para la presentación en papel?", *Quincena Fiscal Aranzadi*, núm. 11, 2013, pág. 13.

infracción muy grave que lleva aparejada su propia y elevada sanción; parece evidente la desproporción del régimen sancionador global que podría llegar a ser soportado por el contribuyente que no presenta una mera declaración informativa.

# BIBLIOGRAFÍA

ALMAGRO MARTÍN, C., "Mecanismos presuntivos como herramienta para la afloración de rentas: a vueltas con las ganancias no justificadas", *Quincena Fiscal Aranzadi*, núm. 5, 2013, páginas 57-74.

ANEIROS PEREIRA, J., "La nueva obligación de informar sobre los bienes y derechos en el extranjero", *Quincena Fiscal Aranzadi*, núm. 3, 2013, páginas 19-47.

CHECA GONZÁLEZ, C. y MERINO JARA, I., "El derecho a la intimidad como límite a las funciones investigadoras de la Administración tributaria", *Anuario de la Facultad de Derecho*, núm. 6, 1988, páginas 147-170.

ESCANDÓN RUBIO, I. y LITA FERRIOLS, E., "Cuestiones controvertidas al respecto de la declaración tributaria especial y de la obligación de información sobre bienes y derechos situados en el extranjero", *Actualidad Jurídica Uría Menéndez*, núm. Extra 1, 2012, páginas 121-136.

FALCÓN Y TELLA, R., "El Anteproyecto de Ley de intensificación de la lucha contra el fraude: especial referencia a la obligación de informar sobre los bienes y derechos situados en el extranjero", *Quincena Fiscal Aranzadi*, núm. 10, 2012, páginas 9-14.

– "El modelo 720 (I): especial referencia a la contabilidad de las personas físicas y a las sociedades sin personalidad", *Quincena Fiscal Aranzadi*, núm. 11, 2013, páginas 9-14.

– "El modelo 720 (y II): ¿es una obligación, son tres, o se trata de una obligación inexigible hasta que se apruebe un modelo para la presentación en papel?", *Quincena Fiscal Aranzadi*, núm. 12, 2013, páginas 9-12.

FERNÁNDEZ AMOR, J. A., "Examen de la declaración de bienes sitos en el extranjero a través de los principios jurídicos de las obligaciones tributarias formales", *Crónica Tributaria: Boletín de Actualidad*, núm. 1/2013, páginas 3-19.

GARCÍA DE PABLOS, J. F., "La nueva obligación de informar sobre los bienes situados en el extranjero a la Agencia Tributaria", *Revista Aranzadi Doctrinal*, núm. 9, 2013.

LÓPEZ LUBIÁN, J. I., "Primer análisis de las medidas contra el fraude fiscal contenidas en la Ley 7/2012, de 29 de octubre", *CEF-Revista de Contabilidad y Tributación*, núm. 357, 2012, páginas 61-112.

MARTÍNEZ CARRASCO-PIGNATELLI, J. M., "Análisis de las reformas introducidas por la Ley 7/2012, de prevención y lucha contra el fraude fiscal", *Quincena Fiscal Aranzadi*, núm. 1, 2013, páginas 21-35.

MAYORAL MARSAL, J., "La nueva obligación de informar sobre bienes y derechos situados en el extranjero", *Actualidad Jurídica Aranzadi*, núm. 861, 2013, página 7.

PEDREIRA MENÉNDEZ, J., "La obligación de información sobre bienes y derechos situados en el extranjero", *Quincena Fiscal Aranzadi*, núm. 4, 2013, páginas 33-56.

SÁNCHEZ PEDROCHE, J. A., "Primeras y preocupantes impresiones sobre el anteproyecto de ley de modificación de la normativa tributaria y presupuestaria para la lucha contra el fraude", *Quincena Fiscal Aranzadi*, núm. 11, 2012, páginas 101-124.

SIMÓN ACOSTA, E., "Bienes en el extranjero e incrementos no justificados de patrimonio", *Actualidad Jurídica Aranzadi*, núm. 847, 2012, página 3.

# ¿NUEVOS RIESGOS, VIEJAS RESPUESTAS? ESTUDIO SOBRE LA PROTECCIÓN PENAL DE LOS DATOS DE CARÁCTER PERSONAL ANTE LAS NUEVAS TECNOLOGÍAS DE LA INFORMACIÓN Y LA COMUNICACIÓN

Prof. Dr. Alfonso Galán Muñoz
*Profesor Titular de Derecho penal.*
*Universidad Pablo de Olavide*

SUMARIO: 1. LAS MODERNAS TECNOLOGÍAS DE LA INFORMACIÓN Y LA COMUNICACIÓN: UN NUEVO CAMPO PARA LOS ABUSOS DE DATOS DE CARÁCTER PERSONAL; 2. NACIMIENTO Y DESARROLLO DE LOS DERECHOS Y LIBERTADES PROTECTORAS DE LOS DATOS DE CARÁCTER PERSONAL; 3. LA TUTELA PENAL DE LOS DATOS DE CARÁCTER PERSONAL Y SU RELACIÓN CON LA PROTECCIÓN ADMINISTRATIVA; 3.1. El bien jurídico protegido en el art. 197.2 CP: Entre la intimidad y la protección de datos; 3.2. Concordancias y discordancias entre el Injusto penal y el administrativo en la protección de datos personales; 4. NUEVOS DATOS SENSIBLES, NUEVAS FORMAS DE ATAQUE, ¿MISMOS MECANISMOS DE PROTECCIÓN PENAL?; 4.1. La respuesta penal a los robos de identidad digital; 4.2. Redes sociales, protección de datos personales y Derecho penal; 4.3. La controvertida naturaleza y protección penal de los datos de tráfico; 5. ¿ES NECESARIA UNA NUEVA PROTECCIÓN JURÍDICO-PENAL DE LOS DATOS PERSONALES EN INTERNET?

## 1. LAS MODERNAS TECNOLOGÍAS DE LA INFORMACIÓN Y LA COMUNICACIÓN: UN NUEVO CAMPO PARA LOS ABUSOS DE DATOS DE CARÁCTER PERSONAL

Hablar, a día de hoy, con propiedad de las modernas tecnologías de la información o la comunicación resulta casi imposible. La celeridad con la que evolucionan hace que tan pronto como centramos nuestra atención y nuestro tiempo en el estudio de las repercusiones jurídicas que el uso de alguna de sus últimas manifestaciones puede tener, ésta deje de ser considerada como moderna, para pasar a ser rápidamente abandonada, tras un brevísimo periodo de reinado y fascinación, ante la imparable irrupción de otra más nueva, más atractiva y generalmente más eficaz, que convierte a la anterior en obsoleta y la condena a la desaparición o al ostracismo.

Realizar una constante adaptación del Derecho ante esta también constante revolución resulta evidentemente necesario, aunque también es difícil de conseguir. De hecho, si antes se decía que el Derecho siempre iba por detrás de la sociedad y de su evolución, parece que hoy y en lo que se refiere a las nuevas tecnologías, se podría afirmar que ambas realidades parecen vivir, a veces, en universos paralelos, tan distantes entre sí que solo puntualmente y por poco tiempo llegan a encontrarse.

De hecho, parece que fue ayer cuando el legislador afrontó los peligros que la utilización de los, en aquel momento, modernos sistemas de tratamiento de datos tenía para la intimidad, el honor o el resto de derechos de las personas, estableciendo una prolija y compleja regulación respecto a los usos que podían lesionarlas y creando organismos públicos específicamente dedicados a protegerlas contra dichos peligros, y, sin embargo, la evolución y proliferación de dichos sistemas producida en los últimos años hace que ya hoy resulte realmente difícil afirmar que nuestro ordenamiento jurídico responda de forma segura y adecuada a todos los riesgos que nos acechan tras dichos sistemas.

La cantidad de datos referidos a nuestras personas o a nuestras vidas que circulan por la red y que, en consecuencia, están almacenados no en uno, sino en cientos de ordenadores, no ha dejado de crecer, como tampoco lo ha hecho el número de los que se han convertido en instrumentos esenciales de nuestra vida personal o profesional.

Piénsese, por ejemplo, en nuestras direcciones de correo electrónico, nuestros perfiles o cuentas en las redes sociales o la infinidad de identificaciones y claves de seguridad que utilizamos tanto para acceder a distintas herramientas de trabajo, como para efectuar operaciones comerciales de todo tipo en ese gran centro comercial que es Internet. Todos esos datos nos resultan relativamente nuevos y, sin embargo, se han convertido, casi sin darnos cuenta, en instrumentos esenciales de nuestras relaciones personales y profesionales.

Nuestra dirección de correo electrónico nos identifica ante nuestros amigos, clientes o competidores. Lo mismo sucede con nuestro perfil de *Facebook* o de cualquier otra red social. Si alguien se apodera de dichos datos y los utiliza, puede descubrir muchos de nuestros secretos más ocultos y puede incluso suplantarnos para realizar multitud de actos perjudiciales para nuestra vida.

¿Y qué decir de todos aquellos datos que utilizamos para comprar a través de Internet? ¿Quién no teme que los datos de su tarjeta de crédito o de sus cuentas en *Paypal* o de otros sistemas de pago electrónico puedan ser interceptados por terceras personas que las utilicen para ocasionarnos enormes daños patrimoniales?

La importancia y peligrosidad de todos estos datos no resultan desconocidas para el ciudadano medio, aunque hay que reconocer que junto a ellos, existen otros muchos, cuya peligrosidad y existencia le pasan mucho más desapercibidas.

Así sucede, por ejemplo, con muchas de las informaciones de nuestra vida privada y profesional o de la de nuestros amigos y familiares que difundimos voluntariamente publicándolos en Internet sin ser realmente conscientes de que, una vez que lo hacemos, perdemos el control sobre unos datos que, por mucho que puedan parecer inocuos, pueden y de hecho son recopilados en grandes ficheros que, si son adecuadamente procesados, pueden servir para elaborar detallados perfiles de las personas a las que están referidos, reveladores aspectos esenciales de su intimidad, como su tendencia sexual, sus creencias religiosas o su ideología política.

Algo parecido ocurre con los datos que se generan automáticamente como consecuencia del mero uso de la red o de cualquier otra tecnología de la comunicación e informan sobre aspectos de la concreta comunicación realizada, como los que se refieren al terminal desde el que la comunicación se efectuó, los protocolos que se utilizaron para hacerlo, la dirección de los contenidos o servicios a los que se accedió o sobre el tiempo que se hizo; datos todo ellos que producimos, en muchos casos, de forma completamente inconsciente en nuestra vida cotidiana y que también pueden servir para averiguar muchos de nuestros pensamientos más íntimos (piénsese, por ejemplo, en lo fácil que sería averiguar la ideología política de un sujeto sabiendo simplemente los periódicos consulta a diario en Internet).

En definitiva, cada vez los datos de carácter personal son más numerosos e importantes para nuestra vida cotidiana y, sin embargo,

206                                                  Alfonso Galán Muñoz

cada vez son más las formas y técnicas que permiten captarlos legal
o ilegalmente[1], lo que nos obliga a tener que plantearnos si realmente
nuestro ordenamiento jurídico, y especialmente nuestro actual Derecho penal, responde de forma adecuada a los riesgos que se esconden
tras esta nueva realidad.

## 2. NACIMIENTO Y DESARROLLO DE LOS DERECHOS Y LIBERTADES PROTECTORAS DE LOS DATOS DE CARÁCTER PERSONAL

El obligado punto de partida de nuestro análisis nos viene dado
por nuestra Constitución. Es precisamente allí, en su artículo 18, donde además de reconocerse el derecho al honor, la imagen y la intimidad personal y familiar de todas las personas y de establecerse algunas garantías o inviolabilidades que tratan de protegerlas, se contiene
un mandato expreso dirigido al legislador respecto a la protección de
datos personales, conforme al cual *"…La Ley limitará el uso de la informática para garantizar el honor y la intimidad personal y familiar
de los ciudadanos y el pleno ejercicio de sus derechos"* (art. 18. 4 CE)

No puede por menos que sorprender favorablemente que en un
momento tan todavía incipiente del desarrollo e implantación social
de la informática (a finales de los 70), el constituyente español fuese
ya consciente de la importancia y peligrosidad que este fenómeno podía representar para los derechos de los ciudadanos y recogiese una
previsión y un mandato expreso dirigido al legislador para que los
protegiese de los posibles usos o abusos que se podrían realizar con
dichas tecnologías de la información[2].

---

[1]     Una breve descripción de estas nuevas técnicas, como las de Spyware, Keyloggers,
        Snifers, etc., se puede encontrar, por ejemplo, en ALBO PORTERO, C., "Las
        redes sociales y la web 2.0. Fuentes de creación de perfiles personales suplanta-
        ción e identidad, reputación online y protección de datos personales" en *Luces
        y Sombras de a seguridad internacional en los albores del siglo XXI*. Tomo II.
        Ed. Instituto Universitario Gutiérrez Mellado, Madrid, 2010, pág. 582 y ss. o
        en MORÓN LERMA, E. *Internet y Derecho penal: Hacking y otras conductas
        lícitas en la red*. Ed. Aranzadi. Cizur Menor, 2002. Pág. 31 y ss.
[2]     De hecho, entre las constituciones de nuestro entorno solo encontramos una previ-
        sión similar en la Constitución portuguesa que parece haber servido de referente a

Sin embargo, el destinatario de ese mandado se tomó su tiempo para cumplirlo. No fue sino hasta catorce años después que nuestro legislador reguló por primera vez esta materia de forma específica mediante la ya derogada Ley Orgánica 5/1992, de 29 de octubre, de regulación del tratamiento automatizado de datos de carácter personal (LOTADP). Catorce años, por tanto, en los que los únicos referentes normativos seguros de la protección de datos de carácter personal en nuestro país eran el referido precepto constitucional y la, a todas luces insuficiente, Ley Orgánica 1/1982, de 5 de mayo, de protección civil del derecho al honor, a la intimidad personal y propia imagen; Ley Orgánica general y no especialmente referida a la protección de dichos datos, pero que a falta de una regulación específicamente referida a dicha materia, le resultaba aplicable por expreso mandato de su DT 1ª.

Posiblemente fue esta evidente insuficiencia legislativa, la que llevo a nuestros tribunales a tratar de dar cumplimiento al mandato constitucional atendiendo a lo establecido en las normas internacionales que España ya había suscrito y ratificado en aquel momento.

Sin embargo, si la precoz referencia de nuestra Constitución a la protección de los datos personales frente a los medios informáticos resulta llamativa, encontrar una prescripción semejante en la versión originaria de algún tratado, como la Convención Europea de Derechos humanos, —aprobada, no lo olvidemos, el 4 de noviembre de 1950—, era simplemente imposible. Tampoco los posteriores intentos de modificar su redacción, para insertar en su seno una previsión específica en tal sentido, llegaron a prosperar[3], lo que llevó a que el Consejo de Europa, en estrecha colaboración con la Unión Europea, aprobase el Convenio 108, de 28 de enero de 1981, que obligaba a sus países firmantes a establecer unos mínimos de calidad respecto al

---

nuestros constituyentes en este concreto aspecto, como señalan, entre otros, GUICHOT, E. *Datos personales y administración pública*, Ed. Aranzadi, Cizur Menor (Navarra) 2005. pág. 61, LESMES SERRANO, C. en *La ley de protección de datos de carácter personal*, Ed. Lex Nova, Valladolid, 2007. pág. 49.

[3]  Así, lo señala GUICHOT, E. quien, pese a todo, destaca como el TEDH ha señalado en diferentes resoluciones que dicho precepto viene a imponer no solo obligaciones negativas de no injerencia o captación no consentida de datos de las personas, sino también positivas que, por ejemplo, obligarían a la administración a informarles sobre los datos personales de los mismos que tuviesen en su poder. Op. cit. ant. págs. 33 y 34.

tratamiento de los datos de carácter personal de sus ciudadanos, mediante el reconocimiento de los principios de tratamiento leal y legítimo, de veracidad, de seguridad y finalidad, así como garantizando la posibilidad de que dichos sujetos tuviesen conocimiento de la existencia de los ficheros en los que sus respectivos datos personales se contuviesen[4].

Pese a la importancia inicial que este convenio tuvo para nuestra jurisprudencia referida a esta materia ante la ausencia de una norma nacional específicamente dedicada regularla[5], hay que admitir que si hay una normativa supranacional que ha tenido y continúa teniendo incidencia sobre la misma, ésta ha sido la procedente de la Unión Europea; organización que, siendo consciente de la importancia que los datos personales, su tráfico y su procesamiento tenían para la economía de la denominada Sociedad de la información, consideró imprescindible armonizar su regulación en los países que integraban su mercado interior.

A ello respondió la decisiva aprobación de la Directiva 1995/46/CE, de 24 de octubre, de protección de las personas físicas en lo que respecta al tratamiento y a la libre circulación de estos datos[6], cuya transposición fue, precisamente, la que obligó a reformar la primera legislación nacional específicamente reguladora de esta materia (la ya citada LOTADP), dando lugar a la aprobación de la todavía vigente Ley Orgánica 15/1999, de 13 de diciembre, de protección de datos de carácter personal (LOPDP), que, entre otras muchas cosas, extendió la especial protección jurídica que se otorgaba a tales datos no solo a aquellos que estaban recogidos en forma informática, sino también a todos aquellos que se encontrasen en cualquier clase de soportes o ficheros que resultasen adecuados o idóneos para ser tratados[7].

---

4    GUICHOT, E. Op. cit. ant. pág. 32.
5    Véase, en este sentido la STC 254/1993, de 20 de julio, (*Tol 82275*) y lo comentado respecto a la misma por GUICHOT, E. Op. cit. ant. págs. 49 y 63.
6    DOL 23 de noviembre de 1995.
7    Resulta determinante la delimitación de los tratamientos de datos personales a los que la Directiva 1995/46/CE va a ser aplicable, realizada en su art. 2 y que considera por tales a "cualquier operación o conjunto de operaciones, efectuadas o no mediante procedimientos *automatizados, y aplicadas a datos personales, como la recogida, registro, organización, conservación, elaboración o modificación, extracción, consulta, utilización, comunicación por transmisión, difusión o cualquier otra forma que facilite el acceso a los mismos, cotejo o interconexión, así como su bloqueo, supresión o destrucción*".

Pese a su enorme importancia, esta Directiva se nos presenta solo como el primer hito de un largo proceso regulador, en el que la UE ha desempeñado un papel central en el desarrollo de la protección jurídica de los datos de carácter personal en la actual Sociedad de la información[8]; proceso que, entre otras cosas, ha llevado a que la propia Carta de los Derechos Fundamentales de la Unión Europea (CDFUE) reconozca en su artículo 8 que *"...toda persona tiene derecho a la protección de los datos de carácter personal que le conciernan"*, lo que supone otorgar naturaleza de verdadero derecho individual a dicha protección[9] y parece independizarlo de su tradicional anclaje en el derecho a la intimidad (contemplado en su artículo 7)[10], en línea con lo mantenido por nuestra más reciente jurisprudencia constitucional.

Los primeros pronunciamientos de nuestro Tribunal Constitucional referidos a este tema conectaban claramente la tutela de los datos de carácter personal con la de la intimidad, aunque la distanciaban en cierta medida de ella, acercando la naturaleza de su protección a la propia de otras garantías formales que tradicionalmente han protegido a este último derecho fundamental, lo que le llevó a afirmar que lo ocurrido con la protección de datos de carácter personal*"...*

---

[8]    Así, por ejemplo, resulta imposible soslayar como han sido muchas de sus normas, como la Directiva 58/2002/CE, de 12 de julio, de tratamiento de datos personales y protección de a intimidad en el sector de las comunicaciones electrónicas o la todavía más reciente Directiva 2006/24/CE de 15 de marzo, sobre la conservación de datos generados o tratados en relación con la prestación de servicios de comunicaciones electrónicas de acceso público o redes públicas de comunicaciones y por la que se modifica la Directiva 58/2002/CE, las que han ido indicando el camino al legislador nacional a la hora de regular alguna de las cuestiones y de los retos que Internet plantea a la protección de datos.

[9]    En concreto, el referido Artículo 8 CDFUE tiene el siguiente tenor literal. *"Artículo 8. Protección de datos de carácter personal.*
1. Toda persona tiene derecho a la protección de los datos de carácter personal que le conciernan.
2. Estos datos se tratarán de modo leal, para fines concretos y sobre la base del consentimiento de la persona afectada o en virtud de otro fundamento legítimo previsto por la Ley. Toda persona tiene derecho a acceder a los datos recogidos que le conciernan y a obtener su rectificación
3. El respeto de estas normas estará sujeto al control de una autoridad independiente".

[10]   En concreto, este precepto establece que *"Toda persona tiene derecho al respecto de su vida privada y familiar, de su domicilio y de sus comunicaciones"*.

*es que el avance de la tecnología actual y el desarrollo de los medios
de comunicación de masas han obligado a extender esa protección
más allá del aseguramiento del domicilio como espacio físico en que
normalmente se desenvuelve la intimidad y el respeto a la correspondencia, que es o puede ser medio de conocimiento de aspectos de la
vida privada"*[11].

Parecía pues, que el alto tribunal había tenido plena conciencia,
desde un primer momento, de que existían particularidades en la protección de datos personales que obligaban a tratarla de forma diferente a la de la intimidad, por más que se la considerase como un
instrumento garantizador de dicho derecho fundamental.

Sin embargo, poco después y continuando con esta misma línea
argumental, fue el propio Tribunal Constitucional el que reconoció,
en su STC 254/1993, de 20 de julio[12], que, pese a que el art. 18.4 CE
protege expresamente derechos como la intimidad o el honor, con lo
que actúa como instituto de garantía de los mismos, lo hace otorgan-
do a la persona un haz de facultades positivas de control sobre todos
sus datos que trascienden a las que tradicionalmente definen a dichos
derechos fundamentales, lo que demostraba, a su juicio, que tal precepto establecía un nuevo derecho o libertad fundamental autónomo,
aunque conectado con aquellos, que podría quedar encuadrado bajo
el nuevo y más amplio derecho a la privacidad; derecho éste al que
curiosamente aludió la Exposición de Motivos de la por aquel entonces todavía recientemente aprobada LORTADP, para señalar que su
finalidad era precisamente la de protegerlo, ya que, la privacidad, a
diferencia de la intimidad, tutelaba *"...un conjunto más amplio, más
global de facetas de su personalidad que aisladamente consideradas
pueden carecer de significación intrínseca, pero que coherentemente
enlazadas entre sí, arrojan como precipitado un retrato de la personalidad del individuo que éste tiene derecho a mantener reservado"*.

---

[11]   STC 110/1984, de 26 de noviembre (*Tol 79399*). Como instituto de garantía
       de otros derechos lo califican también, entre otros, RUEDA MARTÍN, Mª A.
       *Protección penal de la intimidad personal e informática (Los delitos de descu-
       brimiento y revelación de secretos de los artículos 197 y 198 del Código penal).*
       Ed. Atelier. Barcelona, 2004. pág. 31, mientras que GUICHOT, E. lo define como
       *"garantía instrumental de otros derechos"* Op. cit. ant. pág. 63.

[12]   (*Tol 82275*).

Se convertía así al derecho a la privacidad, como derecho en cierta medida diferente pero conectado y garantizador de la intimidad, en el valor realmente tutelado por el art. 18.4 CE y por toda la normativa que desarrollaba el mandato constitucional en él contenido; posición que dominó el desarrollo de las posteriores resoluciones jurisprudenciales relativas a esta materia[13], hasta que se dictó la decisiva STC 292/2000, de 30 de noviembre[14].

Fue precisamente en esta Sentencia, donde nuestro Tribunal Constitucional señaló que, mientras la función de la intimidad era la de proteger al individuo frente a intromisiones no deseadas que pudiesen realizarse en su vida personal y familiar, lo que otorgaba a dicho derecho un contenido claramente negativo, la protección de datos le daba un poder de control sobre sus datos de carácter personal, tanto privados como públicos, que le convertía en titular de unas facultades positivas que imponían a terceros deberes jurídicos, (como los de informar, pedir el consentimiento, permitir el acceso, rectificar o cancelar los datos, etc....), que no solo trataban de proteger su intimidad, sino que también tutelaban a todos los bienes de la personalidad que pertenecían a su vida privada y estaban unidos a su dignidad personal, lo que convertiría a la protección de dichos datos en un derecho fundamental independiente y diferente de la intimidad y también de la privacidad, que, de hecho, reconocía a su titular unas facultades y unos poderes que trascendían con mucho a los que definían a estos dos últimos derechos.

Parecía, por tanto, que el camino hacia el reconocimiento de la independencia del denominado derecho a la protección de datos por fin se había terminado de recorrer.

Sin embargo, no tardaron demasiado en surgir voces en nuestra doctrina que criticaron esta concepción jurisprudencial. En concreto, estas voces señalaban que la misma parecía haberse olvidado de que, en realidad, el derecho fundamental a la intimidad, del que la protección de datos supuestamente se había independizado, tampoco mantenía ya la concepción estática y negativa de la que dicha sentencia

---

13 Así, y entre otras, las STC 94/1998, de **4 de mayo** (*Tol 80950*) o la STC 44/1999, de 22 de marzo (*Tol 2092*).

14 (*Tol 2772*).

hablaba, puesto que su delimitación había ido evolucionando, precisamente gracias a la propia jurisprudencia de nuestro Tribunal Constitucional, desde una concepción puramente objetiva, con marcado carácter negativo, afincada en el célebre *"derecho a ser dejado solo"* (*right to let be alone*) anglosajón[15], hacia una mucho más moderna y amplia que dotó a dicho derecho de una faceta subjetiva y positiva que otorgaba a su titular la capacidad de controlar la publicidad de la información relativa a su persona y a su familia, lo que llevaba a que se hablase del surgimiento de una suerte de *"intimidad informacional"* que expandía y transformaba el derecho a la intimidad, acercando su contenido de forma evidente al que caracterizaba al supuestamente autónomo y diferente derecho a la protección de datos[16].

De hecho, a juicio de estos autores, una vez que nuestro TC había afirmado que *"...el art. 18.1 CE no garantiza una intimidad determinada, sino el derecho a poseerla, a tener vida privada, disponiendo de un poder de control sobre la información relativa a la persona y su familia, con independencia del contenido de aquello que se desea mantener al abrigo del conocimiento público"* y señalaba a continuación que *"...del precepto constitucional se deduce que el derecho a la intimidad garantiza al individuo un poder jurídico sobre la información relativa a su persona o a la de su familia"* (STC 134/1999, de 15 de junio), estaba paralelamente reconociendo que el derecho a la intimidad conllevaba un haz de facultades positivas de control muy similares a aquellas que supuestamente diferenciaban al derecho a la protección de datos de carácter personal; con lo que, en realidad, este nuevo y presuntamente independiente derecho no dejaría de ser sino una simple manifestación parcial del más amplio y general derecho a la intimidad informacional o a la *autodeterminación informativa (Informationelle Selbstbestimmung)*[324] que configura esta renovada y más amplia concepción del tradicional derecho a la intimidad[325].

---

[15]    Véase lo comentado respecto a esta concepción, a sus orígenes y evolución por ROMEO CASABONA, C. M. "Los datos de carácter personal como bienes jurídicos penalmente protegidos", en *El cibercrimen, nuevos retos jurídico-penales, nuevas respuestas político criminales*. Ed. Comares. Granada, 2006. pág. 173 y ss.

[16]    GUICHOT, E. Op. cit. ant. pág. 92 y ss. y 160 y ss.

Podríamos decir, por tanto, que, pese a la enorme evolución normativa y jurisprudencial que ha sufrido la protección de datos de carácter personal en los últimos años, el debate sobre su concreto fundamento y extensión continúa sin estar definitivamente cerrado, lo que inevitablemente, y cómo vamos a ver a continuación, se reflejará en la delimitación de su concreta protección.

## 3. LA TUTELA PENAL DE LOS DATOS DE CARÁCTER PERSONAL Y SU RELACIÓN CON LA PROTECCIÓN ADMINISTRATIVA

El principal referente normativo a la hora de analizar la protección jurídica otorgada por nuestro legislador a los datos de carácter personal en cumplimiento del mandato contenido en el art. 18.4 CE es, a día de hoy y a la espera de las futuras y previsibles reformas que a buen seguro se derivarán del desarrollo y transposición de la futura normativa europea referida a esta materia[19], la ya citada LO 15/1999, de 13 de diciembre, de protección de datos de carácter personal (LOPDP).

En concreto, la protección de la citada LOPDP trata de garantizar que los ciudadanos puedan ejercer un control efectivo sobre sus datos de carácter personal otorgándoles una serie de derechos y esta-

---

[17]  En concreto, este último concepto, utilizado también en algunas resoluciones de nuestro TC, como las STC 254/1993, de 10 de julio (*Tol 82275*) o la ya comentada STC 292/2000, de 30 de noviembre (*Tol 2772*) tiene su origen en una ya celebre Sentencia del Tribunal Constitucional alemán sobre la ley de Censos de aquel país, en la que se definía dicho derecho como la *"facultad del individuo, derivada de la idea de autodeterminación, de decidir básicamente por si mismo cuando y dentro de qué límites procede revelar situaciones referentes a su propia vida"* (STVBGH de 15 de diciembre de 1983).

[18]  Así lo plantea GUICHOT, E. Op. cit. ant. pág. 108 y ss.

[19]  En concreto, la UE ha optado por una doble vía que diferenciará el régimen jurídico de las bases de datos referidas a datos personales vinculados a la investigación criminal, que se regulará en una Directiva y las bases privadas cuya regulación se desarrollará mediante un Reglamento. Sobre ambas normas y su posible desarrollo, véase de forma general lo comentado por SOLAR CALVO, O. "La doble vía europea en protección de datos", LA LEY nº 7832, 2012 www.laley.es (últ. vis. 12-6-2012).

214 Alfonso Galán Muñoz

bleciendo unas obligaciones para quienes los procesan, cuyo respeto y cumplimiento se controlará y garantizará por parte de la Agencia Nacional de Protección de datos, creada y regulada en los art. 35 a 42 LOPDP, mediante la posible imposición de sanciones a sus infractores (art. 43 a 49 LOPDP)[20].

Así, por ejemplo, se otorga a los ciudadanos un derecho de información con respecto a la existencia, la finalidad y los destinatarios de los ficheros que contengan sus datos personales (art.5.1.a) LOPDP), al tiempo que se les reconocen los derechos de acceso, rectificación, cancelación y oposición con respecto a dichos datos (arts. 13 a 19 LOPDP). Se impone, como regla general, la necesidad de que su procesamiento y posible posterior comunicación a terceros cuente con el consentimiento, cuando menos tácito, del afectado, aunque también se establecen y definen excepciones a dicha regla (artículos 6 y 11 de la LOPDP, respectivamente); mientras que se obliga a los responsables de los ficheros que los contengan a establecer medidas que garanticen su seguridad (art. 9), a guardar secreto profesional con respecto a los datos en ellos contenidos (art. 10) y a comunicar su existencia a la Agencia Nacional de Protección de Datos, para que ésta los inscriban en el registro correspondiente y permita así que la puedan conocer todos sus posibles afectados (art. 14 y 26 LOPDP y 55.1 RD 1720/2007 (RDPDCP)[21].

El abanico de derechos, obligaciones y garantías establecido por la LOPDP es, como se puede comprobar, muy amplio, como también lo era el contenido en su predecesora la LOTADP, pese a lo cual, nuestro legislador decidió completar la protección jurídica de dichos datos, introduciendo en el Código penal de 1995 un delito, el del art. 197.2 CP, que castiga a quien *"(...), sin estar autorizado, se apodere, utilice o modifique, en perjuicio de tercero, datos reservados de carácter*

---

[20] Véase también sobre el funcionamiento de esta agencia lo establecido en el RD 4238/1993, de 26 de marzo.

[21] Curiosamente, y a diferencia de lo que sucede con los ficheros privados (art. 26 LOPDP), el mandato de comunicación para el registro de los ficheros de carácter público no aparece expresamente contemplado en la Ley Orgánica, sino en su reglamento de desarrollo, como destaca FERNÁNDEZ GARCÍA, J. A. en *La ley de protección de datos de carácter personal,* Ed. Lex Nova, Valladolid, 2007. pág. 414.

*personal o familiar de otro que se hallen registrados en ficheros o soportes informáticos, electrónicos o telemáticos, o en cualquier otro tipo de archivo o registro público o privado"* y que también establece que *"...Iguales penas se impondrán a quien, sin estar autorizado, acceda por cualquier medio a los mismos y a quien los altere o utilice en perjuicio del titular de los datos o de un tercero".*

Las dificultades de interpretación de este precepto son enormes y se ven incrementadas por la cuestionable delimitación de su bien jurídico y la compleja coordinación de algunos de sus elementos típicos con las prescripciones contenidas en la propia LOPDP; temas ambos que han de ser concretados si se pretende dotar a esta figura delictiva de unos contornos claros y precisos, lo que evidentemente resulta esencial para analizar si su actual configuración responde de forma adecuada o no a los retos que la evolución de la Sociedad de la información le va a plantear.

### 3.1. El bien jurídico protegido en el art. 197.2 CP: Entre la intimidad y la protección de datos

El punto de partida más evidente a la hora de concretar el bien jurídico protegido por el delito del art. 197.2 CP nos viene dado por su propia ubicación sistemática, ya que al estar dicho precepto incluido en el Título X del libro II del Código penal, relativo a los *"Delitos contra la intimidad, el derecho a la propia imagen y la inviolabilidad del domicilio"* podría pensarse que el legislador se había inclinado por considerarlo como una figura protectora del primero de tales derechos, del derecho fundamental a la intimidad[22].

Sin embargo, ya desde un primer momento y de forma análoga a lo que afirmaba nuestro TC, algunos autores, como MORALES PRATS, señalaron que el derecho a la intimidad tenía un marcado carácter negativo y presentaba un grado cero de proyección social, lo que, a su modo de ver, imposibilitaba que se lo pudiese considerar como el bien jurídico protegido por este delito, ya que en él se protegían una serie de facultades positivas de control sobre los datos personales informa-

---

22 Así MATA Y MARTÍN, R. M. *Delincuencia informática y Derecho penal*. Ed. Edisofer. Madrid, 2001. pág. 132.

tizados (libertades informáticas) que solo podrían ser incardinadas en el nuevo, diferente y más amplio derecho a la privacidad informática que otorgaría al ciudadano un nuevo *habeas* (el denominado *habeas data* o *habeas scriptum*) dotado de una evidente proyección social y que le garantizaría el derecho individual a la autodeterminación informativa[23].

Posiblemente fuese esta crítica inicial, la que llevó a que un importante número de quienes defendían que la intimidad era el bien jurídico protegido por este delito se decantase por admitir que, en realidad, dicho derecho tenía una faceta subjetiva y positiva junto a la tradicional, de carácter objetivo y negativo, que otorgaría a todos sus titulares la capacidad de poder controlar las informaciones o datos referidos a su persona, con lo que, *de facto* y de forma análoga a lo que defendía parte de la doctrina administrativista referida a esta materia, se convertía al derecho a la autodeterminación informativa y, por ende, también a la protección de datos de carácter personal en una faceta parcial de una nueva y más amplia visión del derecho a la intimidad[24].

Parecía, en cualquier caso, que todo giraba en torno a la intimidad, ya que, o se consideraba que la protección de datos tutelaba

---

[23]  MORALES PRATS, F. en *Comentarios a la parte Especial del Derecho* penal. Ed. Aranzadi. Cizur Menor, 2011. págs. 449 y 462.

[24]  Así, por ejemplo, señalaba RUEDA MARTÍN, M. A. que *"... el bien jurídico protegido en todas las conductas tipificadas en los artículos 197 y 198 comprendidos en el Capítulo I del Título X del CP, es la intimidad personal y familiar, en el que debemos destacar las dos facetas indicadas antes: por un lado, entendida como el ámbito personal donde cada uno, preservado del mundo exterior, encuentra posibilidades de desarrollo y fomento de su personalidad y, por otro, entendida como control sobre la publicidad de la información relativa a la persona y su familia"*, en Op. cit. ant. págs. 30 y 31; postura que es básicamente compartida, entre otros, por MUÑOZ CONDE, F. *Derecho penal. Parte Especial*. Ed. Tirant lo Blanch, Valencia, 2010. pág. 270; CARBONELL MATEU, J. C. /GONZÁLEZ CUSSAC, J. L. en *Comentarios al Código penal de 1995*, Ed. Tirant lo Blanch. Valencia, 1996. pág. 995, GONZÁLEZ RUS, J. J. en *Sistema de Derecho penal Español. Parte* Especial. Ed. Dykinson, Madrid, 2011. pág. 299; BOLEA BARDÓN, C. en *Derecho penal. Parte Especial*. Ed. Tirant lo Blanch. Valencia, 2011. pág. 264; TOMAS-VALIENTE LANUZA, C. *Comentarios al Código penal*. Ed. Lex nova, Valladolid, 2010. pág., 794; PUENTE ABA, L. M. "Delitos contra la intimidad y nuevas tecnologías", en EGUZKILORE nº 21, 2007. pág. 165; entre otros.

un derecho (el de la privacidad) que trataba mediatamente de protegerla frente a nuevos peligros, o se entendía que su protección no era, en realidad, sino una manifestación más de la evolución y expansión que la propia tutela de la intimidad había sufrido a lo largo de los últimos años para responder a las exigencias de la sociedad de la información.

Sin embargo, y frente a ello, pronto señaló ROMEO CASABONA que mientras que la *privacy* o privacidad informática no podría servir para delimitar el bien jurídico protegido por este delito, por cuando resultaba indudable que no todas las utilizaciones abusivas de datos personales castigadas por su injusto habrían de recaer sobre datos informatizados ni tendrían que tender a realizar entrecruzamientos de éstos que tratasen de revelar la personalidad del sujeto al que estaban referidos[25]; tampoco parecía que se pudiese entender que el derecho a la intimidad pudiese cumplir con dicha función, ya que, incluso cuando se lo dotase de esa nueva faceta positiva que otorgaría a su titular el poder de controlar la publicidad de la información relativa a su persona o a su familia, ello no permitiría olvidar que el contenido de dicho derecho fundamental seguía girando *"... en torno al conocimiento de espacios de vida privada de la persona"* y no otorgaría *"...facultades de decisión y de acción del individuo en la esfera privada que permanezcan ajenas a cualquier intromisión o limitación por parte de terceros, (...) con independencia de cuáles sean los contenidos que en ella se guarden"*[26], lo que contrastaría con el hecho de que el delito del art. 197.2 CP no restrinja su protección a los datos personales íntimos sino a los reservados, concepto, éste de difícil delimitación, pero que evidentemente se diferencia y es más amplio que el anterior[27].

No le falta razón, a nuestro juicio, a este último autor. Considerar que el precepto que venimos analizando tutela los derechos que re-

---

[25]    ROMEO CASABONA, C. M. en *Comentarios al Código penal. Parte Especial II.* Ed. Tirant lo Blanch, Valencia, 2004. pág. 691 En el mismos sentido, el mismo autor en "Los datos de carácter personal..." págs. 175 y 176.

[26]    ROMEO CASABONA, C. M. en *Comentarios al Código penal...* pág. 690. En el mismos sentido, el mismo autor en "Los datos de carácter personal..." pág. 174.

[27]    ROMEO CASABONA. C. M. en *Comentarios al Código penal....* pág. 701 En el mismos sentido, el mismo autor en "Los datos de carácter personal..." pág. 187.

caen sobre los datos de carácter personal como simple manifestación parcial del derecho a la autodeterminación informativa que supuestamente configura la nueva faceta positiva del derecho a la intimidad o que es reflejo de un nuevo derecho a la privacidad informática, resulta incompatible con el propio tenor literal de este delito. De hecho, no es solo que, como señalaba el referido autor, el concepto de dato de carácter personal protegido por dicho delito abarque tanto a los datos personales íntimos como a los que no lo son o tutele tanto los datos personales informatizados como los que estuviesen en otros formatos o soportes. Es que además, tampoco se debe olvidar que este delito castiga conductas, como las de alterar o modificar los datos, que más que afectar al poder o derecho de control sobre su difusión, ponen en cuestión el derecho que toda persona tiene de poder fiscalizar la calidad y corrección de sus datos previamente difundidos[28], lo que, evidentemente, en nada afecta a su derecho a la autodeterminación informativa e incluso puede que favorezca una más adecuada afección de su privacidad, ya que mientras más precisos y menos alterados estén sus datos de carácter personal más adecuados serán para lesionar este último derecho.

Estamos, por tanto, ante un delito que protege algo más que la mera autodeterminación informativa o la privacidad. Estamos ante uno que también garantiza que los datos que tutela no puedan ser utilizados, alterados o modificados de forma no autorizada y en perjuicio de su titular o de un tercero, con lo que más que ante un delito protector de la capacidad o facultad del individuo para decidir y controlar cuándo y con qué limites se distribuyen o procesan tales datos, nos encontramos ante uno que trata de garantizar que su uso y abuso no pueda llegar a afectar a su intimidad o a cualquier otro de sus derechos, como el honor o la igualdad. Un delito, en definitiva, que protege a ese nuevo derecho diferente, autónomo y más amplio que el derecho a la intimidad, que nuestra jurisprudencia constitucional ha derivado de lo dispuesto en el art. 18.4 CE y ha convenido en llamar de forma general como derecho fundamental a la protección de datos personales.

---

[28]   Sobre este concepto véase ROMEO CASABONA, C. M. en *Comentarios al Código penal*....pág. 697.

## 3.2. Concordancias y discordancias entre el Injusto penal y el administrativo en la protección de datos personales

Como acabamos de ver, parece que es el propio texto del art. 197.2 CP el que obliga a entender que en su seno se contempla un delito que protege los derechos de los que gozan los ciudadanos para tutelar adecuadamente sus datos de carácter personal frente a posibles intromisiones o usos no autorizados de terceros, lo que determina que su protección penal tenga necesariamente que ser puesta en relación con aquella otra normativa que precisamente define y perfila dichos derechos, la establecida en el Derecho administrativo.

Las relaciones en esta materia entre ambas ramas del ordenamiento jurídico son innegables, hasta el punto de que resulta imposible delimitar el delito del art. 197.2 CP sin atender a muchas de las definiciones y prescripciones contempladas en la normativa administrativa y, especialmente, en la tantas veces citada LOPDP, lo que convierte a esta norma jurídica en referente obligado a la hora de delimitar su injusto típico.

Así sucede, por ejemplo, con muchos aspectos de la propia delimitación de su objeto material, esto es, con *"...los datos reservados de carácter personal o familiar de otro que se hallen registrados en ficheros informáticos, electrónicos o telemáticos, o en cualquier otro tipo de archivo o registro público o privado"*.

Los datos de carácter personal aparecen expresamente definidos en el art. 3.a) de la LOPDP, considerándose por tales *"...cualquier información concerniente a personas físicas identificadas o identificables"*, lo que introduce una definición muy amplia de los datos jurídicamente protegidos que trata de evitar que informaciones aparentemente inocuas referidas a una persona puedan ser captadas, utilizadas o procesadas sin ningún tipo de control y en su perjuicio.

Sin embargo, si prestamos un poco de atención nos percataremos de que nuestro Código penal parece querer limitar el número de datos de carácter personal que van a gozar de su tutela al establecer que no todos ellos pueden ser objeto material de este delito, sino solo aquellos que puedan ser considerados como reservados, calificativo que resulta realmente difícil de delimitar, dado que, a diferencia de lo que sucede con el concepto general de dato de carácter personal, no aparece expresamente definido en la normativa contenida en la actual LOPDP, lo que llevó a algunos autores a tratar de definirlo atendiendo a parámetros puramente penales.

Así, por ejemplo, aquellos que parten de que este delito protege la intimidad, definida desde un punto de vista amplio y subjetivo, consideraron que se habría de tener por tales a los datos de carácter personal que su titular hubiese excluido del conocimiento público[29], mientras que quienes defendían que dicho bien jurídico había de delimitarse desde una perspectiva restringida y objetiva, no tan dependiente de la voluntad de su titular como del propio contenido informativo de los datos en sí, mantuvieron que el delito aquí comentado solo protegería los datos reservados íntimos, es decir, los que contuviesen información directamente referida a la vida privada y familiar de su titular, con lo que el resto quedarían al amparo de la exclusiva protección administrativa[30].

Ninguna de estas teorías nos parece, sin embargo, adecuada. La primera porque olvidaría que el hecho de que unos datos personales sean públicamente conocidos o no lo sean, no solo dependerá de la voluntad de su titular, sino también de otros muchos factores que pueden hacer que se puedan difundir o conocer tanto sin contar con su voluntad, como incluso yendo contra ella[31] y porque además dejaría

---

[29]  CARBONELL MATEU, J. C. /GONZÁLEZ CUSSAC, J. L. Op. cit. ant. pág. 1000. En similares términos RUEDA MARTÍN, M. A. Op. cit. ant. págs. 30 y 73.

[30]  Así, por ejemplo, JAREÑO LEAL, A. quien, partiendo de una concepción material y restrictiva del derecho a la intimidad, defiende la necesidad de distinguir entre los datos reservados íntimos y los que no lo son, quedando solo los primeros dentro del ámbito de protección penal, en *Intimidad e imagen: Los límites de la protección penal*. Ed. Iustel. Madrid, 2008. Págs. 23, 63 y ss; postura que parece recogerse en alguna de las Sentencias recaídas sobre esta materia, como la STS de 18 de febrero de 1999 (*Tol 272511*), donde se afirma que solo se podrá apreciar el perjuicio del que habla el art. 197.2 CP cuando su conducta típica recaiga sobre un dato *"...'sensible' por ser inherente al ámbito de su intimidad más estricta, dicho de otro modo, un dato perteneciente al reducto de los que normalmente, se pretende no trasciendan fuera de la esfera en que se desenvuelve la privacidad de la persona y de su núcleo familiar"*.

[31]  Así, por ejemplo, señala el art. 6.2 LOPDP que, pese a que, de forma general, el tratamiento de este tipo de datos que comienza con su propia recogida, requeriría el consentimiento del afectado, *"...No será preciso el consentimiento cuando los datos de carácter personal se recojan para el ejercicio de las funciones propias*

sin protección penal a la mayor parte de los datos personales, pese a que es su carácter de tal y no la ausencia de su conocimiento público, lo que los convierte en peligrosos para los intereses de los individuos. La segunda, por su parte, tampoco nos parece sostenible porque, a nuestro modo de ver, convertiría a este delito en una figura que se solaparía en muchos aspectos con la del descubrimiento de secreto del art. 197.1 CP, al hacer que los datos protegidos por el art. 197.2 CP siempre pudiesen ser considerados también como unos de los secretos que se protegen en dicho precepto[32].

Tampoco corre mejor suerte la propuesta de delimitación de estos datos realizada por quienes, como MORALES PRATS, consideran que nos encontramos ante un delito protector de la privacidad informática. Quienes parten de esta postura entienden que la utilización del calificativo "reservados" referido a los datos de los que habla el art. 197.2 CP carece de cualquier sentido, ya que *"… todos los datos personales una vez introducidos en el fichero automatizado son sensibles"*, dado que *"…datos en principio inocuos, al ser introducidos en el fichero automatizado, producto de combinaciones alfanuméricas pueden ser objeto de manipulación y permitir información por inferencia"*, lo que les lleva a entender que, en realidad, se debería considerar que *"… todos los datos personales automatizados quedan protegidos por la conminación punitiva del artículo 197.2 CP"*[33]; interpretación que tampoco podemos compartir, puesto que no solo olvida que este delito protege expresamente tanto a los datos que se encuentran recogidos en ficheros informáticos como a los que lo están

---

*de las Administraciones públicas en el ámbito de sus competencias; cuando se refieran a las partes de un contrato o precontrato de una relación negocial, laboral o administrativa y sean necesarios para su mantenimiento o cumplimiento; cuando el tratamiento de los datos tenga por finalidad proteger un interés vital del interesado en los términos del artículo 7, apartado 6, de la presente Ley, o cuando los datos figuren en fuentes accesibles al público y su tratamiento sea necesario para la satisfacción del interés legítimo perseguido por el responsable del fichero o por el del tercero a quien se comuniquen los datos, siempre que no se vulneren los derechos y libertades fundamentales del interesado".*

[32]   Así, por ejemplo, CARBONELL MATEU, J. C. /GONZÁLEZ CUSSAC, J. L. reconocen que dicha delimitación de los datos protegidos en el 197.2 CP acerca dichos datos al concepto de secreto. Op. cit. ant. pág. 1000.

[33]   MORALES PRATS, F. en *Comentarios a la parte Especial…* págs. 467 y 468. En el mismo sentido, PUENTE ABA, L. M. Op. cit. ant. págs. 167 y 168.

*"...en cualquier otro tipo de archivo o registro público o privado"*, sino que además vuelve a fundamentar su injusto exclusivamente en la posible obtención de información por inferencia, cuando, como ya hemos visto, en el mismo se castigan conductas, como las de alteración o modificación, que nada tienen que ver con dicha posibilidad.

Volviendo la mirada a la normativa extrapenal referida a la protección de datos de carácter personal, podría pensarse que se podría tener por tales, precisamente, a aquellos datos que reciben una especial protección por parte de la citada normativa por ser especialmente sensibles, esto es, los referidos a la ideología, afiliación sindical, origen racial o étnico, o vida sexual de los que habla el art. 7 de la mencionada Ley Orgánica; interpretación que, sin embargo y como bien señaló MORALES PRATS, se manifestaría rápidamente como insuficiente e insostenible, puesto que la protección de dichos datos sensibles es precisamente la que dota de contenido al injusto del tipo cualificado del apartado 6 del art. 197 CP, con lo que resulta imposible que también lo haga con el del tipo básico de dicho artículo sin vaciar de contenido y de sentido al referido tipo cualificado[34].

Mucho más viable parece la propuesta realizada en su día por ROMEO CASABONA, autor que destacó como, curiosamente, el Derecho administrativo protector de los datos personales diferenciaba una serie de ficheros de datos de carácter personal que son de acceso y conocimiento libre (las denominadas fuentes accesibles al público del art. 3 j. LOPDP) y los contraponía con el resto que tendrían un acceso, una comunicación y un tratamiento mucho más controlados y limitados, (como se puede comprobar en los art. 6, 11 y 12 LOPDP), lo que, a su modo de ver, indicaba que serían precisamente estos últimos los que contendrían los datos personales reservados que vendría a proteger el art. 197.2 CP, mientras *"...los datos personales incorporados a las fuentes accesibles al público y cualesquiera otros para cuyo acceso o conocimiento no se requiera autorización alguna ni, por supuesto, el consentimiento del interesado"* solo quedarían amparados por el Derecho administrativo[342].

La propuesta ahora analizada tendría la virtud de conectar la delimitación de este elemento típico con el que, a nuestro juicio, es el bien

---

[34]  MORALES PRATS, F. en *Comentarios a la parte Especial...* pág. 468.

jurídico tutelado en este delito, la protección de datos personales, al tiempo que volvería a relacionarlo con la regulación de su tutela extrapenal, pero tampoco estará exenta de problemas.

Así, por ejemplo, si prestamos atención, nos percataremos de que lo que el art. 3 j. de la LOPDP define como fuentes accesibles no son los datos, sino las fuentes o ficheros en las que aquellos resultan accesibles sin mayor limitación que, en su caso, el previo abono de una contraprestación, lo que nos hace plantearnos la siguiente cuestión. ¿Realmente los datos que contiene una fuente accesible al público se convierten en datos no reservados por ser libres y generalmente accesibles para terceros? ¿O solo son accesibles en la medida en que se contienen y obtienen precisamente de una de dichas fuentes?

La cuestión no es baladí y goza de una enorme trascendencia práctica, ya que si se admite la primera posibilidad habrá de entenderse que ninguno de los datos contenidos en dichos registros puede considerarse como reservados, ni puede, consecuentemente, quedar penalmente protegido por el artículo 197.2 CP por más que se obtenga, se utilice o se altere en una fuente o fichero diferente de los accesibles al públicos; mientras que si, por el contrario, se sostiene la segunda, habrá de afirmarse que, en realidad, el art. 3 j. LOPDP no delimita datos libremente accesibles, sino tan solo uno de los lugares o formas en los que puntual y excepcionalmente se puede acceder de forma autorizada a los que no lo son, sin contar con el consentimiento de su titular, con lo que los datos en cuestión no perderían su carácter general de no accesibles y reservados, ni, en consecuencia, dejarían

---

35 ROMEO CASABONA, C. M. en *Comentarios al Código penal....* pág. 751. En concreto, y conforme a lo establecido en el citado art. 3 j. LOPDP excluiría del ámbito de aplicación del art. 197.2 CP a todos los datos que se hubiesen obtenido del *"...censo promocional, los repertorios telefónicos en los términos previstos por su normativa específica y las listas de personas pertenecientes a grupos de profesionales que contengan únicamente los datos de nombre, título, profesión, actividad, grado académico, dirección e indicación de su pertenencia al grupo"* y *"...los diarios y boletines oficiales y los medios de comunicación"*, así como a aquellos otros que se encontrasen en registros excluidos del ámbito de aplicación de la LOPDP, pero que también tuviesen libre acceso conforme a la normativa que les resultase aplicable. En este sentido se manifiesta también MATA Y MARTÍN, R. M., si bien partiendo de postulados diferentes de los defendidos por Romeo Casabona, en Op. cit. ant. pág. 134.

de estar protegidos por dicho precepto penal frente a otros posibles y futuros accesos, alteraciones o utilizaciones no autorizados que se pudiesen realizar.

Precisamente, parece que ha sido el propio el legislador el que ha optado por la segunda de las opciones planteadas, ya que solo si se mantiene que los datos contenidos en las fuentes de acceso público resultan generalmente accesibles tan solo en la medida en que se obtienen precisamente de ellas, se podrá entender que el art. 1 del RD 1332/1994, que desarrollaba a la ya derogada LOTADP, aludiese a los *"datos accesibles al público"* definiéndolos como *"... los datos que se encuentran a disposición del público en general, no impedida por cualquier norma limitativa"*, mientras que la actual LOPDP y su reglamento hayan optado por sustituir dicho concepto cambiándolo por el de *"fuentes accesibles al público"*, que aparecen definidas como *"aquellos ficheros cuya consulta puede ser realizada, por cualquier persona, no impedida por una norma limitativa o sin más exigencias que, en su caso, el abono de una contraprestación"*, lo que, a nuestro modo de ver, deja claro que lo que el legislador pretende con dicha expresión es delimitar una de las posibles formas o lugares en los que se puede realizar un acceso autorizado a los datos de carácter personal de un tercero sin su consentimiento y no cambiar en nada ni su concreta naturaleza, ni su general protección[36].

Así pues, y pese a que reconocemos que podría ser que, en un principio, en el ánimo del legislador penal hubiese estado establecer el paralelismo entre los datos accesibles al público de los que hablaba el ya derogado art. 1.3 RD 1332/1994 y los no reservados a los que alude el todavía vigente art. 197.2 CP, creemos que, a día de hoy y tras la importante reforma que la actual LOPDP de 1999 hizo respecto a

---

[36]  De hecho, así lo ha entendido también nuestra jurisprudencia que expresamente ha afirmado en alguna ocasión que *"...a quien alega haber obtenido los datos de una fuente accesible al público le corresponde acreditar o cuando menos especificar cuál es esa fuente; y debe hacerlo de una manera no hipotética y posibilista, sino de forma clara y referida a todos y cada uno de los datos cuyo tratamiento o cesión no consentidos se le imputa"* (SAN de 23 de noviembre de 2003), lo que supone reconocer que para que se pueda acceder a dichos datos y éstos se puedan tratar y ceder libremente, no bastará con que se constate que pudieron ser obtenidos de una de tales fuentes, sino que habrá que probar que efectivamente se obtuvieron de ellas y no de otro lugar donde se pudieran encontrar.

esa materia, se tiene que entender que los datos de dichas fuentes siguen siendo datos no generalmente accesibles y reservados, con lo que tanto ellos, como el resto de los contenidos en otras fuentes gozarán de la protección que les otorga el referido precepto penal; eso sí, siempre y cuando sean datos *"de otro"* y estén *"...registrados en ficheros o soportes informáticos, electrónico o telemáticos o en cualquier otro tipo de registro público o privado"*, lo que, ahora sí, va a restringir significativamente el número de los datos de carácter personal que este delito va a proteger.

La primera delimitación determina que no resulten incardinables en el tipo de injusto de este delito todas aquellas conductas no permitidas o ilegales que un sujeto pueda efectuar sobre sus propios datos de carácter personal[37]. La segunda, por su parte, restringe su protección penal tan solo a aquellos que se encontrasen ya contenidos en un archivo o fichero, esto es, en un *"...conjunto organizado de datos personales, cualquiera que fuere la forma o modalidad de su creación, almacenamiento, organización y acceso"* (art. 3 b) LOPDP), lo que determina que queden al margen de su tipicidad todas las actuaciones ilícitas que se pudiesen cometer sobre datos todavía no incluidos en un fichero (p. ej. todas las realizadas durante su proceso de captación inicial)[38] o las que recaigan sobre los que estén en un grupo de ellos que no guarden ningún orden u organización[39].

---

[37] ROMEO CASABONA, C. M. en *Comentarios al Código penal*....págs. 747 y 752, RUEDA MARTÍN, M. A. Op. cit. ant. pág. 69, CARBONELL MATEU, J. C. /GONZÁLEZ CUSSAC, J. L. Op. cit. ant. pág. 1000.

[38] Así, por ejemplo, lo señalan, ROMEO CASABONA, C. M. en *Comentarios al Código penal*....pág. 760; MATA Y MARTÍN, M. R. Op. cit. ant. pág. 135, RUEDA, 76; PUENTE ABA, L. M. Op. cit. ant. pág. 168, JAREÑO LEAL, A. quien considera adecuada dicha exclusión, en Op. cit. ant. pág. 57 o MORALES PRATS, F. que considera, sin embargo, conveniente la ampliación de la intervención penal para abarcar dichas posibles actuaciones ilícitas. En *Comentarios a la parte Especial*.... pág. 467.

[39] Véase, en este sentido, RUEDA MARTÍN, M. A. Op. cit. ant. pág. 76 o TOMAS-VALIENTE LANUZA, C. quien destaca que lo determinante es que las informaciones formen un conjunto organizado y no una simple lista, en Op. cit. ant. pág. 801. En similares términos lo define la ya citada Directiva 1995/46/CE que en su artículo 2.b) dice que se habrá de tener por fichero de datos personales a *"...todo conjunto estructurado de datos personales, accesibles con arreglo a criterios determinados, ya sea centralizado, descentralizado o repartido de forma funcional o geográfica"*.

Ahora bien, una vez que los datos de carácter personal ajenos están incluidos en ficheros, quedarán protegidos por este delito con independencia de la naturaleza pública o privada que pudieran tener, o de si eran informáticos o no, lo que, como ya señalamos anteriormente, les otorga una amplísima protección penal no circunscrita a controlar su posible lesividad con respecto la intimidad o la privacidad[40].

Algo menos claro está, sin embargo, si los ficheros contemplados y protegidos por el art. 197.2 CP pueden tener un origen ilegal por haberse creado mediante procedimientos ilícitos o prohibidos por la normativa administrativa reguladora de dicha materia, como sucedería, por ejemplo, en el caso, nada infrecuente por otra parte, de que los datos en ellos incorporados se hubiesen obtenido de forma individual por medios fraudulentos o ilícitos, expresamente prohibidos por el art. 4 LOPDP, pero en principio ajenos a la tipicidad penal.

Respecto a esta cuestión, afirma PUENTE ABA que cuando la captación de datos se produce ilegalmente, su uso posterior habrá de permanecer al margen del comentado tipo delictivo *"...puesto que no podemos considerar que los datos estén realmente registrados, tal y como exige el tipo penal, si el fichero ha sido creado ilegalmente"*[41]; postura que no alcanzamos a comprender, puesto que, no entendemos por qué razón la citada autora considera que los datos contenidos en un fichero o archivo ilegal no están registrados, esto es, guardados o contenidos en el mismo.

De hecho, tampoco parece que tenga mucho sentido, desde un punto de vista político-criminal, afirmar que la comisión de una primera

---

[40] Como ya vimos, que no solo se protejan los ficheros informatizados o automatizados, demuestra que no nos encontramos ante un delito exclusivamente protector de la intimidad o de la privacidad que se podría ver afectada por el entrecruzamiento automatizado de datos, postura que llevó, erróneamente a nuestro entender, a MATA Y MARTÍN, R. a afirmar que este delito solo protegerían los datos contenidos en ficheros informáticos, ya que solo estos podrían afectar realmente al bien jurídico protegido por este delito, la intimidad. Op. cit. ant. pág. 136; mientras que determinó que MORALES PRATS, F., al partir de que lo que se protege en este delito es la privacidad, considerase que las conductas que recayesen sobre ficheros no automatizados, sino convencionales, tendrían que recibir una menor pena por aludir a un medio menos insidioso que si lo fuesen, en *Comentarios a la parte Especial...* pág. 473.

[41] PUENTE ABA, L. M. Op. cit. ant. pág. 169.

ilegalidad en el momento de creación del fichero sea precisamente la que determine que todas las conductas ilícitas que posteriormente se realizasen sobre los datos en él contenidos resulten penalmente irrelevantes, mientras que se reconoce que si las mismas actuaciones se realizasen sobre datos personales registrados en ficheros legalmente creados sí podrían ser penalmente castigadas, ya que ello supondría otorgar un tratamiento privilegiado a la conducta más grave (crear el fichero ilegalmente y usarlo de la misma forma) frente a la más leve (solo realizar la segunda ilegalidad) y trasmitiría el erróneo mensaje a la sociedad de que la mejor forma para evitar responsabilidades penales en esta materia, sería, precisamente, actuar al margen de toda la legalidad vigente desde el primer momento.

En realidad, y frente a la postura anterior, consideramos que la delimitación que realiza el delito del art. 197.2 CP con respecto a su posible objeto material determina que su protección de los datos de carácter personal resulte más restrictiva que la otorgada por la LOPDP en algunos aspectos —p. ej. al no abarca la fase de recogida inicial de los datos—, pero también más amplia en otros, al resultar aplicable a todos los registros o ficheros públicos o privados, con independencia de si se habían creado contraviniendo dicha norma o incluso de si resultaban ajenos por la misma, —como sucede, por ejemplo, con todos los ficheros dedicados a actividades exclusivamente personales o domésticas o los regulados por otras normas especiales[42]—; delimitación que, a nuestro modo de ver, se corresponde, por un lado, con el carácter de última ratio del Derecho penal, y por otro, con la distinta y más amplia función protectora que el Código penal está llamado a desempeñar en el sistema general de protección jurídica de los datos de carácter personal que el legislador ha ido creando en su empeño por cumplir con el mandato constitucional contenido en el art. 18.4 CE.

Ahora bien, pese a que el referido precepto penal contemple una protección amplia de los datos de carácter personal contenidos en cualquier clase de ficheros, no sanciona todas las conductas ilícitas que se realicen sobre ellos. En realidad, solo castiga penalmente una

---

[42]    Véase en este sentido lo establecido en el art. 2 LOPDP, donde se delimita y restringe notablemente su ámbito de aplicación.

serie de actuaciones que aparecen contempladas de forma alternativa en dos párrafos separados del art. 197.2 CP.

En concreto, el citado precepto castiga, por una parte, al que *"… sin estar autorizado, se apodere, utilice o modifique, en perjuicio de tercero"* los datos anteriormente delimitados; mientras que por otra, establece que también se aplicarán las mismas penas a quien, careciendo de autorización, *"acceda por cualquier medio a los mismo y a quien los altere o utilice en perjuicio del titular de los datos o de un tercero"*.

Lo primero que llama la atención es el hecho de que el legislador haya tipificado acciones prácticamente sinónimas en dos incisos diferentes del citado artículo.

Así sucede de forma evidente con la utilización de los datos personales, conducta que aparece expresamente contemplada en ambos. Pero es que tampoco el resto de conductas típicas parecen escapar de esta aparente superposición y reiteración, ya que resulta innegable que la conducta de "modificar" los datos del primero es indistinguible y sinónima a la de "alterarlos" que aparece en el segundo, mientras que la de "apoderarse" de ellos, al estar referida a los datos personales dotados de un marcado carácter intangible, parece acercarse notablemente a la de "acceder", una vez que se entiende que ambas aluden a la captación o apoderamiento intelectual o visual de los datos en cuestión[43].

En un intento de dotar de autonomía y, por tanto, de sentido a ambas modalidades comisivas, CARBONELL MATEU y GONZÁLEZ CUSSAC trataron de diferenciarlas atendiendo al objeto sobre el que cada una de ellas habría de recaer.

Así, afirmaban estos autores que solo se podría dotar de vigencia a la descripción típica del segundo inciso del art. 197.2 CP con respecto al primero, entendiendo que cuando el segundo tipifica las conductas de acceso, utilización o alteración de "los mismos" no está haciendo alusión a los datos reservados de carácter personal de los que habla el que lo precede, sino a los propios ficheros o archivos a los que dicho

---

[43]    Así lo señala, por ejemplo MORALES PRATS, F. en *Comentarios a la parte Especial…* pág. 471; MORÓN LERMA. E. Op. cit. ant. pág. 62.

precepto también alude[44], propuesta que, sin embargo, fue pronto rechazada, entre otros por MORALES PRATS, por entender que determinaría que el citado precepto viniese a proteger los ficheros y no los datos que éstos contendrían, lo que desenfocaría teleológicamente su interpretación al desfigurar su bien jurídico protegido que evidentemente está referido a los datos y no a los ficheros que los contienen, al tiempo que generaría alguna incongruencia político-criminal, ya que no se entendería la razón por la que este inciso adelantaría la protección de los ficheros, castigando el mero acceso a los mismos, cuando paralelamente el que le precede había retrasado la de los datos, al dejarlos carentes de toda tutela penal hasta que no se hubiese superado su posible proceso de captación y archivo[45].

Realmente, resulta difícil delimitar lo establecido en ambos párrafos atendiendo al contenido de sus respectivas conductas o al objeto sobre el que éstas vendrían a recaer y ello llevó a otro sector doctrinal a tratar de hacerlo atendiendo a los sujetos que se ven implicados en uno y otro, dado que al establecer el primero que sus conductas solo serían típicas cuando se realizasen en perjuicio de tercero y el segundo que las suyas solo darían lugar a delito si se efectuasen en perjuicio de un tercero o del titular de los datos, parecía que estaban diferenciando los sujetos que se podrían ver afectados por la realización de cada uno de sus respectivos injustos[46].

---

[44] CARBONELL MATEU, J. C. /GONZÁLEZ CUSSAC, J. L. Op. cit. ant. pág. 1001.

[45] MORALES PRATS, F. en *Comentarios a la parte Especial...* pág. 471 y 472. En similares términos, RUEDA MARTÍN, M. A. Op. cit. ant. pág. 79, entre otros.

[46] En este sentido, señalaba ROMEO CASABONA que el hecho de que en el primer párrafo no se aluda expresamente al titular de los datos como posible víctima potencial de la realización de sus conductas y, sin embargo, el segundo si lo haga, parecía indicar que el legislador consideraba que dicho sujeto era un posible autor de las primeras actuaciones delictivas comentadas, pero no de las segundas, lo que le llevó a entender que, en realidad, el legislador había tratado (sin demasiado éxito) de limitar la aplicación de las primeras modalidades del art. 197.2 CP a aquellas que se efectuaban por un sujeto inicialmente autorizado a acceder a los ficheros (como lo sería el titular de los datos), pero que se extralimita en su autorización, dejando, por el contrario, la segunda para castigar tan solo a aquellas que se hubiesen ejecutado por sujetos que no estaban autorizados *ab initio* a acceder a los mismos, en *Comentarios al Código penal....*págs. 758 y 759. En el mismo sentido, RUEDA MARTÍN, M. A. Op. cit. ant. pág. 77 y ss. Por su parte, MATA Y MARTÍN, R. M. señalaba que el hecho de que las prime-

Sin embargo, tampoco creemos que las referencias al perjuicio de tercero o del titular de los datos sirvan realmente para diferenciar las conductas típicas de en uno y otro inciso del 197.2 CP.

Más bien parece, como señala MATA Y MARTÍN, que la superposición de las modalidades comisivas de ambos se deriva, precisamente, del particular y defectuoso proceso legislativo que se encuentra tras la creación de este artículo; un proceso que llevó a que el inicialmente no previsto inciso segundo se incluyese en su seno, sin haber reflexionado sobre las repercusiones que ello podría tener, y a que, además, se produjese una posterior, sucesiva y no coordinada acumulación de enmiendas sobre su redacción original, —al principio, solo referida al acceso no autorizado a los datos—, que terminaron por llevar a que su injusto se expandiese hasta hacerlo prácticamente indistinguible de aquel que lo precede[47].

Ahora bien, el hecho de que no resulte posible, a nuestro juicio, distinguir los injustos contemplados en ambos incisos del art. 197.2 CP atendiendo a sus respectivas referencias a los perjuicios contenidas en sus tipos, no impide que se tenga que entender que dichas referencias sí desempeñan un papel esencial a la hora de delimitarlos; papel que, sin embargo, ha sido definido de formas muy diferentes por nuestra doctrina y nuestra jurisprudencia.

Así, mientras un importante sector doctrinal y jurisprudencial considera que estos elementos aluden al resultado lesivo objetivo que se ha de producir sobre la intimidad para que se alcance la consumación delictiva[48]; otro entiende que, en realidad, establece una especial

---

ras modalidades aludiesen tan solo al perjuicio de los terceros y las segundas lo hiciesen también con el del titular de los datos, ponía de manifiesto como la primera modalidad trataba de castigar los ataques a la intimidad que se realizasen mediante el uso y el abuso datos personales, mientras que la segunda pretendía más bien proteger el poder de disposición del titular de los datos (el propietario del fichero), lo que la convertía a sus conductas típicas y especialmente a la referida al acceso a los datos, en una modalidad no protectora de la intimidad, sino del patrimonio de dichos sujetos, demostrándose de este modo, a su juicio, que la redacción de este precepto constituye un excelente ejemplo de deficiente técnica legislativa Op. cit. ant. pág. 140.

[47]  MATA Y MARTÍN, R. M. Op. cit. ant. págs. 140 y 141.

[48]  En este sentido, se manifiestan entre otras las STS de 18 de febrero de 1999 (*Tol 272511*), la STS de 11 de julio de 2003, la ST de la AP de Castellón de 26

exigencia subjetiva que perfila su injusto típico, bien excluyendo del mismo a las conductas que no se realizasen con dolo directo de lesionar la intimidad[49], bien introduciendo un especial elemento subjetivo que convierte a esta figura en un delito de tendencia y subjetivamente incongruente, cuya consumación formal se produce antes de que su autor consiga obtener efectivamente el resultado perjudicial que pretendía generar con su ejecución[50].

Los argumentos utilizados por unos y otros para respaldar sus posturas son variopintos y contrapuestos, y así, mientras que quienes defienden la naturaleza objetiva de este elemento consideran que ello daría seguridad jurídica al delito, al tiempo que impediría que se convirtiese en un delito de peligro respecto a la intimidad[51], los que le otorgan naturaleza subjetiva afirman que con ello se lograría restringir su ámbito de aplicación, al excluir del mismo, por ejemplo, a los accesos que se hubiesen realizado inicialmente sin dichas intenciones[52], haciendo además factible, a juicio de quienes defiende una

---

de septiembre de 2005 (*Tol 757760*) o la ST de la Audiencia provincial de Islas Baleares de 11 de febrero de 2009 (*Tol 1464694*) partiendo de que convertir a dicho elemento típico en un elemento subjetivo de injusto convertiría este delito en prácticamente inaplicable. En el mismo sentido, JAREÑO LEAL, A. Op. cit. ant. pág. 29 y ss. y JAREÑO LEAL, A. /DOVAL PAIS, A. "Revelación de datos personales, intimidad e informática", en *El nuevo Derecho penal español. Estudios penales en memoria del profesor José Manuel Valle Muñiz*. Ed. Aranzadi, ElCano, 2001. pág. 1486 y ss.

[49] Véase la Sentencia de la Audiencia Provincial de Huelva, de 12 de septiembre de 2007.

[50] Así, entre otros, ROMEO CASABONA, C. M. quien señala que la consideración como elemento típico de naturaleza subjetiva se desprende del propio uso de la preposición "en", afirmando además que su uso supone un filtro contra el castigo indiscriminado de las personas que acceden a bases de datos ajenas sin dicho propósito, si bien no tiene que estar exclusivamente referido a la intimidad, sino que puede estar dirigido a perjuicios de otros bienes jurídicos personales o incluso patrimoniales. En *Comentarios al Código penal*....pág. 762 y ss. En el mismo sentido se manifiestan, MUÑOZ CONDE, F. Op. cit. ant. pág. 277, RUEDA MARTÍN, M. A. Op. cit. ant. pág. 81 y ss; CARBONELL MATEU, J. C. /GONZÁLEZ CUSSAC, J. L. Op. cit. ant. pág. 1000 o MORALES PRATS, F. quien, sin embargo, lo considera como equivalente a la intención de descubrir o vulnerar la intimidad de otro. En *Comentarios a la parte Especial...* pág. 469.

[51] JAREÑO LEAL, A. Op. cit. ant. pág. 26.

[52] MORALES PRATS, F. en *Comentarios a la parte Especial...* pág. 469; ROMEO CASABONA, C. M. en *Comentarios al Código penal*....pág. 763 y ss.

interpretación amplia del perjuicio que se tendría que perseguir, que castigue al autor de sus conductas típicas con independencia de la concreta naturaleza que tuviese el daño que pretendiese ocasionar al realizarlas, ya que éste no tendría por qué quedar limitado a la posible afección de la intimidad[53].

Pese a todo, ninguno de ellos nos llega a convencer.

La primera porque convierte al referido elemento en un referente típico redundante o incluso contraproducente, ya que, por una parte, vendría a aludir a una lesión de la intimidad que, conforme a los propios postulados de sus defensores, siempre se produciría como consecuencia automática e inevitable de la realización del acceso no autorizado a los datos personales que, no lo olvidemos, a su modo de ver, solo se podrán proteger en la medida en que tuviesen carácter íntimo o sensible[54], mientras que, por otra, volvería a hacer que conductas tales como las de alteración o modificación de los datos personales ajenos, expresamente contempladas en este delito, quedasen prácticamente carentes de cualquier sentido, ya que difícilmente su realización podría llegar a lesionar a la intimidad, tal y como estos autores exigen.

Sin embargo, tampoco creemos que su consideración como elemento típico de naturaleza subjetiva corra mejor suerte, puesto que si se exige que todas las modalidades comisivas de este delito tengan que realizarse con intención o dolo directo de vulnerar la intimidad para poder ser típicas, de nuevo se convertirá a las alteraciones y modificaciones no autorizadas de datos personales ajenos en conductas típicas inútiles, ya que difícilmente se pueden cometer con dicha finalidad; mientras que si se parte de una concepción más amplia del perjuicio subjetivamente perseguido que lo extienda al referido a otros valores como el patrimonio, no podrá sostenerse ya que este delito tutele exclusivamente la intimidad[55], sino que habrá de admitirse que nos

---

[53]   En este sentido, CARBONELL MATEU, J. C. /GONZÁLEZ CUSSAC, J. L. Op. cit. ant. pág. 1000; RUEDA MARTÍN, M. A. Op. cit. ant. pág. 82, ORTS BERENGUER, E/ROIG TORRES, M. *Delitos informáticos y delitos comunes cometidos a través de la informática*. Ed. Tirant lo Blanch, Valencia, 2001. pág. 37.

[54]   Véase, en este sentido, lo señalado por la ya citada STS de 18 de febrero de 1999 (*Tol 272511*) o lo comentado por RUEDA MARTÍN, M. A. Op. cit. ant. pág. 29.

[55]   Así, no puede sino sorprender que CARBONELL MATEU, J. C. /GONZÁLEZ CUSSAC, J. L. afirmen que, pese a que el perjuicio perseguido puede ser de natu-

encontramos ante un delito subjetivamente pluriofensivo, que amparará una amplia e indeterminada gama de bienes jurídicos diversos y completamente desconectados entre sí, lo que, sin duda, desdibujará el contenido de este elemento subjetivo y con ello, también la del propio injusto de este delito.

Mucho más prudente resulta, a nuestro juicio, considerar que estamos ante un delito que protege directamente a los datos de carácter personal y a los derechos que sobre ellos tienen los ciudadanos, como valor autónomo pero instrumental de la protección de otros de sus bienes jurídicos; consideración que es precisamente la que nos lleva a entender que lo que el legislador ha pretendido conseguir al exigir que los usos y abusos no autorizados de datos personales se realicen en perjuicio de terceros o del titular de los datos para ser típicos, es excluir de este delito a todas aquellas actuaciones que, pese a haber lesionado los derechos que tutelan tales datos frente a posibles abusos, no llegasen a representar afección alguna para ninguno de aquellos valores o bienes que la protección de datos de carácter personal trata precisamente de garantizar. Es decir, que no representen lesión o puesta en peligro alguna para la intimidad, el honor la libertad o cualquier otro valor del titular de los datos o de un tercero.

De este modo, se conseguirá que por más que un sujeto acceda, se apodere o altere de forma no autorizada los datos de carácter personal de otro que se encuentren registrados en un fichero (p. ej. nombre, su dirección o su teléfono), dicha conducta solo sea típica de este delito en la medida en que se constate que al hacerlo se estaba cuando menos poniendo en peligro a alguno de dichos valores, cosa que, por ejemplo, podría no suceder en el caso de que el concreto acceso no autorizado producido se hubiese realizado sobre un reducido número de datos, pero sí podría apreciarse, sin embargo, si el número o el con-

---

raleza diversa a la intimidad, recuerden a continuación que "... *en este precepto se tutela exclusivamente la intimidad y no se contempla la lesión de otros bienes jurídicos*", en Op. cit. ant. pág. 1000, lo que a nuestro juicio parece olvidar que al exigir que en este delito se dé un ataque subjetivo a otros bienes jurídicos diferentes de la intimidad para su apreciación, se convierte también a dichos valores en bienes tutelados por su injusto, con lo que se configura a este delito como un delito pluriofensivo que ya no puede ser considerado como exclusivamente protector de la intimidad, por más que no sea necesario que se alcance la efectiva lesión de dichos valores para apreciar su consumación.

tenido de los datos obtenidos resultase adecuado para lograr tener conocimiento de alguna faceta concreta de su vida privada o intimidad
(p. ej. cuando los datos obtenidos permitiesen conocer su ideología o
elaborar un perfil de su persona como consumidor o como votante)
y que, del mismo modo, podría no darse cuando el dato personal
ilícitamente alterado no ponga en peligro ningún otro valor o derecho más allá del meramente referido a la protección de datos, pero
sí concurrirá cuando la modificación o alteración producida hubiese
recaído sobre alguno que pudiese servir para poner en tela de juicio la
honorabilidad de su titular o la de un tercero (p. ej. si lo modificado
fuese la fecha de vencimiento de la deuda de un sujeto de forma que
pudiese determinar que apareciese en un registro de morosos).

Estamos, por tanto y a nuestro modo de ver, ante un importante
elemento objetivo que restringe notablemente el tipo de injusto de
este delito, ya que determina que la lesión del derecho a la protección
de datos producida con la realización de sus conductas solo pueda
llegar a ser penalmente relevante en la medida en que se constate que
resulta objetivamente idónea para lesionar aquellos valores o bienes
jurídicos que la protección de datos trata mediatamente de proteger
(intimidad, honor, libertad, etc.)[56], lo que se corresponde perfectamente con la interpretación del bien jurídico aquí sostenida, hace que
su protección penal responda de forma proporcionada a la gravedad
del hecho cometido y consigue, además, que dicha protección actúe
de forma subsidiaria respecto a aquella otra que también otorga a los
datos personales el Derecho administrativo sancionador.

Ahora bien, y por otra parte, resulta evidente que todos estos accesos,
usos, apoderamientos o alteraciones lesivos del derecho a la protección
de datos personales e idóneos para perjudicar otros valores o bienes jurídicos, solo serán típicos en la medida en que se realicen de forma no
autorizada, expresión legislativa cuya concreta naturaleza y función también ha sido objeto de controversia dentro de nuestra doctrina.

---

[56]   También considera que este elemento típico tiene naturaleza objetiva y está refe-
       rido a la idoneidad lesiva de la conducta realizada, si bien lo hace partiendo de
       postulados diferentes a los aquí sostenidos, MATA Y MARTÍN, R. M. RUEDA
       MARTÍN, M. A. Op. cit. ant. pág. 137.

Para algunos autores, nos encontramos ante una expresión que actuaría como una causa de justificación especial que resolvería los conflictos puntuales que se podrían producir entre el bien jurídico protegido por este delito y otros intereses susceptibles de tutela jurídica y que podrían tener mayor entidad que aquél[57]; mientras que otros, por el contrario, entienden que nos encontramos ante un elemento normativo que excluye la propia tipicidad de todas las conductas que se hubiesen realizado respetando la normativa extrapenal reguladora de tales actuaciones[58].

Ésta última es, a nuestro juicio, la postura más acertada y desde la que hay que partir, ya que entendemos que lo que este elemento intenta es, precisamente, articular y coordinar la protección penal y la extrapenal de los datos de carácter personal, excluyendo, como no podía ser de otra forma, la posible relevancia típica inicial de todas las actuaciones que se realicen de forma lícita conforme a esta última normativa; finalidad que solo se podía conseguir convirtiendo a lo establecido en ella y no solo a la presencia o ausencia del consentimiento del interesado, como algunos autores mantienen[59], en un referente delimitador básico de las conductas penalmente relevantes, ya que, un simple vistazo a la normativa administrativa reguladora de esta materia demuestra que pueden existir apoderamientos, accesos, usos o alteraciones de datos de un tercero perfectamente lícitos y autorizados, pese a no haber sido realizados con tal consentimiento[60].

---

[57] MUÑOZ CONDE, F. Op. cit. ant. pág. 276; CARBONELL MATEU, J. C. / GONZÁLEZ CUSSAC, J. L. Op. cit. ant. pág. 100 y 1001; RUEDA MARTÍN, M. A. Op. cit. ant. pág. 86.

[58] Así, por ejemplo, ROMEO CASABONA, C. M. en *Comentarios al Código penal...* pág. 761 y ss. o MORALES PRATS, F. en *Comentarios a la parte Especial...* pág. 468.

[59] Así lo sostienen, por ejemplo, MATA Y MARTÍN, R. M., quien afirma que, dado el carácter disponible del bien jurídico, al exigir que la actuación se realice sin estar autorizado se sancionan las conductas que no cuenten con la anuencia del interesado o interesados Op. cit. ant. pág. 138; mientras que BOLEA BARDÓN, C. afirma que el consentimiento del titular es siempre necesario para el acceso y utilización de dichos datos. Op. cit. ant. pág. 270.

[60] Así, por ejemplo, señala ROMEO CASABONA, C. M. que *"...en la doctrina en ocasiones se asimilan ambos (consentimiento y autorización) cuando realmente comportan relaciones jurídicas completamente diversas, al menos en relación con los datos personales, lo cual se refleja cumplidamente en las limitaciones*

Estamos, por tanto, ante un elemento normativo del tipo objetivo de este delito[61], que habrá de delimitarse y concretarse en cada caso concreto atendiendo a la específica normativa que regule los derechos de acceso, apoderamiento, uso y alteración o modificación de los datos personales ajenos de que se trate, y que, además, tendrá que ser necesariamente abarcado por el dolo del autor de estas actuaciones para que las mismas puedan llegar a ser consideradas como típicas, hechos ambos que, evidentemente, no impedirán que puedan darse casos en los que las posibles conductas no autorizadas, dolosas y típicas de este delito puedan quedar excepcionalmente justificadas, precisamente, por haber sido realizadas para salvaguardar algún otro valor o derecho (como podría ser el de la libertad de información), con el que la protección de datos pueda entrar puntualmente en conflicto[62].

Bien, una vez llegados a este punto, podemos concluir esta breve delimitación general de la protección penal del derecho a la protección de datos personales establecida por el art. 197.2 CP, señalando que, si bien dicha protección muestra algunos signos evidentes de

---

*fijadas legalmente a la relevancia del consentimiento del interesado, que tan solo se limita al tratamiento de sus datos", en Comentarios al Código penal....pág. 761.* En esta línea, señala MORALES PRATS, F. que la tutela de los datos personales no se puede estructurar sobre modelos simplistas como el del principio del consentimiento del interesado, lo que le lleva poco después a afirmar que cuando el legislador alude a la actuación sin autorización, está exigiendo que ésta sea ilegal, esto es, contraria a lo establecido por la normativa extrapenal, en *Comentarios a la parte Especial....* págs. 462 y 468; normativa que, como pone de manifiesto, entre otros, SANTOS GARCÍA, D. en muchos supuestos permite que se puede acceder a datos, usarlos o incluso alterarlos de forma lícita y sin contar con el consentimiento de su titular. *Nociones generales de la ley orgánica de protección de datos y su reglamento.* Ed. Tecnos. Madrid, 2012. pág. 73 y ss.

61  RUEDA MARTÍN, M. A. Op. cit. ant. págs. 86 y 87.
62  En efecto, resulta perfectamente factible que se puedan plantear casos en los que una conducta inicialmente no acorde con la normativa extrapenal (no autorizada) y tan lesiva como para ser considerada como penalmente relevante conforme a los parámetros anteriormente comentados, pueda quedar excepcionalmente justificada, precisamente, como consecuencia de haberse realizado en un caso de conflicto con otros intereses merecedores de tutela (p. ej. con la libertad de información); supuestos éstos en los que, ahora sí, habrá que valorar si la actuación inicialmente prohibida podría quedar excepcionalmente permitida, precisamente como consecuencia de la concurrencia de alguna causa de justificación general, como podrían ser el ejercicio legítimo de un derecho o incluso el estado de necesidad.

descoordinación con la administrativa, evita caer en solapamientos irresolubles con ella, gracias, precisamente, a que siempre castigará conductas más graves que las allí sancionadas, ya que además de limitar su protección tan solo los ataques dolosos que hubiesen superado el límite de lo generalmente permitido por tal normativa, también exigirá que presenten una lesividad objetiva respecto a otros bienes jurídicos diferentes de la protección de datos de carácter personal, que dotará de un desvalor propio y mayor al injusto penal frente al que no lo es, lo que nos hace pensar que gozamos de una protección penal amplia de los datos de carácter personal que, pese a sus defectos y descoordinaciones, consigue no solaparse con su tutela extrapenal.

Veamos ahora, si además responde eficazmente a las nuevas y peligrosas formas de abuso de dichos datos que han ido surgiendo con el desarrollo de la sociedad de la información.

## 4. NUEVOS DATOS SENSIBLES, NUEVAS FORMAS DE ATAQUE, ¿MISMOS MECANISMOS DE PROTECCIÓN PENAL?

Como acabamos de ver, el Derecho penal no protege todos los datos de carácter personal frente a todos los abusos que se puedan realizar sobre los mismos. Esta rama del ordenamiento jurídico aporta una protección limitada y fragmentaria de dichos datos y precisamente por ello, suscita dudas sobre si su actual configuración, que se mantiene inalterada desde hace casi veinte años, responde adecuadamente a los nuevos retos que plantean una realidad que evoluciona y cambia tan rápidamente como la actual.

Evidentemente, resulta imposible analizar en un trabajo como éste, todos y cada uno de estos retos y es por ello, por lo que centraremos nuestra atención en los tres que, a nuestro modo de ver, parecen plantear los mayores problemas prácticos.

Comenzaremos por el denominado robo de identidad, conducta a la que cada vez aluden más normas nacionales e internacionales y que podía ser definida como aquella que *"... realiza quien obtiene o se apodera de datos, informaciones o documentos de un tercero y los utiliza para hacerse pasar por él en muy diversos ámbitos de la vida cotidiana"*[63]. Posteriormente, analizaremos hasta qué punto el Derecho penal protege adecuadamente al ciudadano frente a los abusos que se pueden realizar gracias a la ingente cantidad de información personal que se almacena y publica en las nuevas redes sociales. Y, finalmente, estudiaremos, aunque sea de forma somera, hasta qué punto los denominados datos de tráfico, esto es, los que se generan de forma automática cada vez que realizamos una telecomunicación, informática o no, e informan sobre determinados aspectos accesorios a su realización (p. ej. duración, intervinientes, medio utilizado etc...), gozan de la protección penal que brinda el comentado art. 197.2 CP o de la de algún otro precepto de los contemplados en nuestro Código Penal.

## 4.1. La respuesta penal a los robos de identidad digital.

El fenómeno impropiamente denominado como "robo de identidad", como consecuencia de la traducción directa de su denominación inglesa (*Identity Theft*), alude a un grupo muy diverso de posibles conductas que solo tienen en común el hecho de que en todas ellas se utiliza y/o se suplanta la identidad de otra persona, para realizar todo tipo actividades ilícitas.

Así, por ejemplo, no es infrecuente que se suplante o se "robe" la identidad de terceras personas en la realización de actividades de inmigración ilegal, de terrorismo[64], de criminalidad organizada o en de fraudes de muy diversa índole, tanto económicos como, por ejemplo, en aquellos otros que permitirían atribuir la comisión de hechos ilícitos o deshonrosos a sujetos diferentes de quienes realmente los efectuaron[65].

---

[63] GALÁN MUÑOZ, A. "El robo de identidad: aproximación a una nueva y difusa figura delictiva" en *Robo de identidad y protección de datos*. Ed. Aranzadi, Cizur Menor, 2010. pág. 169.

[64] VILLACAMPA ESTIARTE, C. en "Tráfico de documentos falsificados y uso indebido de documentos auténticos en el proyecto de Ley Orgánica de modificación del CP de 2007", en *La adecuación del Derecho penal español al ordenamiento de la Unión Europea. La política criminal europea*. Ed. Tirant lo Blanch. Valencia, 2009. pág. 668 y ss.

[65] En este sentido, llama la atención que el 5% de las víctimas de robo de identidad computadas en el que posiblemente ha sido el mayor estudio criminológico efectuado hasta la fecha sobre este tipo de conductas, el Identity Theft Survey

El fenómeno no es en absoluto nuevo. Robos de identidad ha habido durante toda la historia. Lo que sucede es que con la proliferación y expansión de las nuevas tecnologías de la información resulta mucho más fácil captar nuestros datos de identificación y cada vez existen más y más variados datos que nos identifican y que se pueden utilizar para realizar este tipo de actuaciones, ya que cada vez son más numerosas y diversas las identidades que utilizamos en Internet, llegándose a hablar de la existencia, no de una identidad digital, sino de la de un verdadero "ecosistema de identidades digitales", en el que los datos que identifican y diferencian a una persona respecto del resto en la red varían dependiendo, entre otras cosas, de para que los vaya a usar y de con quién esté interactuando[66].

En principio, muchas de las utilizaciones de datos ajenos que se producen en los robos de identidad tras su inicial captación, pueden ser castigadas mediante la aplicación de una amplia variedad de delitos, como los de estafa, estafa informática, fraude mediante uso de tarjetas de crédito debito o de sus datos, falsedad documental, uso de documento falso o incluso a través del nuevo delito de uso no autorizado de documento auténtico del art. 400 bis CP[67].

---

Report, realizado en el año 2006 por la Comisión Federal de Comercio de los Estados Unidos, manifestase que sus datos habían sido utilizados por la persona usurpadora de los mismos para facilitárselos a la policía cuando fueron detenidos o acusados de un crimen. Véase Identity Theft Survey Report. En http://www.ftc.gov/os/2003/09/synovatereport.pdf (últ. vis. 12-7-2009), pág. 21.

[66] Así, y como señala, ALAMILLO DOMINGO, I., junto a los datos propios de la denominada "identidad nuclear o base", esto es, aquella que nos identifica de forma general y con independencia de ante quien queramos hacerlo (p. ej. nombre, apellidos, DNI, etc.), aparecen otras identidades, a las que se las denominada de segunda o de tercera parte, dependiendo de si solo sirven para identificarnos ante aquel que nos la suministró (p. ej. los datos de accesos a una cuenta bancaria online) o nos permiten hacerlo además con terceros diferentes de él (p. ej. los datos de una tarjeta de crédito o débito o los de una cuenta de correo o de una red social), lo que le lleva a hablar del mencionado "ecosistema de identidades digitales", en "La identidad electrónica en la red" en *Derecho y Redes Sociales*. Ed. Civitas, Madrid, 2010, pág. 37 y ss.

[67] De hecho, este último delito parece creado expresamente para castigar la mayoría de los usos ilegítimos de la identidad de otra persona, por lo no debe sorprender que algún autor como MUÑOZ CONDE, F. afirme que en realidad nos encontramos ante un delito de usurpación de identidad, en Op. cit. ant. pág. 763. Sin embargo, y a nuestro modo de ver, al condicionar su tipicidad al uso

Sin embargo, lo que aquí tenemos que plantearnos es si, junto a esas protecciones parciales y sectoriales, podría entenderse también que algunos o incluso todos los casos de abusos o usurpaciones de identidades ajenas podrían gozar de una protección general, precisamente, por el hecho de suponer la comisión de alguno de los actos de apoderamiento, acceso o utilización no autorizada de datos personales que castiga el art. 197.2 CP. Esto es, si podrían constituir delito contra el derecho a la protección de datos de carácter personal.

Lo primero que se ha de señalar respecto a esta cuestión es que, pese a la enorme variedad de datos identificativos que, como hemos visto, pueden corresponder e identificar a un sujeto, dependiendo de en que esfera de su vida se encuentre y con quién se está relacionando (p. ej. número del DNI, de la Seguridad Social, datos bancarios, de tarjeta de crédito, número de teléfono, dirección de correo electrónico, etc…), todos ellos son susceptibles de ser incardinados dentro del amplio concepto de datos de carácter personal utilizado por el art. 197.2 CP.

Como ya hemos visto, se parte de una delimitación amplia de dichos datos, conforme a la cual podrá tenerse por tales a todos aquellos que representen una *"…información concerniente a personas físicas identificadas o identificables"* (art. 3 a) LOPD), lo que supone, como bien señala ROMEO CASABONA, que solo cuando los datos de una persona sean sometidos a un proceso de disociación o *anonimización* completa e irreversible, que haga prácticamente imposible volver a asociarlos con la persona a la que están referidos, podamos afirmar que nos encontraremos ante datos que habrían perdido su carácter de datos de carácter personal[68].

---

de un documento, continuarán dándose casos de robo de identidad a los que esta figura no se les podrá aplicar, ya que realizarán sin utilizar documentos en sentido estricto, sino las informaciones y datos contenidos en los mismos, con lo que sigue estando plenamente vigente la afirmación realizada por QUINTERO OLIVARES, G. cuando señaló que *"… nuestro derecho positivo carece de una tutela general de la identidad"*, ya que *"… los actos que pueden realizarse utilizando el nombre de otro pueden ser muchos y solo algunos son hoy delictivos"*. En "La 'clonación' de tarjetas y el uso de documentos ajenos", en Boletín de Información del ministerio de Justicia, nº 2015, 2006. pág. 144.

[68]     ROMEO CASABONA, C. M. en *Comentarios al Código penal….* págs. 749 y 750.

No es este el problema, por tanto, en el caso que nos ocupa, ya que, pese a que algunos de los datos de lo que estamos hablando pueden incluso buscar obtener un cierto anonimato parcial del sujeto al que están referidos, siempre establecerán sistemas que hagan reversible dicho proceso, con objeto de que los datos puedan cumplir su función identificadora, lo que nos lleva a pensar que no le falta razón a ALA-MILLO DOMINGO cuando señala que "*... todos tenemos muchas identidades, parciales, adecuadas a los diferentes roles y actividades que realizamos durante nuestra vida, cuyo uso está protegido de manera particularmente intensa por las leyes de protección de datos de carácter personal*"[69], aunque ello, evidentemente, no determinará que todos los abusos realizados con dichos datos den automáticamente lugar a la apreciación del delito del art. 197.2 CP.

De hecho, dicha posibilidad se enfrenta, en primer lugar, al problema de que en la mayoría de los casos de robo de identidad, los datos utilizados en su realización no están almacenados en ningún fichero, ni tampoco lo estaban cuando se captaron para hacerlo, ya que, lo normal es que se consignen individualizadamente y sin acceder a ningún fichero, gracias incluso a que su propio titular los habría entregado de forma voluntaria aunque errada, —como sucede, por ejemplo, en los casos de *Phishing* o de *Pharming*[70]—, lo que impedirá que este delito pueda utilizarse para castigar a la mayoría de los

---

[69]    ALAMILLO DOMINGO, I. Op. cit. ant. pág. 40.

[70]    Por *Phishing* se entiende aquella técnica de ingeniería social que consigue, generalmente mediante el envío masivo de mails, que el titular de los datos de identidad sea precisamente el que los facilite, por creer que los estaba dando a la entidad que precisamente se los había suministrado para identificarle (p. ej. un banco). Sin embargo, también existen otras técnicas de captación de datos personales mucho menos conocidas y, por ello, también más peligrosas y difíciles de detectar, como las que se han englobado bajo la denominación de *Pharming*, supuestos en los que se redirecciona, por diversos métodos, al usuario de Internet a una *web* de similar aspecto a aquella a la que quería acceder, pero que estaría controlada por la persona o personas que le redireccionaron a ella, para que introdujese sus datos identificativos en la *web* fraudulenta (p. ej. las número de tarjetas de crédito, claves operativas de webs bancarias, etc.) creyendo que lo estaba haciendo en aquella a la que quería acceder y en la que confiaba. Todas son técnicas tendentes a conseguir los datos de identidad de otra persona, pero en todas o en la inmensa mayoría, los datos se consiguen de forma individualizada y sin que estén incorporados todavía a un fichero, lo que impide que el delito del 197.2 CP las pueda castigar.

autores de robos de identidad o a los que cometieron alguna de las reseñadas modalidades fraudulentas de captación de datos previas a su realización.

La utilidad, por tanto, de este delito a la hora de castigar las captaciones y los usos fraudulentos de datos propios de los robos o usurpaciones de identidad es, como se puede comprobar, casi nula.

Ahora bien, tal vez este delito sí pueda jugar un papel importante en la persecución y represión penal de uno de los fenómenos que se ha venido desarrollando de forma paralela al incremento de los robos de identidad. Nos referimos a la aparición de un cada vez más numeroso y extendido "mercado negro" de datos personales en el que se ofertan e incluso se subastan a través de Internet archivos con todo tipo de datos de cientos de personas ante los interesados en poder adquirirlos y utilizarlos para efectuar todo tipo conductas ilícitas, incluidas muchas de las relativas al robo de identidad.

Así sucede, por ejemplo, con los datos bancarios, como los contenidos en muchos de los medios de pago distintos del efectivo, (como los números de las tarjetas de crédito, su PAN, su fecha de caducidad, etc...)[71], o con muchos otros de los datos personales de sujetos de cierta relevancia social[72]; datos todos ellos que, una vez obtenidos en una cantidad suficiente, son agrupados y clasificados en enormes ficheros por quien los consiguió, para ofrecerlos posteriormente en la red al mejor postor.

Pese a la enorme peligrosidad que presentan estas conductas, castigarlas penalmente atendiendo a las clásicas tipificaciones protectoras del patrimonio o de la intimidad resulta muy difícil, ya que no siempre terminan por contribuir a la efectiva comisión de delitos por parte de quienes adquirieron los datos en cuestión, ni cuando ello sucede, es decir, cuando alguno de estos delitos se cometen con los datos sumi-

---

[71]   Sobre este mercado y su posible represión penal véase lo comentado por GALÁN MUÑOZ, A. en "El robo de identidad..." pág. 191.

[72]   Un caso reciente referido a este tipo de mercado negro de datos personales, es el que parece haber sido descubierto y desmantelado recientemente por la Policía nacional en la denominada operación Pitiusa, supuesto en el que un grupo de personas se hacían con toda clase de datos personales de empresarios, abogados e incluso de algún integrante de la casa real, ofreciéndolos posteriormente al mejor postor. Véase respecto a este caso el diario *El País* de 27 de junio de 2012.

nistrados, resulta fácil probar que quienes los entregaron lo hicieron con el dolo de colaborar en el concreto delito cometido por quien los adquirió y utilizó.

Es aquí donde parece que el referido art. 197.2 CP podría jugar un papel protector esencial.

Nos encontramos, ahora sí y en la mayoría de los casos, ante unos ficheros que contienen un conjunto organizado de datos personales ajenos y que permiten acceder a ellos con criterios determinados[73], con lo que, una vez que se ha admitido que también los ficheros creados ilegalmente, como sin duda serían los aquí comentados, están protegidos por el referido precepto penal, podremos plantearnos si los actos de cesión, distribución o venta de dichos ficheros, posteriores a su creación y realizados en los citados mercados negros, podrían tener cabida en el ámbito de protección del referido precepto penal.

En definitiva, tendremos que plantearnos si todas o algunas de estas actuaciones son subsumibles en alguna de las modalidades comisivas contempladas en el comentado precepto penal, existiendo en este punto dos posturas doctrinales contrapuestas que darán lugar a soluciones prácticas bien distintas.

Por una parte, está aquella que mantiene que las difusiones, revelaciones o cesiones de datos personales solo serán típicas en la medida en que vengan precedidas por la comisión de alguna de las conductas del tipo básico del art. 197.2 CP, porque solo así se entenderá que el art. 197. 4 CP cualifique la pena del responsable del delito del art. 197.2 CP precisamente cuando después de cometerlo, difunda, revele o ceda a terceros los datos o hechos descubiertos gracias a su realización, lo que convierte, a juicio de quienes mantienen esta postura, a este tipo cualificado en un tipo compuesto con estructura doble, que absorbería en su seno el injusto de la modalidad básica[74], pero tam-

---

[73]    Sobre el concepto de fichero, definido en el art. 2 b) LOPDP y en el art. 15 de la Directiva 95/46/CE, véase lo comentado por LESMES SERRANO, C. Op. cit. ant. pág. 100 y ss.

[74]    En este sentido, afirma JAREÑO LEAL, A. que "... *los casos de difusión sin haber llegado a ellos de forma típica habría que desviar los hechos a la mera protección civil. Es decir, si el apoderamiento o el acceso previos no han sido constitutivos de los tipos del art. 1971 o 2, aunque el sujeto que ha llegado a los datos los difunda no por ello se comente el tipo agravado del art. 197.3 (actual 197.4)*

bién determina que la mayoría de las cesiones y ventas de datos personales que venimos analizando queden al margen de su tipicidad, al quedar fuera del ámbito de su tipo básico, ya que, como hemos visto, la mayoría de ellas no estarían precedidas por la comisión de ninguna de las actuaciones castigadas por el art. 197.2 CP.

Muy distinta sería, sin embargo, la solución que encontrarían estos casos, si se partiese de la segunda de las opciones hermenéuticas sostenidas por nuestra doctrina. En concreto, conforme a esta interpretación, defendida principalmente por MORALES PRATS, se considera que, si bien es cierto que las cesiones o transferencias informáticas de datos no precedidas de actos de intromisión penalmente ilícita en la libertad informática no tienen encaje en ninguna de las figuras delictivas del art. 197.4 CP, ello no representará obstáculo alguno para que puedan quedar subsumidas en el tipo básico de dicho delito, al constituir, al fin y al cabo, una modalidad más de utilización no autorizada de datos castigada por el art. 197.2 CP[75]; interpretación que llevaría a entender que, si bien la mayoría de las actuaciones de los vendedores de ficheros de datos de carácter personal de los comentados mercados negros continuarían sin poder ser castigadas conforme a lo dispuesto en el tipo cualificado protector de los datos personales contenido en el art. 197.4 CP, sí podrían serlo, sin embargo, atendiendo a lo establecido en su tipo básico, con lo que se convertiría a este delito en un referente punitivo básico en la lucha contra la proliferación y expansión de este tipo de mercados.

Como se puede comprobar, nos encontramos ante dos propuestas de interpretación del precepto en cuestión, que dan lugar a soluciones prácticas claramente contrapuestas con respecto al tratamiento penal que han de recibir las actuaciones aquí analizadas, con lo que la pregunta surge de forma inmediata. ¿La difusión, la revelación y la difusión no autorizada de datos personales son conductas individualmente subsumibles en el concepto de utilización no autorizada del art. 197.2 CP?

A nuestro juicio, no.

---

puesto que no se ha dado el tipo básico como paso previo" pág. 87; decantándose por esta opción también ROMEO CASABONA, C. M. en *Comentarios al Código penal*....pág. 784; RUEDA MARTÍN, M. A. Op. cit. ant. pág. 93 y ss.

[75] MORALES PRATS, F. en *Comentarios a la parte Especial...* pág. 475.

Pese a lo sugerente que resulta la propuesta realizada por MORA-LES PRATS, consideramos que la misma no se adecua realmente a lo establecido en nuestro actual Código penal, ya que parece evidente que si el legislador optó en su día por tipificar expresamente dichas actuaciones tan solo cuando se realizasen precisamente respecto a datos obtenidos mediante la realización del injusto del tipo básico y no con respecto a otros de la misma naturaleza, pero de origen diverso, se tendrá necesariamente que entender, como hace la doctrina mayoritaria, que ni la difusión, ni la revelación, ni la cesión de datos se encuentran realmente tipificadas de forma autónoma e independiente en nuestro Código penal[76].

De hecho, así lo indica también, a nuestro modo de ver, el hecho de que el segundo inciso del art. 197.4 CP castigue con una pena inferior a la del art. 197. 2 CP (1 a 3 años de prisión frente a los 1 a 4 años) a quien realice la difusión, revelación o cesión de datos ilícitamente obtenidos sin haber tomado parte en su ilícito descubrimiento; esto es, sin haber participado en la comisión del injusto de este último delito, lo que carecería de toda lógica si se entendiese, como proponen los defensores de la segunda de las interpretaciones anteriormente comentadas, que esa misma conducta, es decir, difundir datos de forma no autorizada, incluso si los datos en cuestión no procediesen de la previa comisión de ningún delito, ya constituiría una de las posibles formas de utilización ilícita contempladas y castigadas en el curiosamente más penado delito del art. 197.2 CP[77].

---

[76] Así lo afirma, expresamente, PAREDES CASTAÑÓN, J. M. *Enciclopedia penal básica*. Ed. Comares, Granada, 2002. pág. 412.

[77] También respalda la interpretación aquí mantenida el que el por el momento todavía Proyecto de reforma del Código penal, contemple precisamente como principal modificación en esta materia, la introducción de una nuevo apartado 4 bis en el art. 197 CP, conforme al cual "... *Será castigado con una pena de prisión de tres meses a un año o multa de seis a doce meses el que, sin autorización de la persona afectada, difunda, revele o ceda a terceros imágenes o grabaciones audiovisuales de aquélla que hubiera obtenido con su anuencia en un domicilio o en cualquier otro lugar fuera del alcance de la mirada de terceros, cuando la divulgación menoscabe gravemente la intimidad personal de esa persona*", lo que, a nuestro juicio, pone de manifiesto como este tipo de conductas, actualmente y a la espera de esta posible reforma, carecen de trascendencia penal conforme a lo establecido en la todavía vigente versión del artículo 197 CP.

Habrá de entenderse, por tanto, que ni la cesión, ni la revelación, ni la venta o difusión no autorizada de datos personales ajenos son formas de utilización no autorizadas descritas por el legislador en el art. 197.2 CP, con lo que se cierra la puerta a que este delito o alguno de sus tipos cualificados puedan ser utilizados de forma general para castigar a quienes venden datos personales de forma no autorizada en la red y se demuestra que nuestro ordenamiento jurídico penal no contempla ninguna protección penal general frente a este tipo de peligrosísimas actuaciones, lo que, en nuestra opinión, representa laguna de protección que se debería cubrir lo antes posible[78].

## 4.2. Redes sociales, protección de datos personales y Derecho penal

Hablar hoy de Internet es hablar de una herramienta básica de nuestra vida cotidiana. La utilizamos para todo. Trabajamos, nos informamos e incluso nos relacionamos y conocemos a nuevas personas a través de la red, siendo precisamente, en este último aspecto en donde la red de redes parece haber sufrido por el momento su última gran revolución.

En un principio, las denominadas páginas webs se convirtieron en el servicio estrella suministrado en Internet, ya que permitían difundir de forma barata y atractiva una gran variedad de informaciones y contenidos a una cantidad indeterminada de personas, que podían

---

[78]  De hecho, y en esta línea, ya propusimos en su día crear un nuevo delito que cuando menos castigase aquellas ventas y distribuciones masivas que recaen sobre los datos dotados de más evidente lesividad objetiva y que más frecuentemente se comercializan en la red: Los utilizados como medios de pago de general aceptación; datos cuya masiva difusión no sólo lesionaría el derecho a la protección de datos personales, sino que además podrían llegar a poner en verdadero peligro el funcionamiento de todo el mercado financiero articulado sobre su utilización, lo que, a nuestro modo de ver, justifica que se les deba brindar una mayor protección. Sobre esta propuesta, que además trata de responder a algunas de las exigencias protectoras de los medios de pago diferentes del efectivo contenida en la Decisión Marco 2001/413/JAI, de 28 de mayo de 2001, sobre la lucha contra el fraude y la falsificación de medios de pago distintos del efectivo y sus concretos detalles, véase GALÁN MUÑOZ, A. "El robo de identidad:..." pág. 193 y ss.

acceder a ellos de forma simultánea y sin necesidad de tener grandes conocimientos informáticos.

Sin embargo, las webs fueron poco a poco incorporando nuevas posibilidades hasta que aparecieron las denominadas webs 2.0., webs que se diferenciaban de sus predecesoras tradicionales en el hecho de que incorporaban sistemas de intercomunicación que permitían a sus usuarios ser tanto receptores como emisores de las informaciones que desde ellas se trasmitían[79], función que fue precisamente la que abrió las puertas a la aparición de las denominadas redes sociales online.

Cuando hablamos de redes sociales online no hablamos sino de una de las posibles formas de aparición de las webs 2.0. Una en la que se ofrece a los usuarios *"... una plataforma de comunicación a través de Internet para que éstos generen un perfil con sus datos personales, facilitando la creación de redes en base a criterios comunes y permitiendo la conexión con otros usuarios y su interacción"*[80]. Son redes que han traído al mundo virtual un concepto, el de red social, que, en realidad, se venía utilizando desde hacía años en la sociología o la política para definir a los *"... grupos de individuos ligados por algún tipo de vínculo. Los lazos de amistad, parentesco, de afinidad cultural o ideológica conforman redes sociales"*[81], pero que también y paralelamente, han dado lugar a la aparición de inmensas bases de datos de carácter personal en red, cuya peculiar vía de creación y característica forma de funcionar han planteado serios problemas a aquella parte del ordenamiento jurídico que precisamente se dedica a protegerlos frente a posibles abusos.

Muchos son los problemas y dificultades que plantea la protección de datos de carácter personal en dichos sistemas, destacando entre otros, aquel que se deriva del hecho de que muchos de ellos se encuentren afincados, precisamente, en uno de los países menos garantistas

---

[79]   NIETO MARTÍN, A/MAROTO CALATAYUD, M. "Redes sociales en Internet y 'Data Mining' en la prospección e investigación de comportamientos delictivos", en *Derecho y Redes Sociales*. Ed. Civitas, Madrid, 2010, pág. 219, ORTIZ LÓPEZ, P. "Redes sociales: Funcionamiento y tratamiento de información personal" en *Derecho y Redes Sociales*. Ed. Civitas, Madrid, 2010. pág. 24, ALBO PORTERO, C., Op. cit. ant. pág. 569.

[80]   ORTIZ LÓPEZ, P. Op. cit. ant. pág. 24.

[81]   NIETO MARTÍN, A/MAROTO CALATAYUD, M. Op. cit. ant. pág. 218.

de su protección, los Estados Unidos de América; país en el que, a diferencia de lo que sucede en la Unión Europea, se parte de que la primera enmienda protege el comercio de los datos de carácter personal no secretos y, además, se considera que la posibilidad de utilizarlos en el espacio público es algo que beneficia a todos[82].

Ahora bien, junto a estos problemas de interlegalidad o de choque de sistemas normativos, las redes sociales también presentan otras particularidades propias que las convierten en un enorme y problemático foco de peligro para la protección de datos personales.

La primera de estas peculiaridades nos viene dada, precisamente, por el hecho de que al ser sus usuarios quienes realmente suministran los datos e informaciones en ellas publicada, no es infrecuente que subestimen los efectos y peligros que se pueden derivar del simple hecho de publicarlos en tales redes, por concebirlas erróneamente como equivalentes a aquellos otros entornos de mundo físico en los que desarrollan sus relaciones personales[83], siendo este error de base el que les lleva a difundir y publicar informaciones o datos no solo suyos, sino también de terceras personas que ni siquiera conocen su publicación, lo que incrementa exponencialmente el volumen de datos de carácter personal que este tipo de redes tienen almacenados, pero también y al mismo tiempo lleva a que resulte realmente difícil que muchos de sus titulares puedan controlarlos ejerciendo unos derechos,

---

[82]   NIETO MARTÍN, A/MAROTO CALATAYUD, M. Op. cit. ant. pág. 254.

[83]   MARTÍNEZ MARTÍNEZ, R. quien acertadamente señala que se olvida que las redes sociales no son un contexto neutro, ya que permiten que terceros puedan tener acceder y conocer todo el conocimiento que va generando el usuario (sesiones, perfiles, etc.). "Protección de datos personales y redes sociales: Un cambio de paradigma", en *Derecho y Redes Sociales*. Ed. Civitas, Madrid, 2010. pág. 88 y ss. NIETO MARTÍN, A/MAROTO CALATAYUD, M., por su parte, señalan que la excesiva confianza de los usuarios en estas redes se puede encontrar su razón de ser en el propio comienzo de la gran red social que es *Facebook*; red que se inicio, precisamente, aprovechándose de los medios de control de la identidad y del acceso que proporcionaban las universidades norteamericanas de las que inicialmente se tenía que ser miembro para poder acceder a ella. Op. cit. ant. pág. 225; mientras que también influye en ese exceso de confianza, como señala ROIG, A. el hecho de que cada vez hay más "digital natives", es decir, personas nacidas en plena era de la sociedad de la información que se encuentran cómodos publicando allí datos íntimos de su vida cotidiana. En "E-privacidad y redes sociales" IDP nº 9 (2009). pág. 44, en http//idp.uoc.edu (últ. vis. 1-5-2012).

como los que les otorga nuestro ordenamiento jurídico, más concebidos para proteger al ciudadano frente a los tratamientos efectuados por empresas y administraciones en ficheros localizados, que para hacerlo ante los que efectúan sus propios familiares o conocidos en este tipo de redes.

El cambio de rol que ha sufrido el usuario en la publicación de datos personales en las redes sociales ha sido tan importante que, de hecho, ha llevado a que gran parte de la doctrina administrativista considere que se les debería tener como verdaderos responsables del tratamiento que de ellos se pudiese llegar a realizar[84], transformación que puede dar lugar a que se produzca una completa y cuestionable traslación de los riesgos y de las consiguientes responsabilidades jurídicas que se podrían derivar de dichos tratamiento desde los proveedores de estos servicios hacia sus usuarios[85]; cuestionable, entre otras cosas y aquí viene la segunda gran peculiaridad de la que hablábamos, porque, pese a lo que en un primer momento se pudiese pensar, el mayor papel de los usuarios de las redes no ha conllevado una paralela pérdida de capacidad de control por parte de los proveedores de dichos servicios.

Todo lo contrario. En realidad, estos sujetos, generalmente grandes multinacionales, son quienes definen las reglas del juego de la red que gestionan, lo que hace que ostenten una posición dominante ante los usuarios de sus servicios, quienes, una vez que deciden utilizarlos, solo pueden optar entre aceptar las condiciones generales que los proveedores les ofrece o resignarse a sufrir el desarraigo que para quien ha nacido en la actual sociedad de la información (el verdadero nativo informático) les supondría no poder usarlos[86].

---

[84]  Así, por ejemplo, lo hace el propio Grupo del art. 29 en su WR 163, punto 3.1.1 ORTIZ LÓPEZ, P. Op. cit. ant. pág. 32 CHAVELI DONET, E. "Redes sociales, empresa y publicidad", en *Derecho y Redes Sociales*. Ed. Civitas, Madrid, 2010. pág. 187.

[85]  NIETO MARTÍN, A/MAROTO CALATAYUD, M. Op. cit. ant. pág. 245.

[86]  Sobre este tema véase lo comentado por VILASOU SOLANA, M., quien señala que, si bien el usuario "teóricamente" proporciona los datos voluntariamente ", *a veces se ve compelido a hacerlo con el fin de poder acceder a un determinado servicio o aplicación, con lo que se produce lo que podríamos calificar de divulgación no espontánea de datos*". En "Privacidad, redes sociales y factor humano", en *Derecho y Redes Sociales*. Ed. Civitas, Madrid, 2010, pág. 58. En similares términos TRONCOSO REIGADA, A., en "Las redes sociales y la APDCM" en datospersonales.org (www.madrid.org) (últ. vis. 10-6-2012).

Precisamente, han sido esta peculiar posición dominante de los proveedores y la escasa limitación normativa que se ha establecido sobre la misma, las que, a nuestro juicio, han jugado el papel más decisivo en el imparable incremento de los riesgos que la aparición y expansión de estas redes ha supuesto para la protección de datos de carácter personal, ya que una vez que dichos proveedores se han visto con las manos libres para fijar la forma de funcionar que podrían tener sus redes, han podido optar, sin mayores problemas, por convertirlas en enormes ficheros o bases de datos de carácter personal que quedan bajo su más absoluto control, con lo que las pueden usar, vender y ceder al mejor postor, casi sin ninguna limitación, lo que indudablemente les reportará y, de hecho, les reporta ingentes beneficios económicos.

En un contexto así, no puede sorprender que fuese el creador de una de las más conocida redes sociales del mundo (*Facebook*), David Zuckerberg, quien afirmase con cierta petulancia: *"La intimidad ha muerto, supérenlo"*[87].

¿Pero es realmente así? ¿La aparición de las redes sociales y su peculiar forma de funcionar hace que toda la protección jurídica, penal o no, de la intimidad y de los datos de carácter personal resulte inútil y carente de sentido?

Sin duda, la aparición de las redes sociales ha supuesto un importante reto a la tradicional protección jurídica de los datos personales, ya que ha puesto de manifiesto la incapacidad del tradicional sistema de protección de los datos personales basado en el binomio información y consentimiento (*notice-and-consent*) ante la aparición del más rápido sistema de *click* y listo (*click-and-wrap*), en el que el usuario acepta las complejas y confusas condiciones de privacidad impuestas por el proveedor del servicio sin ni siquiera haberlas leído previamente y haciendo un simple *click* con el ratón de su ordenador[88].

---

[87]    Citado por GARCÍA MEXIA, P "Internet y protección de datos, Los desafíos de la revolución digital", LA LEY n 7577, 2011 www.laley.es (últ. vis. 6-3-2012).

[88]    En este sentido, resulta interesante ver como la AEPD ha admitido como forma válida de apreciación del consentimiento informado exigido para el tratamiento o a cesión de datos por el art. 6.1 LOPDP el simple *click* sobre el botón de acepto de una página web, si bien señala que *"...sería más adecuada una opción según la cual la lectura de dicha información se presente como ineludible (y no como*

Sin embargo, y por lo que a nosotros nos afecta, hemos de centrar nuestra atención en la delimitación del concreto papel que el actual art. 197.2 CP podrá desempeñar en el control y represión de los principales abusos de datos de carácter personal que en estas redes se pueden producir.

El punto de partida es incuestionable. Los datos de carácter personal almacenados en las redes sociales, —y entre ellos, destacadamente las fotos y los videos de sujetos identificados o identificables[89]— son

---

optativa) *dentro del flujo de acciones que deba ejecutar el usuario para expresar la aceptación definitiva de la transmisión de sus datos…";* a lo que se añade que, como señala ARENAS RAMIRO, M. dado el alto porcentaje de adolescentes y menores de edad que actúan como usuarios de dichas redes se tendrá que exigir también que se utilice un lenguaje sencillo en la redacción de las condiciones de privacidad y que se definan claramente la política de privacidad establecida por defecto en las mismas. "El consentimiento en la redes sociales online" en *Derecho y Redes Sociales.* Ed. Civitas, Madrid, 2010. Págs. 124 y 125. Como se pude comprobar todavía son muchos los problemas que plantea esta auténtica revolución a nuestro ordenamiento jurídico; problemas que, a nuestro modo de ver, continuarán sin encontrar adecuada respuesta con la aparentemente inminente aprobación de Reglamento del Parlamento Europeo y del Consejo relativo a la protección de las personas físicas en lo que respecta al tratamiento de datos personales y a la libre circulación de dichos datos (Reglamento general de protección de datos), al menos si se mantiene en su actual redacción, dada en Bruselas el 25 de enero de 2012. COM (2012) 11 Final, puesto que, a pesar de que su art. 7. 4 establezca que *"… El consentimiento no constituirá una base jurídica válida para el tratamiento cuando exista un desequilibrio claro entre la posición del interesado y el responsable del tratamiento",* lo que podría jugar un importante papel en los casos que venimos comentando, dada la evidente situación de desequilibrio existente entre los proveedores y los usuarios de este tipo de servicios, consideramos que sería conveniente establecer una regulación específica respecto a este supuesto para evitar las inseguridades a que, a buen seguro, la interpretación de este precepto llevará. Sobre este y otros problemas referidos al sistema de información y consentimiento en la red y sus posibles vías de solución mediante la mejora del proceso de información del usuario y, sobretodo, mediante la exigencia de la contextualización de la información que se suministre, para descargar al usuario del completo peso de proteger su privacidad online, véase lo comentado por NISSENBAUM, H. "A Contextual Aproach to privacy online" Daedalus, the Journal of the american Academy of Arts& Sciences 140 (4), pág. 34 y ss.

89    Así, se deduce del propio concepto de dato personal contenido en el art. 3 a. LOPD y del contenido en el art. 5 j. del RD 1720/2007, donde se definen los datos personales como *"…Cualquier información numérica, alfabética, **gráfica, fotográfica,** acústica o de cualquier otro tipo concerniente a personas físicas*

datos que están registrados en un fichero, ya que una vez que se almacenan en cualquiera de ellas, se incorporan a un sistema informático que contiene un conjunto ordenado de datos que resultan accesibles con arreglo a criterios determinados, dado que su indexación, cuando menos interna, resulta imprescindible tanto para facilitar su gestión a los proveedores y usuarios, como para hacer posible su localización por parte de terceros usuarios de la red que quieran establecer contacto con aquella persona a la que los datos estuviesen referidos.

Estamos, por tanto, ante unos datos personales reservados y registrados en ficheros o soportes informáticos de los que habla el art. 197.2 CP; ficheros que, por otra parte, y pese a lo que, en un primer momento, pudiese pensarse no tienen la consideración de fuentes accesible al público, ya que como señaló la SAN de 18 de mayo de 2006, en un caso referido a la recopilación de datos personales de los buzones de correo de diferentes personas, el hecho de que unos datos personales estén *"… expuestos al público, no puede confundirse con que dichos datos sean una fuente de acceso público"*, dado que dichas fuentes están, en realidad, expresa y taxativamente enumeradas en la LOPDP[90], lo que evidentemente abre las puertas a que también los ac-

---

*identificadas o identificables"*, lo que ha llevado a que la AEDP en su informe jurídico nº 615/2008 señale que las fotos tendrán carácter de dato personal en la medida en que *"identifiquen o sean susceptibles de identificar a las personas que en ellas aparezcan"* y a que nuestro propio TC que en su STC 14/2003, de 30 de enero (*Tol 238526*), considere que las fotografías son datos de carácter personal susceptibles de tutela conforme a la normativa protectora de dichos contenidos. Así lo señalan también, entre otros, LESMES SERRANO, C. Op. cit. ant. pág. 99, DOMÍNGUEZ MARTÍNEZ, S. "La publicación en las redes sociales de fotografías realizadas en ámbito personales o domésticos" en datospersonales. org (www.madrid.org) (últ. vis. 10-6-2012); VALEIJE ÁLVAREZ, I. "Intimidad y difusión de imágenes sin consentimiento", en *Constitución, derechos fundamentales y sistema penal. Tomo II*, Ed. Tirant lo Blanch. Valencia, 2009. pág. 1877 y JAREÑO LEAL, A. quien destaca también que todas las imágenes personales también están protegidas por derecho fundamental a la propia imagen reconocido por el art. 18.1 CE; derecho que, sin embargo y como reconoce la propia autora, solo recibirá protección penal, conforme a lo establecido en el art. 197.1 CP, en la medida en que su afección se vea acompañada de otra al derecho fundamental a la intimidad. Op. cit. ant. pág. 93 y ss. y 124.

90    SANZ CALVO, L. Op. cit. ant. pág. 209. En efecto, la red no es una de las fuentes contempladas de forma taxativa en el art. 3 j) LOPD y desarrollada en el art. 7 de su reglamento (RD 1720/2007), hecho que ha llevado a la AEPD y también

cesos o apoderamientos de datos realizados en las comentadas redes por terceros diferentes de su titular, (como muchos de los efectuados por los denominados "*data brokers*" que se dedican profesionalmente a recopilarlos, ordenarlos y venderlos[91]), puedan ser considerados como no autorizados y, en consecuencia, puedan también llegar a ser típicos de este delito.

Ahora bien, una vez que hemos establecido que los datos personales publicados en las redes sociales mantienen su protección penal incluso con respecto a los accesos que se realicen sobre ellos de forma no autorizada (p. ej. por no efectuarse contando con el consentimiento expreso que la LOPDP exige para acceder a algunos de ellos), ha llegado el momento de determinar si dicha protección también se extenderá y responderá a los nuevos y particulares riesgos que se derivan precisamente de la especial forma de funcionar de estas redes. Esto es, si el art. 197.2 CP sanciona todas o algunas de las cada vez más frecuentes y numerosas difusiones no consentidas de datos personales ajenos que realizan sus usuarios y las posibles actividades de tráfico de datos que efectúan sus proveedores aprovechándose de su especial posición de dominio.

Respecto a la primera cuestión, es importante destacar el hecho de que, en la mayoría de los casos, los datos personales ajenos que los usuarios difunden ilícitamente en la red social habrán sido obtenidos de forma individual y no sacándolos de un fichero en el que estuviesen previamente almacenados y además se habrán conseguido contando, generalmente, con el consentimiento expreso o tácito de sus titulares, lo que evidentemente llevará a que su posterior difusión, por muy ilegal y peligrosa que pudiese llegar a resultar, tenga que permanecer siempre al margen del tipo de injusto del art. 197.2 CP y del de cual-

---

a la mayoría de la doctrina a considerar que la red no tiene dicha consideración ya que, entre otras cosas "no puede ser tenida como un medio de comunicación social, como son los periódicos, radios, televisión, etc ..., al ser un mero canal de comunicación que pueden utilizar tanto dichos medios como otros medios o sujetos que no tendrían tal consideración. En este sentido, se manifiestan CHAVELI DONET, E., Op. cit. ant. pág. 188 o ARENAS RAMIRO, M. Op. cit. ant. pág. 139.

91 Sobre ellos y su negocio, véase o comentado por NIETO MARTÍN, A/MAROTO CALATAYUD, M. Op. cit. ant. pág. 222.

quiera de sus tipos cualificados[399], pudiendo ser sancionada, todo lo más, de forma meramente administrativa[400].

Solo cuando los datos difundidos por el usuario de la red social se hubiesen obtenido de un fichero y de forma penalmente ilícita (p. ej. mediante uno de los apoderamientos no autorizados del art. 197.2 CP), podrá su posterior difusión o revelación tener trascendencia penal, dando lugar a la apreciación de alguno de los delitos del art. 197.4 CP, dependiendo de si quien los difundió tomó parte en la comisión del inicial acto de apoderamiento ilegal cometido sobre los mismos o de si no lo hizo, pero los difundió, pese a conocer su ilícita procedencia.

Algo parecido sucede con el propio proveedor de servicios de redes sociales, sujeto que mientras se limite a almacenar y a mantener accesibles los datos personales ajenos almacenados y difundidos por sus usuarios en su servidor se mantendrá al margen de los tipos delictivos que venimos analizando, no solo como consecuencia de que dichos

---

[92] Véase en este sentido, lo ya comentado más arriba con respecto a la relación existente entre el art. 197.4 y el 197.2 CP, perfectamente predicable también con respecto a este caso, tanto si se tiene como un supuesto de difusión no autorizada de datos personales, como si se considera como una divulgación no consentida e ilegal de las imágenes de las que habla el art. 197.1 CP. Sobre este último aspecto véase con mayor extensión lo comentado por JAREÑO LEAL, A. Op. cit. ant. pág. 96 y ss. o PUENTE ABA, L. M. Op. cit. ant. pág. 174 y ss. o VALEIJE ÁLVAREZ, I., quien, pese a considerar que los actos de difusión pueden ser considerados como unas utilizaciones no autorizadas de las que se castigan en el art. 197.2 CP, señala que este delito no podrá castigarlas cuando se realicen por personas que las obtuvieron lícitamente, ya que no se les podría considerar como unos de los "sujetos no autorizados" de los que habla dicho precepto penal. Op. cit. ant. Pág. 1979; postura que no podamos compartir por cuanto, como ya hemos visto, entendemos que ni las difusiones de datos personales pueden ser consideradas como utilizaciones típicas de los mismos, sin incurrir en un evidente contrasentido punitivo, ni creemos que el elemento típico "no autorizado", utilizado por dicho precepto, delimite a sus posibles sujetos activos dejando al margen de su injusto todas las conductas que realicen quienes tuviesen los datos de forma autorizada, ya que ello, ni se ajusta al tenor literal de este precepto, ni resulta compatible con el hecho de que, precisamente, el apartado 5 del comentado artículo cualifique este delito cuando se realiza por el encargado o responsable del fichero, persona evidentemente autorizada a tener los datos, con lo que, conforme a la interpretación defendida por la citada autora, no podría ser considerado ni siquiera como autor de su tipo básico.

datos generalmente no procederán de la realización de ninguna de las conductas típicas del art. 197.1 o 2. CP por parte de sus usuarios, sino también y, sobretodo, porque mientras no dirija o controle la actuación de dichos sujetos o no conozca de forma efectiva la ilegalidad del contenido por ellos difundido, se mantendrá exento de cualquier responsabilidad por haber colaborado en su distribución, al haberlo hecho actuando dentro los límites de riesgo generalmente permitido para los proveedores de almacenamiento por el art. 16 de la Ley 34/2002, de 11 de julio, de Servicios de la Sociedad de la Información y de comercio electrónico, lo que limitará sus responsabilidades penales, incluso cuando hubiese ayudado a publicarlos o difundirlos sospechando o conociendo de forma no efectiva su ilícito origen[94].

---

[93]    En este sentido, se debe destacar el hecho de que en el momento en que los datos de carácter personal, entre los que se incluyen las fotos y videos de sujetos identificados o identificables, se publiquen con finalidad comercial, de forma libremente accesible a todos los usuarios de dichas redes o a un alto número de ellos, de forma que se supere el ámbito de lo estrictamente privado, nos encontraremos ante un tratamiento de datos que habrá de cumplir con todos lo requisitos establecidos por la LOPDP, pudiendo dar lugar el incumplimiento de sus prescripciones a las correspondientes responsabilidades administrativas. Sobre este tema y especialmente sobre la importante limitación que suponen determinados usos de los datos personales en las redes sociales a la excepción del ámbito de aplicación de la LOPDP a los datos contenidos ficheros destinados a actividades exclusivamente privadas o domésticas establecida en el art. 2.2. a) LOPDP, especialmente tras la Sentencia del Tribunal de Justicia de la Unión Europea, de 6 de noviembre de 2003 (*Tol 317270*) referida al denominado caso Lindqvist, véase, con mayor extensión, LESMES RODRÍGUEZ, C. pág. 77 y ss; MARTÍNEZ MARTÍNEZ, Op. cit. ant. pág. 97 y ss.; DOMÍNGUEZ MARTÍNEZ, S. Op. cit. ant.; ARENAS RAMIRO, M. Op. cit. ant. pág. 140 y ss. VILASAU SOLANA. M. Op. cit. ant. pág. 67; CHAVELI DONET, E. Op. cit. ant. pág. 187 y ss, entre otros.

[94]    Resulta imposible analizar aquí todas y cada una de las repercusiones que la citada ley tiene sobre las posibles responsabilidades jurídicas de éste y del resto de proveedores de servicios de Internet por lo que solo podemos ahora señalar que en el comentado precepto se establece que *"... se entenderá que el prestador de servicios tiene el conocimiento efectivo a que se refiere el párrafo a) cuando un órgano competente haya declarado la ilicitud de los datos, ordenador su retirada o que se imposibilite el acceso a los mismos, o se hubiera declarado la existencia de la lesión y el prestador conociera la correspondiente resolución sin perjuicio de los procedimientos de detección y retirada de contenidos que los prestadores apliquen en virtud de cuerdos voluntarios y de otros medios de conocimiento efectivo que pudieran establecer"*, lo que, a nuestro juicio, determina que, en el ámbito penal, haga falta que se haya emitido una resolución judicial que declaré

Ahora bien, tal y como señalan NIETO MARTÍN y MAROTO CALATAYUD, la ingente cantidad de datos de carácter personal que manejan estos proveedores y el enorme valor que tienen a la hora de realizar perfiles de todo tipo con respecto a sus usuarios o a las personas que sin serlo ven los suyos allí publicados, ha dado lugar a un nuevo negocio, el denominado *Data mining* o "minería de datos"; negocio en el que junto a dichos proveedores intervienen tanto entidades públicas como privadas, que están dispuestas a pagar importantes cantidades de dinero con tal de conseguir acceder a ellos, para después poder procesarlos con los fines más diversos, desde elaborar perfiles de consumidores para realizar publicidad personalizada o contextualizada, hasta para efectuar pronósticos de criminalidad de los sujetos a los que los datos están referidos[95].

Los datos personales han pasado así a convertirse en una codiciada mercancía que se compra y se vende sin ningún tipo de pudor por parte de los proveedores de las redes sociales, lo que nos obliga a tener que volver a plantearnos si esta última conducta podría llegar a tener alguna relevancia penal.

En principio, pueden darse dos situaciones diferenciadas.

En la primera, la menos frecuente, el proveedor vendería los datos que sus usuarios habrían registrado en su servidor, accediendo a ellos sin contar con derecho alguno para poder hacerlo o habiendo superado el que tenía. Este hecho determinaría que ya no actuase como mero proveedor de almacenamiento de los contenidos ajenos y permitiría que su acceso o apoderamiento de los datos, que, recordémoslo, incluso cuando se almacenan o difunden en una red como Internet no se encontrarían en una fuente de acceso público, pudiesen ser considerados como no autorizados y constitutivos del delito contenido en el art. 197.2 CP; delito que, además en este caso se vería doblemente cualificado como consecuencia de que se habría visto seguido de la

---

el carácter ilegal de los datos y que sea conocida por el proveedor para poder apreciar el conocimiento que abriría las puertas a su posible responsabilidad, como manifestamos en nuestro trabajo específicamente dedicado a analizar las implicaciones penales que tendría esta ley (GALÁN MUÑOZ, A. *Libertad de expresión y responsabilidad penal por contenidos ajenos en Internet.* Ed. Tirant lo Blanch, Valencia, 2010, pág. 96 y ss.), al que directamente nos remitimos.

[95] NIETO MARTÍN, A/MAROTO CALATAYUD, M. Op. cit. ant. pág. 213 y ss.

revelación de los datos ilícitamente obtenidos (art. 197.4 CP) y de que, además, ambas conductas habrían sido efectuadas precisamente por quien era el responsable del fichero de donde dichos datos se extrajeron y difundieron (art. 197.5 CP)[96], ya que el proveedor de estos servicios, a nuestro modo de ver, siempre tendrá tal consideración, como consecuencia de que siempre podrá decidir, aunque sea de forma parcial y compartida con sus usuarios, el uso o finalidad de los tratamientos que se hiciesen de los datos en ellos contenidos[97], con lo que su actuación violaría el deber de lealtad y sigilo que fundamenta esta última cualificación[98].

---

[96] Esta calificación resulta, a nuestro juicio, aplicable al proveedor incluso cuando realiza la revelación de datos con un fin lucrativo, salvo cuando dicho hecho, unido al carácter especialmente sensible de los datos revelados, dé lugar a que la aplicación del art. 197.7 CP llevé a que se le pueda aplicar una pena mayor que la establecida en el apartado 5 de mismo artículo, supuesto en el que dicho precepto tendrá preferente aplicación sobre éste.

[97] En este sentido, por ejemplo, se manifestó el Grupo del art. 29 de la Directiva 1995/46/CE, de 24 de octubre, conformado por las autoridades de protección de datos de los 27 estados miembros de a UE, el Supervisor europeo de protección de datos y la comisión, en su Dictamen 5/2009 sobre redes sociales. Véase también sobre dicho dictamen, lo comentado por CHAVELI DONET, E. Op. cit. ant. pág. 187 y en especial en la nota al pie nº 26. En la misma línea y más recientemente el Grupo del art. 29, vuelve a destacar su consideración de responsables del tratamiento en su dictamen 1/2010, señalando que *"proveedores de servicios de redes sociales ponen a disposición plataformas de comunicación en línea que permiten a los usuarios publicar e intercambiar información con otros usuarios. Estos proveedores de servicios son responsables del tratamiento de datos, puesto que determinan tanto los fines como los medios del tratamiento de tal información"*, con lo que sorprende comprobar como algún autor, como ORTÍZ LÓPEZ, P. todavía mantiene que dichos proveedores son unos simples encargados del tratamiento, de los que habla el art. 3 g) LOPDP, precisamente aludiendo a este último dictamen. Op. cit. ant. pág. 31.

[98] En cualquier caso, creemos que sería conveniente adecuar y coordinar la terminología utilizada por nuestro Código penal a la de la LOPDP, ya que mientras el primero cualifica las conductas penalmente ilícitas de los responsables de los ficheros soportes informáticos, electrónicos o telemáticos, archivos o registros, lo que parece corresponderse a la regulación contenida en la derogada LOTADP, la segunda, la actualmente vigente, LOPDP diferencia a los responsables de ficheros o de tratamiento y al encargado de éste, sujeto que, pese a la opinión favorable manifestada por MORALES PRATS, F. en *Comentarios a la parte Especial....* pág. 476, difícilmente puede ser considerado, a nuestro juicio, como posible autor de este tipo cualificado.

Frente a esta primera posibilidad, en la segunda, la más frecuente, el proveedor se habría reservado amplios derechos de acceso y de uso respecto a los datos que sus usuarios pretendan almacenar en su servidor en las condiciones generales que éstos habrían de aceptar antes de poder hacerlo, lo que hará que cuando acceda a ellos, no se le pueda ser castigar por la realización del delito del art. 197.2 CP, con lo que de nuevo se convertirá a la protección penal de los datos personales en un instrumento completamente ineficaz contra su posterior e ilegal revelación o difusión, sin que, por otra parte, parezca que la vinculación de dichos sujetos al deber de secreto profesional que establece el art. 10 LOPDP permita tampoco castigarlos conforme a lo establecido en el delito de revelación de secreto profesional del art. 199.2 CP[99], dado que su actuación, no lo olvidemos, generalmente contará con

---

[99]    En este sentido, se manifiesta de forma general con respecto a todos los responsables de bancos de datos personales MORALES PRATS, F. en *Comentarios a la parte Especial...* pág. 497 y ss; postura que contrasta con la erróneamente defendida, a nuestro juicio, por SANTOS GARCÍA, D. quien consideraba que la infracción del deber de secreto del art. 10 LOPDP dará lugar al delito del art. 197.2 CP, en Op. cit. ant. pág. 89; lo que no podemos compartir, ya que, como hemos visto, dicho tipo delictivo no castiga la infracción de deber de reserva alguno y ni siquiera es susceptible de castigar las meras conductas de revelación o difusión ilícita si no están precedidas de un apoderamiento, un acceso o una alteración o modificación de datos no autorizada. Por otra parte, consideramos que si el proveedor hubiese realizado imprudentemente una difusión o comunicación de datos no permitida, tendrá que responder de alguna de las infracciones contempladas en los art. 44.2.c), 44.3 g) o 44. c) de la LOPDP; artículos que regulan la gravedad de la infracción administrativa cometida, precisamente atendiendo a la naturaleza e importancia que tuviesen los datos revelados y no a la de la gravedad de la acción que hubiese dado lugar a su revelación. Sobre los requisitos de la comunicación o el acceso de los datos por parte de terceros, véase lo dispuesto en los artículos 11 y 12 LOPDP respectivamente, que someten tanto a cesión de los datos a terceros, como los posibles accesos puntuales a los mismos para su tratamiento a un riguroso y garantista régimen jurídico. Señalar en tal sentido que, pese a que la doctrina administrativa diferencie los casos de cesión ilegal y los de infracción del deber de secreto del art. 10 LOPDP, según si el que suministra los datos lo hace para que sean tratados por el cesionario o no (véase este respecto SANZ CALVO, L. Op. cit. ant. pág. 274), ello se hace como consecuencia de que ambas conductas se castigan de forma separada y diferenciada en dicha ley orgánica, lo que no sucede en el Derecho penal, por cuanto que este Derecho castiga la revelación de la información sobre la que tenía que mantenerse el secreto profesional, sin que importe la finalidad con la que ello se haga.

la autorización del afectado por su realización. Se demuestra así una vez más, como la actual redacción del art. 197.2 CP resulta completamente ineficaz frente a este tipo de nuevos y peligrosos abusos, aunque, hay que reconocer que, en este caso, aún cuando la divulgación no autorizada de datos de carácter personal se llegase a tipificar de forma autónoma, seguiríamos teniendo problemas para poder castigar penalmente las actuaciones comentadas, ya que, mientras nuestro sistema general de protección de los datos de carácter personal se base primordialmente en la información y el consentimiento del afectado y nos encontremos ante una realidad como la de las redes sociales, donde exista un desequilibrio tan enorme entre los proveedores de estos servicios y sus usuarios, bastará con que aquéllos pidan autorización a éstos, para que el simple *click* de los ratones de los ordenadores de estos últimos sujetos convierta en completamente inútil dicho posible cambio de su protección penal.

Es por ello, por lo que creemos que además de tipificar autónomamente las formas más graves de difusiones masivas y no autorizadas de datos, resulta imprescindible reformar, también y paralelamente, aquella normativa administrativa que constituye la primera línea de defensa jurídica de los datos de carácter personal frente a tales conductas, ya que solo si se reestablece perdido el equilibrio entre los usuarios y los proveedores de estos servicios, creando unos nuevos y más precisos deberes de información para estos últimos sujetos y prohibiéndoles realizar determinadas actuaciones, como las referidas a la venta masiva de datos personales, contando con el simple click de un ordenador, se podrá evitar que una conducta tan nimia como ésta pueda convertir en verdadero papel mojado a todos los derechos y normas que protegen estos datos.

### 4.3. *La controvertida naturaleza y protección penal de los datos de tráfico*

Finalmente, no podemos acabar este trabajo sin tratar, siquiera de forma somera uno de los temas relativos a la protección de los datos propios de las nuevas tecnologías que mayor controversia doctrinal y jurisprudencial ha provocado. Estamos hablando de la protección de los denominados datos de tráfico; datos que se generan en el curso de una comunicación, pero que no aluden al contenido comunicado, sino a algunos aspectos accesorios de la propia comunicación efectuada, como serían los referidos a su existencia, su origen y destino, el medio utilizado para realizarla o su duración[100].

Cuando hablamos de datos de tráfico no estamos aludiendo exclusivamente a los producidos y referidos a comunicaciones realizadas mediante el uso de las nuevas y modernas tecnologías de la información y la telecomunicación propiamente dichas, como Internet. En dicho concepto también tienen cabida aquellos que se producen durante las comunicaciones efectuadas por otras tecnologías más tradicionales como la telefónica, lo que no impide que de nuevo tengamos que reconocer que la implementación de las nuevas tecnologías de la comunicación ha incrementado exponencialmente el número de datos que podríamos encuadrar dentro de este concepto y la cantidad de sistemas y métodos que se pueden utilizar para captarlos, almacenarlos y procesarlos.

La particularidad que presentan estos datos se deriva del hecho de que están irremediablemente unidos al proceso comunicativo, lo que llevó al TEDH a entender, en su ya célebre Sentencia de 2 agosto 1984, referida al denominado "caso *Malone vs Reino Unido*"[101], que, en realidad, tales datos también estarían amparados por el derecho al secreto de las comunicaciones que contempla el art. 8 CEDH[102], con lo que su captación solo podría ser lícita en la medida en que se realice con las mismas garantías que se predican con respecto a la interceptación del contenido comunicativo transmitido[103].

---

[100]  Sobre este concepto su evolución y problemas de delimitación, véase, por todos, lo comentado por GONZÁLEZ LÓPEZ, J. J. *Los datos de tráfico de las comunicaciones electrónicas en el proceso penal.* Ed. La Ley. Madrid, 2012. pág. 62 y ss.

[101]  (Tol 168782)

[102]  En concreto este precepto establece que "*1. Toda persona tiene derecho al respeto de su vida privada y familiar, de su domicilio y de su correspondencia.*
*2. No podrá haber ingerencia de la autoridad pública en el ejercicio de este derecho sino en tanto en cuanto esta ingerencia esté prevista por la ley y constituya una medida que, en una sociedad democrática, sea necesaria para la seguridad nacional, la seguridad pública, el bienestar económico del país, la defensa del orden y la prevención de las infracciones penales, la protección de la salud o de la moral, o la protección de los derechos y las libertades de los demás*".

[103]  Sobre esta importante STEDH véase lo comentado por GALÁN MUÑOZ, A. *"La internacionalización de la represión y la persecución de la criminalidad in-*

Fue precisamente, este pronunciamiento jurisprudencia el que hizo que un sector de nuestra doctrina y de nuestra jurisprudencia considerase que su captación solo se podría realizar si se cumplía con los mismos requisitos y garantías que nuestro ordenamiento establece para la realización de una verdadera interceptación de las comunicaciones[104], esto es, contando con el consentimiento del afectado o con una autorización judicial fundamentada en una ley habilitante y que valorase la necesidad y proporcionalidad de una medida tan restrictiva de los derechos fundamentales del ciudadano como éstas serían[105]; postura que, sin embargo, contrastaba de forma evidente

---

      *formática: Un nuevo campo de batalla en la eterna guerra entre prevención y garantías penales".*, en Revista penal nº 24, 2009. pág. 102 y ss.

[104]   Así, por ejemplo, ROMERO PAREJA, A "Intervención de las comunicaciones" La LEY nº 7816, 2012, en www.laley.es (últ. vis. 2-6-2012) o SÁNCHEZ SISCART, J. M. "A vueltas con el secreto de las comunicaciones: algunos supuestos críticos en la jurisprudencia de la Sala 2ª del Tribunal Supremo" La LEY nº 7338, 2010, en www.laley.es (últ. vis. 1-6-2012).

[105]   Sobre este tema, hay que recordar que, pese a que todas exigencias se derivan del derecho al secreto de las comunicaciones, nuestra actual legislación relativa a su interceptación, contenida en la LECrim, ha sido considerada en reiteradas ocasiones como insuficiente por su imprecisión por el TEDH, aún antes de la aparición de toda la problemática referida a los nuevos medios de comunicación de Internet (p. ej. en su Sentencia, de 30 de julio de 1988, referida al caso *Valenzuela Contreras vs España*). Así lo destaca, entre otros, FERNÁNDEZ RODRÍGUEZ, J. J., quien afirma, además, que si bien la imprecisión de dicha ley ha sido subsanada por nuestra jurisprudencia, lo que permitió que nuestra legislación pudiese ser inicialmente considerada como "aún constitucional", el excesivo e injustificable retraso de su reforma habrían llegado a convertirla en una norma completamente inconstitucional, en *Secreto de las comunicaciones en Internet*. Ed. Civitas; Madrid, 2004, págs. 132 y 151. Sobre las exigencias que se derivan del derecho fundamental al secreto de las comunicaciones y los problemas que plantean en nuestro ordenamiento, véase, con más detalle, lo comentado por MORENO CATENA, V., "La intervención de las comunicaciones personales en el proceso penal". En *La reforma de la justicia penal (Estudios homenaje al Prof. Klaus Tiedemann)*. Ed. Publicactions Universitat Jaume I, 1997, pág. 410 y ss; SAIZ GARITAONANDIA, A. "Algunas notas sobre el secreto de las comunicaciones personales y la posibles intervención de las mismas" en *Derecho penal informático*, Ed. Civitas, Madrid, 2010, pág. 292 y ss; ELVIRA PERALES, A. *Derecho al secreto de las comunicaciones*. Ed. Iustel, Madrid, 2007, pág. 23 y ss; NARVÁEZ RODRIGUEZ, A. "Tutela de la privacidad e interceptación pública de las comunicaciones", en *Delito e informática: algunos aspectos*. Ed. Universidad de Deusto. Bilbao, 2007, pág. 300 y ss. o GONZÁLEZ LÓPEZ, J. J. Op. cit. ant. pág. 175 y ss; entre otros.

con la sostenida por aquellos que, apoyándose en algunas de las normas emitidas por la Unión Europea dedicadas a la materia, señalaban que, en realidad, dichos datos no serían sino una especie más de datos de carácter personal que, consecuentemente, debían protegerse conforme a los mucho menos severos parámetros establecidos para ellos por la LOPDP.

En efecto, la UE fue pronto consciente de que la protección general que otorgaba a los datos de carácter personal la ya citada Directiva 95/46/CE, no respondía a muchas de las cuestiones que planteaba la imparable implantación de los modernos medios de comunicación y por ello, aprobó la Directiva 97/66/CE, del Parlamento y del Consejo, de 15 de diciembre, relativa al tratamiento de los datos personales y a la protección de la intimidad en el sector de las telecomunicaciones, cuyo art. 6 hablaba por primera vez de los denominados datos de tráfico, estableciendo que éstos solo se podrían almacenar y tratar por parte de los proveedores de servicios a efectos de gestión de la facturación, debiendo destruirlos o hacerlos anónimos una vez que hubiese pasado el periodo necesario para realizar tal labor[106].

Algo más precisa, aunque continuadora de la anterior, fue la Directiva que la derogó, la todavía vigente Directiva 58/2002/CE, de 12 de julio, de tratamiento de los datos personales y protección de la intimidad en el sector de las comunicaciones electrónicas.

Todo, desde la propia denominación de las citadas Directivas hasta su articulado, —principalmente centrado en su posible tratamiento por los proveedores—, parecía indicar que los denominados datos de tráfico eran y debían ser tratados y protegidos como una clase más de

---

[106] En concreto el referido precepto establecía que "*Sin perjuicio de lo dispuesto en los apartados 2, 3 y 4, los datos sobre tráfico relacionados con los usuarios y abonados tratados para establecer comunicaciones y almacenados por el proveedor de una red o servicio público de telecomunicación deberán destruirse o hacerse anónimos en cuanto termine la comunicación.*
*2. A los efectos de la facturación de los usuarios y de los pagos de las interconexiones, podrán ser tratados los datos indicados en el anexo. Se autorizará este tratamiento únicamente hasta la expiración del plazo durante el cual pueda impugnarse legalmente la factura o exigirse el pago".*
Sobre lo establecido por este precepto véase lo comentado por RODRÍGUEZ LAINZ, "Secreto de las comunicaciones e intervención judicial de comunicaciones..." La LEY nº 7351, 2010, en www.laley.es (últ. vis. 3-6-2012), entre otros.

datos personales, con lo que no puede sorprender que fuesen muchas las voces en nuestra doctrina y en nuestra jurisprudencia que los considerasen como tales y defendiesen que su protección debía ajustarse a dicha naturaleza y no a las mucho más rígidas y severas prescripciones y garantías que tutelaban el derecho fundamental al secreto de las comunicaciones[107]; postura que incluso pareció recibir cierto respaldo legal con la aprobación de la primera versión de la Ley 34/2002 de Servicios de la Sociedad de la información y de Comercio Electrónico, donde expresamente se afirmó que la cesión de dichos datos por parte de los proveedores que los tenía almacenados a los Cuerpos y Fuerzas de Seguridad del Estado que se la solicitasen, se debía realizar atendiendo a los parámetros definidos por la LOPDP[108].

Sin embargo, la producción normativa europea referida a este tema no acabó aquí. Solo cuatro años después de la aprobación de la última Directiva citada se aprobó la decisiva Directiva 2006/24/CE, de 15 de marzo, de conservación de datos generados o tratados en

---

[107] En este sentido, por ejemplo, la propia AEDP en su informe nº 327/2003, señaló que los datos de tráfico, entre los que se encontraba la IP, formaban parte de los datos personales y estaban amparados por la LOPDP, postura coincidente con la sostenida por GONZÁLEZ LÓPEZ, J. J. quien señalaba que determinados datos como la dirección de correo electrónico o la IP permiten identificar a la persona a los que están referidos sin emplear medios desproporcionados, con lo que resultan incluibles en el concepto de dato personal de la LOPDP, sin mayores problemas, mientras que el resto se habían incluido en dicho concepto y tenían que ser protegidos como tales por expresa prescripción de la Ley 32/2003 (LGT). Op. cit. ant. pág. 309 y ss.

[108] Así, por ejemplo, autores como DÍAZ CAPPA, J. señalaban que era indicativo de dicha naturaleza el propio hecho de que el art. 12 de la Ley 34/2002, de 22 de julio de servicios de la Sociedad de la Información y el Comercio Electrónico, que establecía la obligación de los proveedores de conservar determinados datos relativos a las comunicaciones electrónicas para tenerlos a disposición de una posible y futura investigación policial cuando fuesen requeridos para ello por los Cuerpos y fuerzas de Seguridad del Estado, les obligase a entregarlos "... con sujeción a lo dispuesto en la normativa sobre protección de datos personales", en "Confidencialidad, secreto de las comunicaciones e intimidad en el ámbito de os delitos informáticos" La LEY nº 7666, 2011, en www.laley.es (últ. vis. 2-6-2012). En este mismo sentido, señalaba ROMEO CASABONA. C. M. que la captación de datos de tráfico realizada por los proveedores constituía un acto de apoderamiento del 197.2 CP que estaba autorizado por el art. 12 LSSI, mientras se mantuviese dentro de los parámetros allí establecidos, en Comentarios al Código penal.... págs. 767 y 768.

relación con la prestación de servicios de comunicaciones electrónicas de acceso público o de redes públicas de comunicaciones; Directiva que, como expresamente afirma su artículo 1, tenía por expresa finalidad, la de armonizar las disposiciones normativas de todos los Estados miembros referidas a las obligaciones de conservación de datos de los proveedores de servicios *"... para garantizar que los datos estén disponibles con fines de investigación, detección y enjuiciamiento de delitos graves, tal como se definen en la legislación nacional de cada Estado miembro"*.

Se trataba, por tanto, de establecer un sistema que garantizase la trazabilidad general de las comunicaciones, es decir, la posibilidad de averiguar el origen, el destino, la duración e incluso los posibles intervinientes de las que hubiesen estado relacionadas con la comisión de delitos graves y para conseguirlo, se obligó a los proveedores de dichos servicios a conservar una serie de datos, no solo de tráfico (art. 5)[109], durante un periodo de tiempo de 6 meses a dos años (art. 6); aunque al mismo tiempo se estableció su obligación de protegerlos y asegurarlos (art. 7) y se obligó a los Estados miembros a que los protegiesen tanto frente a los tratamientos no autorizados, como ante posibles accesos o transferencias no permitidos (art. 13).

No tardó mucho el legislador español, —tan veloz en cumplir los mandatos restrictivos de derechos como lento en hacerlo con los que

---

[109]   En efecto, entre los datos que los proveedores tienen que almacenar conforme a este artículo se entremezclan verdaderos datos de tráfico (p. e. los números de llamada o el IP) con datos de localización (p. ej. los relativos a la localización geográfica de la celda desde la que se efectuó la conexión con un equipo móvil) o datos puramente personales o de suscripción (como podrían ser los referidos al nombre y dirección del usuario del servicio), con lo que se responde a lo establecido en el art. 2.a) de esta misma Directiva, donde se dejaba claro que los datos que se iban a almacenar conforme a este nuevo sistema no solo serían datos de tráfico *stricto sensu*, sino todos aquellos que se consideraban necesarios para dotar de eficacia al sistema de trazabilidad que se trataba de crear, lo que, a juicio de RODRÍGUEZ LAINZ, J. L. provocaba un auténtico cisma entre lo dispuesto por esta normativa comunitaria y la posición mantenida por el TEDH, ya que, no solo se obligaba a conservar datos personales o de localización que no son realmente datos de tráficos, sino que además se confería *"... el carácter de auténtico componentes configuradores de los elementos internos o externos de las comunicaciones a lo que son datos relativos a comunicaciones ya consumadas"* Op. cit. ant. En los mismos términos se manifiesta también ROMERO PAREJA, a. Op. cit. ant.

los garantizan—, en dar cumplimiento al mandato europeo y ya el 18 de octubre de 2007, aprobó la todavía vigente Ley 25/2007, de conservación de datos de comunicaciones electrónicas y redes públicas de comunicación, donde creó un sistema de captación de datos preventivo y no fundado en indicios de delito, análogo a los instaurados en otros países de la Unión y que, como sucede con ellos, plantea serios problemas de constitucionalidad, como lo demuestra el hecho de que algunos aspectos del paralelo sistema de captación alemán hayan sido precisamente declarados inconstitucionales en dicho país[110].

Muchos son los aspectos cuestionables y cuestionados de esta ley, pero por lo que interesa a este trabajo, creemos que resulta necesario destacar una de sus principales prescripciones. Aquella que establece de forma taxativa que los datos conservados conforme a lo establecido en ella solo podrán ser cedidos de acuerdo con los fines que se determinan, (es decir, para investigar delitos graves), a los agentes expresamente facultados para recibirlos (Fuerzas y cuerpos de seguridad del Estado, funcionarios de la Dirección adjunta de Vigilancia Aduanera y personal del Centro nacional de inteligencia) y contando, y esto es importante, con una previa autorización judicial (art. 6 y 7 Ley 25/2007); exigencia está última que podría llevarnos a pensar que nuestro legislador había decidido acabar con el debate referido a la protección de todos estos datos, al haber optado por entender que afectaban al secreto de las comunicaciones y, en consecuencia, solo se podía

---

[110]  ST del BverG, de 2 de marzo de 2010. Sobre esta interesantísima Sentencia y los posibles paralelismo que guarda la normativa alemana referida a esta materia (declarada inconstitucional por violar los principio de proporcionalidad y de determinación jurídica o claridad legal) y la española, véase, ORTIZ PRADILLO, J. C. "Tecnología *versus* Proporcionalidad en la investigación Penal: La nulidad de la ley Alemana de conservación de datos de tráfico de las comunicaciones electrónicas" La Ley Penal nº 75, 2010, en www.laley.es (últ. vis. 2-5-2012). Sobre los problemas de proporcionalidad que presentaba este sistema ya en su elaboración comunitaria, véase lo comentado por GONZÁLEZ LÓPEZ. J. J. "La retención de datos de tráfico de las comunicaciones en la Unión europea: Una aproximación Crítica", en La LEY nº 6456, 2006, en www.laley.es (últ. vis. 10-5-2012), entre otros. En esta misma línea, se ha de destacar el hecho de que el propio Tribunal europeo de Justicia haya declarado inválida la Directiva 2006/24/CE en su reciente Sentencia de 8 de abril de 2014, precisamente por considerar que la misma contemplaba una restricción desproporcionada del derecho a la vida privada y a la protección de los datos personales de los ciudadanos de la UE.

acceder a ellos si se contaba con la correspondiente autorización judicial dictada conforme a los criterios de necesidad y proporcionalidad.

Sin embargo, la realidad de nuestros tribunales pronto nos demostró que lo establecido en dicha norma no había conseguido acabar definitivamente con el debate relativo a su concreta naturaleza y protección, encontrándonos, incluso después de su aprobación, con resoluciones que los consideran datos de carácter personal accesibles a cualquiera por haber sido difundidos voluntariamente por su titular[111], otras que entienden que solo se ven protegidos por el derecho al secreto de las comunicaciones durante el periodo en que la comunicación se está llevando a cabo, pasando después a ser datos tutelados por el derecho a la protección de datos personales[112] e incluso algunas que, en abierta contradicción con la postura anterior, parecen entender que son datos perfectamente accesibles mientras se están generando durante la comunicación, puesto que nuestro ordenamiento solo exige autorización judicial para acceder a ellos, precisamente, si se encuentran posteriormente almacenados conforme a lo establecido en la Ley 25/2007[113].

---

[111]    STS 236/2008, de 9 de mayo (*Tol 1320850*) ampliamente comentada en GALÁN MUÑOZ, A. "La internacionalización…" pág. 103 y ss.

[112]    Así, por ejemplo, nos encontramos con la STC 123/2002, de 20 de mayo (*Tol 258655*) donde expresamente se señala que la protección del secreto de las comunicaciones cesa en el mismo momento en que la comunicación ha concluido, con lo que tanto el contenido de lo comunicado como los datos tangenciales al proceso de comunicación pasan a estar protegidos por el derecho fundamental a la intimidad y no por la garantía del secreto de las telecomunicaciones. De hecho, esta postura jurisprudencial llevó a DÍAZ CAPPA, J. a considerar que todos los datos de tráfico estarían protegidos por dicho secreto solo mientras la comunicación estaba efectivamente en proceso, pasando posteriormente a estar tutelados por el general derecho a la intimidad, lo que permitiría que resultasen accesibles no solo a la Fiscalía, sino también a la autoridad policial, siempre y cuando su correspondiente solicitud cumpliese con requisitos de idoneidad, proporcionalidad, necesidad y control judicial *ex post* que han de exigirse a cualquier a de dichas actuaciones, en Op., cit. ant.

[113]    Véase en este sentido, la STS 249/2008, de 20 de mayo (*Tol 1333381*) donde expresamente se señala que "*… así como la recogida o captación técnica del IMSI no necesita autorización judicial, sin embargo, la obtención de su plena funcionalidad, mediante la cesión de los datos que obran en los ficheros de la operadora, sí impondrá el control jurisdiccional de su procedencia*". En el mismo sentido, se manifiesta la STS 630/2008, de 8 de octubre (*Tol 1401668*), la STS 940/2008, de 18 diciembre (*Tol 1432528*) o la STS 776/2008, de 18 de noviembre (*Tol 1413545*), donde expresamente se afirma que "*… se advierte que la*

Nada parece seguro con respecto a estos datos, lo que da lugar a enormes problemas prácticos a la hora de determinar su admisibilidad como prueba en los procedimientos penales en los que se intentan presentar, pero también determina que resulte realmente difícil definir hasta qué punto y de qué forma están penalmente protegidos.

¿Los datos de tráfico están protegidos de alguna forma por el Derecho penal? Y si es así, ¿qué delitos los protegen? ¿Los delitos contra la protección de datos personales? ¿Los referidos a la interceptación de comunicaciones? ¿Ambos?

Sin ánimo alguno de entrar en el análisis exhaustivo del controvertido tema referido a la naturaleza jurídica de estos datos, tema que requeriría de un estudio monográfico que evidentemente desbordaría las pretensiones del trabajo aquí realizado, hemos de señalar que a nuestro modo de ver, resulta incuestionable el hecho de que tales datos están amparados por el derecho al secreto o a la inviolabilidad de las comunicaciones y, en consecuencia, han de estar protegidos por las mismas garantías que rodean a dicho derecho, tanto durante, como después de la realización de la comunicación, siendo este hecho, precisamente, el que, a nuestro juicio, ha llevado al legislador español a exigir expresamente la autorización judicial para acceder a ellos in-

---

citada *Ley 25/2007 —que, por lo demás, y ello es jurídicamente relevante, carece del carácter de ley orgánica (v. art. 81.1 CE)— se refiere únicamente a la 'cesión' de los datos conservados en los correspondientes ficheros automatizados y que, en todo caso, no alude expresamente a su recogida por la Policía Judicial al margen de los mismos, ni tampoco cabe desconocer que dicha averiguación, cuando se lleva a cabo en el marco de una investigación criminal relativa a un delito de especial gravedad —como es el caso—, difícilmente puede considerarse que suponga una indebida y desproporcionada restricción de un derecho fundamental y que, por ello, suponga una vulneración constitucional con sus lógicas consecuencias"*. Más recientemente la STS 247/2010, de 18 de mayo (*Tol 1820129*) ha considerado que, si bien tras la entrada en vigor de la Ley 25/2007 resulta necesario contar con una orden judicial para acceder a los datos identificadores de la persona que se encuentra tras el IP de conexión de uno de los usuarios de la red, antes de la misma el Fiscal podía acceder a ellos sin orden judicial, al amparo del art. 11.2 d de la LOPDP, por ser simples datos de carácter personal, olvidándose, sin embargo, que en el caso que estaba enjuiciando, la Guardia civil había captado la IP del usuario en cuestión, antes de solicitar los datos de tráfico que tuviesen sobre él los proveedores de los servicios que usó, información ésta, (la IP), que sin lugar a dudas tiene naturaleza de dato de tráfico, con lo que, a nuestro modo de ver, estaba amparada por el derecho fundamental al secreto de las telecomunicaciones cuando se interceptó.

cluso cuando la comunicación a la que estuviesen referidos ya hubiese terminado[114].

Ahora bien, del hecho de que los datos de tráfico tengan que ser considerados como informaciones protegidas por el derecho al secreto de las telecomunicaciones no se puede automáticamente deducir que cualquier obtención o acceso ilícito a los mismos dé lugar a la apreciación de uno de los delitos que amparan dicho derecho tanto frente a las posibles intromisiones realizadas por particulares, como

---

[114]   Véase a este respecto la también celebre STEDH de 3 abril 2007 (*Tol 1145232*) referido al caso Copland vs Reino Unido, en la que se analiza el despido de la Sra. Copland como consecuencia de la comprobación de que hizo un uso indebido de los medios de comunicación puestos a su alcance por el College para el que trabaja; comprobación que se realizó entre otras medios, gracias a la revisión de las facturas telefónicas correspondientes al teléfono que se le había asignado, siendo precisamente el hecho de que en las mismas se recogiesen los datos referidos al destino y al origen de las llamadas realizadas por dicha persona las que llevaron al tribunal a considerar que dichas comprobaciones infringían el derecho contemplado en el art. 8.1 CEDH, precisamente por estar referidas a datos, como los de los números marcados, las fechas y horas de las llamadas, que forman parte de la comunicación y, por tanto, estaban protegidos por el secreto que se predica respecto a ella, por más que se refieran una comunicación ya acabada. Precisamente, sobre este tema, el referido a la extensión de la protección de los datos de tráficos relativos a las comunicaciones tras la finalización de las mismas, ha habido una interesante evolución en nuestra jurisprudencia Constitucional que, con alguna que otra resolución contradictoria, ha terminado por reconocer que dichos datos mantienen la protección del secreto de las comunicaciones incluso tras haber finalizado el proceso comunicativo. Sobre dicha evolución véase lo comentado por FRIGOLS I BRINES, E. "La protección constitucional de los datos de comunicaciones: delimitación de los ámbitos de protección del secreto de las comunicaciones y del derecho a intimidad a la luz del uso de las nuevas tecnologías", en *La protección jurídica de la Intimidad*. Ed. Iustel. Madrid, 2010 pág. 45 y ss. En el mismo sentido, señala SÁNCHEZ SISCART, J. M. que lo decisivo para concretar qué datos están protegidos por el secreto de las telecomunicaciones, no es si los mismos se han obtenido directamente mientras la comunicación se realizaba o la naturaleza que se les pueda otorgar, sino el método que se habría empleado para su averiguación, ya que "… *en la medida en la que se dirija a averiguar datos generados o registrados durante el proceso comunicativo, incluso cuando dichos datos se averigüen con posterioridad al mismo, una vez el proceso haya concluido (STC 123/2002), vulneraría, a nuestro juicio, el derecho al secreto de las comunicaciones, con independencia de la funcionalidad del dato averiguado, pues el concepto de secreto además tiene carecer formal…*". En Op. cit. ant.

ante las que pudiesen proceder de los funcionarios, autoridades o agentes públicos (arts. 197.1, 198 o 536 CP).

Por más que algún autor e incluso alguna Sentencia de nuestro Tribunal Supremo afirmen que la captación no autorizada de datos de tráfico da lugar a la comisión del delito de interceptación de las comunicaciones contenido en dichos preceptos[115], no creemos que en tales casos se puede hablar con propiedad de una verdadera interceptación, ya que para hacerlo tendría que producirse el apoderamiento del contenido de lo comunicado[116], lo que evidentemente aquí no acontece.

Lo que sí podrá suceder es que en alguna de estas actividades de captación de los datos de tráfico se utilicen artificios técnicos destinados a reproducir la señal en la que algunos de ellos (IP, el número de teléfono, etc.) se transmiten precisamente para establecer el contacto entre quienes desean comunicarse, lo que abriría la posibilidad de que se pudiese tener a quien los hubiese utilizado como autor de la última modalidad comisiva del delito contemplado en el art. 197.1 CP o, en su caso, del correspondiente y paralelo delito protector del secreto de las telecomunicaciones (art. 198 y 536 CP)[117], solución que, sin embargo, tampoco está exenta de problemas.

---

[115] Así, por ejemplo, FRIGOLS I BRINES, E. nota al pie 33 en Op. cit. pág. 60 y ss. y la STS 130/2007, de 19 de febrero (*Tol 1053720*) en la que se afirma que "... *la captura de los 'datos externos' al contenido de la comunicación, del tipo de los que acaban de indicarse, tienen la naturaleza de verdadera y propia interceptación, a efectos constitucionales y legales y está sujeta al mismo régimen, tanto en el plano de los requisitos como en el de las consecuencias asociadas a la infracción de éstos*".

[116] Así lo entienden, por ejemplo, MUÑOZ CONDE, F. Op. cit. ant. pág. 275 o SERRANO GÓMEZ, A. /SERRANO MAILLO, A. *Derecho penal Parte Especial*. Ed. Dykinson, Madrid, 2011. pág. 279, entre otros.

[117] En este línea, señala PUENTE ABA, L. M. que el rastreo de las actividades realizadas por Internet que permite captar, por ejemplo, con quien se comunica un sujeto, encajará en el tipo penal del art. 197 CP "... *puesto que sin duda supone una interceptación de señales de comunicación*" Op. cit. págs. 169 y 170. En la misma Línea, la ya citada STS 130/2007, de 19 de febrero (*Tol 1053720*), señala que precisamente la utilización de la expresión "*cualquier otra señal de comunicación*" del artículo 197.1 CP "... *confirma de la manera más elocuente que en nuestro orden legal vigente el derecho fundamental de referencia goza de máximo de protección, que se extiende no solo al contenido de la conversación, sino, igualmente a los datos técnicos reservados, mediante cuyo conocimiento podría llegarse a saber de la existencia de la misma como tal*".

No lo estará, en primer lugar, porque se enfrenta e un grave problema de proporcionalidad, ya que resulta evidente que el registro o a captación ilegal de los datos de tráfico, como ha afirmado reiteradamente la jurisprudencia tanto nacional como internacional, representa una afección menor al secreto de las telecomunicaciones que su verdadera interceptación[118], con lo que no parece de recibo que se le pueda llegar a castigar con la misma pena que a ésta. Pero, además, y en segundo lugar, porque esta desproporcionada solución continuaría dejando sin protección a uno de los casos más peligrosos de captación u obtención de dichos datos, ya que no servirá para castigar todos aquellos supuestos en que los datos se hubiesen obtenido accediendo a los que se habrían captado y almacenado por los proveedores al amparo de la Ley 25/2007; datos que, en principio, se obtuvieron de forma lícita por parte de dichos sujetos y, precisamente por ello, escapan del ámbito de protección del art. 197.1 CP y del resto de delitos protectores del secreto de las comunicaciones.

¿Podrían considerarse entonces que estas últimas actuaciones estarían protegidas por aquellos delitos que tutelan el derecho a la protección de datos personales?

Lo primero que ha de señalarse para responder a esta última cuestión, es que el hecho de que todos los datos referidos a las comunicaciones en el art. 3 de la Ley 25/2007 contengan informaciones referidas a personas identificables sin realizar actuaciones desproporcionadamente complejas, los convierte, sin lugar a dudas, en datos personales, por más que también puedan estar amparados por el derecho al secreto de las comunicaciones[119].

De hecho, son datos personales que podrán recibir tutela penal precisamente como consecuencia de encontrarse almacenados y re-

---

[118]   En este sentido, se manifestaba la ya comentada STEDH referida al caso Malone vs Reino Unido, o la Sentencia de nuestro propio Tribunal Constitucional 123/2002, de 20 de mayo (*Tol 258655*), en la que se afirmaba precisamente que dicha menor intensidad de la afección tiene que ser tenida en cuenta por los jueces a la hora de valorar si se puede autorizar su captación o no.

[119]   En esta línea, se manifiesta precisamente LLORIA GARCÍA, P. "El secreto de las comunicaciones: su interpretación en el ámbito de los delitos cometidos a través de Internet. Algunas consideraciones", en *La protección jurídica de la intimidad*. Ed. Iustel. Madrid, 2010. pág. 197.

gistrados en un fichero, lo que permitirá que el art. 197.2 CP pueda castigar tanto aquellos casos en los que los proveedores utilicen dichos datos de forma perjudicial y no autorizada (p. ej. para fines distintos de los permitidos por el art. 38 de la Ley 32/2003 General de Telecomunicaciones (LGT), casos en los que de nuevo los proveedores de servicios responderán cualificadamente por ser responsables del fichero que utilizaron), como aquellos otros en los que fuese un tercero quien accediese a ellos o los alteasen de forma no autorizada y actuando en perjuicio los intereses de terceros, incluido los del propio operador.

Podría pensarse entonces, que sería precisamente el doble carácter de los datos de tráfico (como datos personales y como datos protegidos por el secreto de las comunicaciones) el que permitiría considerar que nuestro ordenamiento penal les brindaba una completa protección, acorde con lo exigido por el art. 13 de la Directiva 2006/24/CE, aunque ello olvidaría que todavía quedará un caso problemático y nada infrecuente que resolver, ya que todavía se tendrá que determinar si se podrá castigar penalmente a aquellos proveedores que entreguen, revelen o incluso vendan de forma no autorizada los datos contenidos en los ficheros que quedan bajo su responsabilidad conforme a lo establecido en la Ley 25/2007.

Lo primero que tenemos que volver a recordar con respecto a este supuesto es que al haberse producido la inicial captación de datos realizada por los proveedores de forma completamente lícita y autorizada, no se puede entender que su posterior cesión o comunicación ilegal a terceros pueda ser castigada conforme a lo dispuesto en el art. 197.1 o 2 CP o en alguno de sus respectivos tipos cualificados

Parecería entonces, que estaríamos de nuevo ante una evidente e intolerable laguna de protección, ya que no se entendería por qué razón el acceso de un tercero o la utilización no autorizada del propio proveedor de dichos datos podría ser delito y, sin embargo, la difusión o distribución masiva de los mismos realizada por este último sujeto no podría llegar a tener trascendencia penal.

Sin embargo, en este caso nos encontramos con unos sujetos (los proveedores) que actúan como verdaderos confidentes necesarios de la información referida a las comunicaciones de los usuarios de sus servicios y que, además, están vinculados, —conforme a lo establecido en el art. 8 de la Ley 25/2007—, por los mismos deberes y obligaciones que se predican respecto a cualquier otro responsable del fichero de datos de carácter personal de los contemplados en la LOPDP; deberes entre los que se encuentra el de guardar el secreto profesional, que será el que precisamente nos permitirá entender que si comunican o ceden de forma no autorizada los datos que estaban obligados a custodiar, habrán incumplido con dicho deber y se les podrá castigar como autores del delito de revelación de secreto profesional del art. 199.2 CP[120].

Parece, por tanto, que será la posible aplicación acumulada y no demasiado coordinada de los tipos delictivos protectores del secreto de las comunicaciones, de los datos de carácter personal e incluso del secreto profesional, la que permitirá que nuestro ordenamiento pueda responder a la exigencia de protección de los datos de tráfico establecida por el art. 13 de la Directiva 2006/24/CE, si bien hay que reconocer que ello se conseguirá sacrificando por el camino, como hemos visto, el principio de proporcionalidad y utilizando en algunos supuestos un delito, como el de revelación de secreto profesional, que a diferencia de lo que sucede con los contenidos en el art. 197 CP, no puede dar lugar a la responsabilidad penal de las personas jurídicas, efecto que, a nuestro modo de ver, resulta del todo contraproducente, dados los evidentes efectos preventivos que dicha previsión podría tener sobre la realización de este tipo de actividades ilícitas en el seno de unas entidades que, como las proveedoras de servicios de comunicación, tendrán generalmente dicha naturaleza.

## 5. ¿ES NECESARIA UNA NUEVA PROTECCIÓN JURÍDICO-PENAL DE LOS DATOS PERSONALES EN INTERNET?

A lo largo de este trabajo, hemos visto cómo tanto la legislación penal como la no penal se encuentran con serios problemas a la hora proteger

---

[120]    Así lo entiende también, MORALES PRATS, F., quien señala que la revelación no autorizada de los datos custodiados por los proveedores de servicios de Internet podría y debería ser considerada como una conducta perfectamente subsumible en el delito de revelación de secreto profesional, lo que permitiría castigar al sujeto responsable de la misma como verdadero autor del delito contemplado en el art. 199.2 del Código penal Español. "La investigación del ciberdelito (II)", Iuris, nº 102, 2006, pág. 35.

adecuadamente a los datos de carácter personal frente a los cada vez más numerosos y variados riesgos que los acechan en la actualidad.

Fenómenos tales como la proliferación de identidades vinculadas a diferentes sectores de actividad de cada una de las personas, la expansión de las redes sociales o la captación y almacenamiento generalizado de una ingente cantidad de datos que se refieren a la propia existencia y características de las comunicaciones que se realizan, suponen la aparición de nuevos y muy importantes focos de peligro para la protección de nuestros derechos y, sin embargo, solo encuentran la respuesta que le ofrecen algunos de los viejos tipos delictivos protectores de los datos de carácter personal, de la intimidad o incluso del secreto profesional o del de las comunicaciones.

Pese a todo, y como hemos podido comprobar, la enorme amplitud con la que el legislador configuró muchos de estos tipos en su día, precisamente en previsión de los futuros avances tecnológicos que no tardaron en llegar, permite que muchos de estos peligros encuentren alguna respuesta penal en nuestro Código, si bien lo hacen en ocasiones de forma completamente descoordinada o a costa de sacrificar el principio de proporcionalidad, lo que se debería corregir.

Ahora bien, si hay un problema referido a la protección penal de los datos de carácter personal que parece que todavía continúa sin solución, éste es el referido a la nula o muy escasa utilidad que dicha protección presenta a la hora de luchar contra él, a nuestro modo de ver, mayor peligro que acecha a dichos datos en la situación actual, el derivado de la existencia de un tráfico masivo e ilegal de dichos datos.

Como hemos visto, cada vez hay más personas y entidades que tienen nuestros datos o que pueden acceder a ellos sin cometer hecho delictivo alguno, lo que les permite posteriormente comerciarlos o difundirlos de forma completamente impune, pese al grave daño que dichas conductas nos pueden ocasionar. En este punto y a nuestro modo de ver, la configuración del actual 197. 2 CP, resulta completamente inadecuada, ya que al castigar conductas tales, como el acceso, el apoderamiento, el uso o la alteración no autorizados de datos de carácter personal, pero excluir de su tipo de injusto a su revelación o difusión ilegales que, como hemos visto, solo es delictiva si va precedida de alguna de las conductas anteriores, hace que la mayoría de los casos más graves de tráfico ilícito y masivo de datos de carácter personal queden completamente impunes, lo que convierte a este precepto en un instrumento jurídico caduco que sirve para atrapar a los peces pequeños que atentan contra dichos datos, pero que deja escapar sin mayores problemas, precisamente, a los que más los pueden lesionar, a los verdaderos peces gordos.

Sería conveniente, por tanto, convertir a los supuestos más graves de difusión no autorizada y perjudicial de datos de carácter personal registrados en ficheros, en una modalidad comisiva autónoma del resto de las que los protegen, reforma que, por otra parte, se debería aprovechar para eliminar la confusa división en dos incisos del art. 197.2 CP y para establecer una más adecuada coordinación entre los elementos típicos de este delito y los conceptos que usa la normativa extrapenal a los que los mismos remiten.

Precisamente y respecto a esta última normativa, a la extrapenal, resulta evidente que también la misma está necesitada de una reforma urgente que, por una parte, modifique el actual y desfasado sistema de información y consentimiento y lo sustituya o lo combine con otro más garantista y completo que impida, por ejemplo, que los proveedores de servicios de Internet puedan aprovecharse de su situación de dominio y de la velocidad con que todo se produce en la red, para conseguir que sus usuarios dispongan de forma casi inconsciente y obligatoria de sus derechos si quieren acceder a sus servicios; mientras que, por otra, también debería dejar definitivamente claro cuáles son los datos que realmente están amparados por el secreto de las comunicaciones y cuáles, por el contrario, solo podrían recibir protección en su calidad de datos de carácter personal, lo que, no solo acabará con la polémica referida a su posible aceptación como prueba en el proceso penal, sino que también y paralelamente permitirá definir con mayor fundamento y seguridad su correspondiente nivel de protección penal[121].

---

[121]   Algo así, parece que se trató de hacer en el último anteproyecto de Ley de enjuiciamiento Criminal, cuyo art. 1732 establecía que *"...la interceptación de las comunicaciones podrá tener por objeto: a) el simple conocimiento de su origen o destino; b) el conocimiento de los datos asociados al proceso de comunicación no comprendidos en el art. 420 de esta ley"*; artículo este último, donde expresamente se establecía que los datos que el Fiscal podrá requerir directamente a los proveedores que le comuniquen sin autorización judicial, (art. 419 y 420 ALECrim), serían los datos que permitan determinar *"a) el tipo de servicios de telecomunicaciones utilizado y el periodo de servicio. b) La identidad, la dirección postal o geográfica y el número*

Solo partiendo de la segura configuración de estos temas se podrá llegar a crear un sistema de protección penal de los datos de carácter personal que responda no solo de forma completa, sino también, y lo que es incluso más importante, coordinada y proporcionada a los riesgos que la sociedad de la información le plantea.

En cualquier caso, hay que reconocer que todo esto no dejan de ser sino pequeñas y gruesas pinceladas del constante proceso de reforma que nos tememos tendrá que afrontar nuestro legislador, si realmente quiere responder a los retos que las nuevas tecnologías plantean y plantearán en el futuro a los derechos y garantías de los ciudadanos.

De hecho, son pinceladas de un cuadro que responde a una pequeña y limitada foto fija tomada de la realidad de hoy o tal vez, deberíamos decir ya, de ayer.

En realidad, el cuadro al que nos enfrentan las nuevas tecnologías de la información es mucho más amplio que el aquí expuesto y cambia y evoluciona constante y rápidamente. Esperemos que el legislador sea consciente de ello, y se mantenga alerta frente a los retos que a buen seguro le están aguardando ya a la vuelta de la esquina.

## BIBLIOGRAFÍA

ALAMILLO DOMINGO,
- "La identidad electrónica en la red" en *Derecho y Redes Sociales*. Ed. Civitas, Madrid, 2010.

ALBO PORTERO, C.,
- "Las redes sociales y la web 2.0. Fuentes de creación de perfiles personales suplantación e identidad, reputación online y protección de datos personales" en *Luces y Sombras de la seguridad internacional en los albores del siglo XXI*. Tomo II. Ed. Instituto Universitario Gutiérrez Mellado, Madrid, 2010.

---

de teléfono del abonado, así como cualquier otro *número de acceso o información sobre facturación y pago que se encuentre disponible sobre la base de un contrato o de acuerdo de prestación de servicios. c) Cualquier otra información relativa al lugar en que se encuentren los equipos de comunicaciones, disponible sobre la base de un contrato o de un acuerdo de servicios…"*, de lo que se deduce que todos estos datos de suscripción y de localización, solo recibirían protección como dato personal y no como datos amparados por el secreto de las telecomunicaciones. En *Anteproyectos de ley para un nuevo proceso penal*. Ed. Ministerio de Justicia. Madrid, 2011.

ARENAS RAMIRO, M.
- "El consentimiento en las redes sociales online" en *Derecho y Redes Sociales*. Ed. Civitas, Madrid, 2010.

BOLEA BARDÓN, C.
- *Derecho penal. Parte Especial*. Ed. Tirant lo Blanch. Valencia, 2011.

CARBONELL MATEU, J. C. /GONZÁLEZ CUSSAC, J. L.
- *Comentarios al Código penal de 1995*, Ed. Tirant lo Blanch. Valencia, 1996.

CHAVELI DONET, E.
- "Redes sociales, empresa y publicidad", en *Derecho y Redes Sociales*. Ed. Civitas, Madrid, 2010.

DÍAZ CAPPA,
- "Confidencialidad, secreto de las comunicaciones e intimidad en el ámbito de los delitos informáticos" LA LEY nº 7666, 2011, en www.laley.es (últ. vis. 2-6-2012).

DOMÍNGUEZ MARTÍNEZ, S.
- "La publicación en las redes sociales de fotografías realizadas en ámbito personales o domésticos" en datospersonales.org (www.madrid.org...) (últ. vis. 10-6-2012).

ELVIRA PERALES, A.
- *Derecho al secreto de las comunicaciones*. Ed. Iustel, Madrid, 2007.

FERNÁNDEZ GARCÍA, J. A.
- *La ley de protección de datos de carácter personal*, Ed. Lex Nova, Valladolid, 2007.

FERNÁNDEZ RODRÍGUEZ, J.J.
- *Secreto de las comunicaciones en Internet*. Ed. Civitas; Madrid, 2004.

FRIGOLS I BRINES, E.
- "La protección constitucional de los datos de comunicaciones: delimitación de los ámbitos de protección del secreto de las comunicaciones y del derecho a intimidad a la luz del uso de las nuevas tecnologías", en *La protección jurídica de la Intimidad*. Ed. Iustel. Madrid, 2010.

GALÁN MUÑOZ, A.
- *"La internacionalización de la represión y la persecución de la criminalidad informática: Un nuevo campo de batalla en la eterna guerra entre prevención y garantías penales"*, en Revista penal nº 24, 2009.
- "El robo de identidad: aproximación a una nueva y difusa figura delictiva", en *Robo de identidad y protección de datos*. Ed. Aranzadi, Cizur Menor, 2010.
- *Libertad de expresión y responsabilidad penal por contenidos ajenos en Internet*. Ed. Tirant lo Blanch, Valencia, 2010.

GARCÍA MEXIA, P.
- "Internet y protección de datos, Los desafíos de la revolución digital", LA LEY n 7577, 2011 www.laley.es (últ. vis. 6-3-2012).

GONZÁLEZ LÓPEZ. J. J.
- "La retención de datos de tráfico de las comunicaciones en la Unión europea: Una aproximación Crítica", en La LEY n° 6456, 2006, en www.laley. es (últ. vis. 10-5-2012).

GONZÁLEZ RUS, J. J.
- *Sistema de Derecho penal Español. Parte* Especial. Ed. Dykinson, Madrid, 2011.

GUICHOT, E.
- *Datos personales y administración pública,* Ed. Aranzadi, Cizur Menor (Navarra) 2005.

JAREÑO LEAL, A.
- *Intimidad e imagen: Los límites de la protección penal.* Ed. Iustel. Madrid, 2008.

JAREÑO LEAL A/DOVAL PAIS, A.
- "Revelación de datos personales, intimidad e informática", en *El nuevo Derecho penal español. Estudios penales en memoria del profesor José Manuel Valle Muñiz.* Ed. Aranzadi, ElCano, 2001.

LESMES SERRANO, C.
- *La ley de protección de datos de carácter personal,* Ed. Lex Nova, Valladolid, 2007.

LLORIA GARCÍA, P.
- "El secreto de las comunicaciones: su interpretación en el ámbito de los delitos cometidos a través de Internet. Algunas consideraciones", en *La protección jurídica de la intimidad.* Ed. Iustel. Madrid, 2010.

MARTÍNEZ MARTÍNEZ, R.
- "Protección de datos personales y redes sociales: Un cambio de paradigma", en *Derecho y Redes Sociales.* Ed. Civitas, Madrid, 2010.

MATA Y MARTÍN, R. M.
- *Delincuencia informática y Derecho penal.* Ed. Edisofer. Madrid, 2001.

MORENO CATENA, V.
- "La intervención de las comunicaciones personales en el proceso penal". En La reforma de la justicia penal (Estudios homenaje al Prof. Klaus Tiedemann), Ed. Publicactions Universitat Jaume I, 1997.

MORALES PRATS, F.
- "La investigación del ciberdelito (II)", Iuris, n° 102, 2006.
- *Comentarios a la parte Especial del Derecho* penal. Ed. Aranzadi. Cizur Menor, 2011.

MORÓN LERMA, E.
- *Internet y Derecho penal: Hacking y otras conductas lícitas en la red.* Ed. Aranzadi. Cizur Menor, 2002.

NIETO MARTÍN, A/MAROTO CALATAYUD, M.
- "Redes sociales en Internet y 'Data Mining' en la prospección e investigación de comportamientos delictivos", en *Derecho y Redes Sociales.* Ed. Civitas, Madrid, 2010.

MUÑOZ CONDE, F.
- *Derecho penal. Parte Especial.* Ed. Tirant lo Blanch, Valencia, 2010.

NARVÁEZ RODRÍGUEZ, A.
- "Tutela de la privacidad e interceptación pública de las comunicaciones", en *Delito e informática: algunos aspectos.* Ed. Universidad de Deusto. Bilbao, 2007.

NISSENBAUM, H.
- "A Contextual Aproach to privacy online" Daedalus, the Journal of the american Academy of Arts& Sciences 140 (4).

ORTIZ LÓPEZ, P.
- "Redes sociales: Funcionamiento y tratamiento de información personal" en *Derecho y Redes Sociales.* Ed. Civitas, Madrid, 2010.

ORTIZ PRADILLO, J. C.
- "Tecnología *versus* Proporcionalidad en la investigación Penal: La nulidad de la ley Alemana de conservación de datos de tráfico de las comunicaciones electrónicas" La Ley Penal nº 75, 2010, en www.laley.es (últ. vis. 2-5-2012).

ORTS BERENGUER, E/ROIG TORRES, M.
- *Delitos informáticos y delitos comunes cometidos a través de la informática.* Ed. Tirant lo Blanch, Valencia, 2001.

PAREDES CASTAÑÓN, J. M.
- *Enciclopedia penal básica.* Ed. Comares, Granada, 2002.

PUENTE ABA, L. M.
- "Delitos contra la intimidad y nuevas tecnologías", en EGUZKILORE nº 21, 2007.

QUINTERO OLIVARES, G.
- "La 'clonación' de tarjetas y el uso de documentos ajenos", en Boletín de Información del ministerio de Justicia, nº 2015, 2006.

RODRÍGUEZ LAINZ,
- "Secreto de las comunicaciones e intervención judicial de comunicaciones…" La LEY nº 7351, 2010, en www.laley.es (últ. vis. 3-6-2012).

ROIG, A.
- "E-privacidad y redes sociales" IDP nº 9 (2009). Pág. 44, en http//idp.uoc. edu (últ. vis. 1-5-2012).

ROMEO CASABONA, C. M.
- *Comentarios al Código penal. Parte Especial II.* Ed. Tirant lo Blanch, Valencia, 2004.
- "Los datos de carácter personal como bienes jurídicos penalmente protegidos", en *El cibercrimen, nuevos retos jurídico-penales, nuevas respuestas político criminales.* Ed. Comares. Granada, 2006.

ROMERO PAREJA, A.
- "Intervención de las comunicaciones" La LEY nº 7816, 2012, en www. laley.es (últ. vis. 2-6-2012).

RUEDA MARTÍN, Mª A.
  - *Protección penal de la intimidad personal e informática (Los delitos de descubrimiento y revelación de secretos de os artículos 197 y 198 del Código penal)*. Ed. Atelier. Barcelona, 2004.
SAIZ GARITAONANDIA, A.
  - "Algunas notas sobre el secreto de las comunicaciones personales y la posibles intervención de las mismas" en *Derecho penal informático*, Ed. Civitas, Madrid, 2010.
SÁNCHEZ SISCART, J. M.
  - "A vueltas con el secreto de las comunicaciones: algunos supuestos críticos en la jurisprudencia de la Sala 2ª del Tribunal Supremo" La LEY nº 7338, 2010, en www.laley.es (últ. vis. 1-6-2012).
SOLAR CALVO, O.
  - "La doble vía europea en protección de datos", LA LEY nº 7832, 2012 www.laley.es (últ. vis. 12-6-2012).
TOMAS-VALIENTE LANUZA, C.
  - *Comentarios al Código penal*. Ed. Lex nova, Valladolid, 2010.
TRONCOSO REIGADA, A.
  - "Las redes sociales y la APDCM" en datospersonales.org (www.madrid.org...) (últ. vis. 10-6-2012).
VALEIJE ÁLVAREZ, I.
  - "Intimidad y difusión de imágenes sin consentimiento", en *Constitución, derechos fundamentales y sistema penal. Tomo II,* Ed. Tirant lo Blanch. Valencia, 2009.
VILASOU SOLANA, M.
  - "Privacidad, redes sociales y factor humano", en *Derecho y Redes Sociales*. Ed. Civitas, Madrid, 2010.
VILLACAMPA ESTIARTE, C.
  - "Tráfico de documentos falsificados y uso indebido de documentos auténticos en el proyecto de Ley Orgánica de modificación del CP de 2007", en *La adecuación del Derecho penal español al ordenamiento de la Unión Europea. La política criminal europea*. Ed. Tirant lo Blanch. Valencia, 2009.

# PROTECCIÓN DE DATOS Y RESPONSABILIDAD PENAL EN EL ÁMBITO DE LOS REGISTROS POLICIALES DE IDENTIFICADORES OBTENIDOS A PARTIR DEL ADN

Viviana Caruso Fontán
*Profesora Contratada Doctora de Derecho penal*
*Universidad Pablo de Olavide*

SUMARIO: 1. LA LEY 10/2007 Y LA CREACIÓN DE UN FICHERO ÚNICO DE IDENTIFICADORES OBTENIDOS A PARTIR DEL ADN EN EL ÁMBITO DE INVESTIGACIONES POLICIALES; 1.1. Introducción; 1.2. Los nuevos Ficheros policiales; 1.3. Infracciones que autorizan la incorporación de los datos en los archivos; 1.4. Grado de implicación del acusado por el delito; 1.5. La cancelación de los datos; 2. LA RESPONSABILIDAD PENAL DE LOS ENCARGADOS Y RESPONSABLES DE BASES DE DATOS DE ADN; 2.1. El objeto material del delito de agresiones a los datos reservados de carácter personal o familiar; 2.2. La conducta típica; 2.3. La expresión "en perjuicio de"; 2.4. La cualidad de "encargados" o "responsables" de los ficheros; 2.5. Cualificación por el carácter sensible de los datos; 2.6. El tipo cualificado por la cualidad de funcionario o autoridad pública; 2.7. El delito de revelación del secreto profesional; 2.8. Responsabilidad de encargados y responsables de archivos en comisión por omisión; 3. CONCLUSIONES

## 1. LA LEY 10/2007 Y LA CREACIÓN DE UN FICHERO ÚNICO DE IDENTIFICADORES OBTENIDOS A PARTIR DEL ADN EN EL ÁMBITO DE INVESTIGACIONES POLICIALES

### 1.1. *Introducción*

La importancia de la utilización de los análisis de ADN como prueba pericial dentro del proceso penal no ha dejado de incrementarse desde que en 1986 fuera utilizado por primera vez en el Reino Unido para resolver el caso "Enderby"[429]. La razón de la generalización de la utilización de estos métodos se debe básicamente a dos razones: primero, a la gran fiabilidad que han logrado estas pruebas en los procesos para la identificación de individuos y, segundo, por el desarrollo de nuevos procedimientos que permiten realizar los análisis a partir de muestras muy pequeñas e, incluso, de muestras deterioradas, tratándose de las características que normalmente presentan las muestras de las que se dispone en un proceso judicial[2].

No obstante, estas técnicas encierran también ciertos peligros, ya que la inscripción en archivos de los identificadores obtenidos a partir de muestras de ADN puede representar una importante intromisión en el derecho a la autodeterminación informativa. Por ello, desde hacía ya varios años la doctrina más autorizada venía poniendo de manifiesto la necesidad impostergable de proceder a regular en nuestro país las bases de datos policiales que contienen los identificadores de

---

[1] En el caso Enderby se admitieron análisis de ADN como prueba en el proceso y estos permitieron exonerar de responsabilidad a un joven que sufría un trastorno mental y que había confesado ser el autor de la violación y asesinato de una joven, pudiendo, además, identificarse al verdadero autor del crimen. Ampliamente, al respecto: MORA SÁNCHEZ, J. M.: *Aspectos sustantivos y procesales de la tecnología del ADN. Identificación criminal a través de la huella genética*, Bilbao-Granada, 2001, pág. 34.

[2] Nos referimos a los métodos basados en la reacción en cadena de la polimerasa (PCR). La utilización de ADN en la práctica forense se desarrolla a partir de 1984. Por entonces se utilizaba un sistema de sondas multi-locus para el análisis del ADN; no obstante, este método, que aún continúa siendo utilizado para pruebas de paternidad, posee muchas limitaciones para su uso en prácticas forenses. La primera de ellas es la imposibilidad de analizar muestras minúsculas, como pequeñas manchas de sangre, esperma o pelos, que constituyen la mayor parte del trabajo forense. En segundo término, encontramos la imposibilidad de analizar muestras degradadas. El análisis de polimorfismos de ADN mediante la reacción en cadena de la polimerasa solucionó muchos de estos problemas. Por medio de este método, pequeños fragmentos de ADN se amplifican *in vitro* (fuera de un organismo vivo) y a partir de una cadena única se pueden hacer millones de copias, de modo que el producto amplificado se puede analizar fácilmente incluso sin recurrir al uso de sondas. De esta forma, se pueden multiplicar, copiar o amplificar artificialmente un trozo o fragmento de ADN todas las veces que sea necesario. Al respecto: GUILLÉN VÁZQUEZ, M., PESTONI, C. Y CARRACEDO, A.: "Bases de datos de ADN con fines de investigación criminal: aspectos técnicos y problemas ético-legales", en *Revista de Derecho y genoma humano*, Bilbao, 1998, pág. 140. MORA SÁNCHEZ, J. M.: *Aspectos sustantivos y procesales...*, ob. cit., pág. 24. GARCÍA, O. Y ALONSO, A.: "Las bases de datos de perfiles de ADN como instrumento en la investigación policial", en ROMEO CASABONA, C. M. (ed.): *Bases de datos de perfiles de ADN y criminalidad*, Bilbao-Granada, 2002, pág. 29.

ADN que son utilizados en investigaciones criminales[3]. Así, tras el fallido intento que significó el Borrador de Anteproyecto de Ley reguladora de las Bases de datos de ADN del año 2000[4], la LO 10/2007 supuso la solución a esta carencia reguladora.

Esta Ley es el resultado de la incorporación a nuestro Derecho positivo de numerosas recomendaciones recibidas por parte de Organismos Internacionales. Especialmente importante fue el tratamiento que dedicara a esta materia el Consejo de Europa. Así, la Recomendación (92) 1, de 10 de febrero de 1992, del Comité de Ministros invitaba a los Estados a crear una base de datos o archivo con fines de investigación criminal capaz de servir para el intercambio de datos entre los Estados participantes[5].

---

[3]    Por todos: MORA SÁNCHEZ, J. M.: "Propuestas para la creación y regulación legal en España de una base de datos de ADN con fines de identificación criminal", en ROMEO CASABONA, C. M. (ed.): *Bases de datos de perfiles de ADN y criminalidad*, Bilbao-Granada, 2002, pág. 57.

[4]    Publicado en el Boletín de Información del Ministerio de Justicia, núm. 1867, de 15 de abril de 2000, pág. 1536. Sobre el Borrador de Anteproyecto y las anteriores iniciativas para regular esta materia en nuestro país, ampliamente: MORA SÁNCHEZ, J. M.: "Propuestas para la creación y regulación legal", ob. cit., pág. 57. En referencia al Borrador de Anteproyecto del año 2000, una de las cuestiones más criticadas por la doctrina fue su caracterización como una Ley Ordinaria, ya que esta situación negaba la afectación de derechos fundamentales que implicaba esta regulación. En este sentido: FERNÁNDEZ GARCÍA, E.: "La elaboración de bases de datos de perfiles de ADN de delincuentes: aspectos procesales", en ROMEO CASABONA, C. M. (ed.): *Bases de datos de perfiles de ADN y criminalidad*, Bilbao-Granada, 2002, pág. 204.

[5]    También en el ámbito de la Unión Europea encontramos significativos pronunciamientos sobre este tema. En efecto, las Resoluciones del Consejo número 193 de 9 de junio de 1997 (LCEur 1997, 1866) y de 25 de junio de 2001 inciden en la necesidad de la creación de estos archivos. Posteriormente, el Convenio de Prüm, relativo a la profundización de la cooperación transfronteriza, en particular en materia de lucha contra el terrorismo, la delincuencia transfronteriza y la migración ilegal, de 27 de mayo de 2005, obliga a los estados firmantes a crear y mantener ficheros nacionales de análisis de ADN (art. 2), así como a permitir que las demás Partes Contratantes tengan acceso a los índices de referencia de sus ficheros de análisis del ADN para los fines de la persecución de delitos (art. 3). La Unión Europea volverá a prestar atención a esta materia con la aprobación de la Decisión Marco 2008/615/JAI del Consejo de 23 de junio de 2008, sobre la profundización de la cooperación internacional, en particular en materia de lucha contra el terrorismo y la delincuencia transfronteriza, que incorporará al ordenamiento jurídico de la Unión Europea los elementos básicos de la Conven-

Resulta relevante destacar que según indica la Exposición de Motivos de la nueva Ley, su objetivo fundamental es "*la creación de una base de datos en la que, de manera única, se integren los ficheros de las Fuerzas y Cuerpos de Seguridad del Estado en los que se almacenan los datos identificativos obtenidos a partir de los análisis de ADN que se hayan realizado en el marco de una investigación criminal, o en los procedimientos de identificación de cadáveres o de averiguación de personas desaparecidas*"[6]. Además, de forma congruente con la naturaleza de los derechos que pueden verse afectados, esta Ley reviste —aunque sólo en relación a una parte de su articulado—, el carácter de Ley Orgánica[7], y se inscribe, según su Disposición Adicional Segunda, en el marco de lo dispuesto por la LO 15/1999, de Protección de Datos de Carácter Personal, la cual resulta de aplicación directa.

Para acercarnos a esta problemática, el presente trabajo tendrá como objetivo analizar si las condiciones de inscripción y cancelación de los datos en las bases policiales determinadas por la LO 10/2007 pueden garantizar que la intromisión en el derecho a la autodeterminación informativa del individuo se vea limitado a lo estrictamente necesario. Por otro lado, se pretende obtener una conclusión acerca de cuál sería la responsabilidad penal como consecuencia de una posible cesión o difusión de la información contenida en los registros por parte de las personas que se encuentren a cargo de los mismos. Deberá plantearse, por tanto, si este supuesto puede resultar encuadrable en los artículos 197.2 y 5 CP referidos a la protección de datos de carácter personal, o si, por otro lado, la caótica redacción de estos precep-

---

ción de Prüm, y con la aprobación de la Decisión Marco 2009/905/JAI del Consejo de 30 de noviembre de 2009 sobre acreditación de prestadores de servicios forenses que llevan a cabo actividades de laboratorio. Al respecto, ver: PRIETO RAMÍREZ, L. M.: "La Ley Orgánica reguladora de la base de datos policial sobre identificadores obtenidos a partir de ADN", en *Actualidad Jurídica Aranzadi*, núm. 747/2008, Pamplona. SANZ HERMIDA, A. M.: "Protección de datos en la transmisión transnacional de perfiles de ADN y muestras biológicas a los efectos de la persecución penal", en *Revista General de Derecho procesal*, núm. 20, 2010.

6    Esta base de datos dependerá del Ministerio del Interior a través de la Secretaría de Estado de Seguridad (artículo 1, LO 10/2007).

7    CABEZUDO BAJO, M. J.: "Valoración del sistema de protección del dato de ADN en el ámbito europeo", en *Revista General de Derecho Europeo*, nº 25, 2011, pág. 20.

tos puede determinar la necesidad de acudir al delito de revelación del secreto profesional para dar una solución al mismo.

## 1.2. *Los nuevos Ficheros policiales*

Con anterioridad a la promulgación de la LO 10/2007, los datos obtenidos a partir del ADN analizado en el trascurso de investigaciones policiales se encontraban dispersos en registros pertenecientes a distintos entes. En el caso de la Policía Nacional, estos archivos recibían el nombre de ADN-Veritas y ADN-Humanitas[8], mientras que, por otro lado, los archivos pertenecientes a la Guardia Civil se denominaban ADNIC y FENIX. La evidente necesidad de cooperación mutua entre estas bases llevó a que, ya antes de la aprobación de la LO 10/2007, se dieran los primeros pasos en este sentido. Así, en 2004 se crea en el Ministerio del Interior el Comité Ejecutivo para el Mando Unificado de las Fuerzas y Cuerpos de Seguridad del Estado (CEMU) con el objetivo de garantizar de forma permanente y continuada la coordinación entre el Cuerpo Nacional de Policía y el Cuerpo de la Guardia Civil. La creación de este organismo posibilitó que en octubre de 2004 se cruzasen las bases de datos de ADN de ambas instituciones[9].

Con la entrada en vigor de la LO 10/2007[10] se establecen las bases jurídicas para la integración de los datos contenidos en estos archivos

---

[8]    Al respecto, ver: Orden INT/1751/2002, de 20 de junio, por la que se regulan los ficheros informáticos de la Dirección General de la Policía que contienen datos de carácter personal, adecuándolos a las previsiones establecidas en la Ley Orgánica 15/1999, de 13 diciembre, de Protección de Datos de Carácter Personal, y demás normativa sobre la materia.

[9]    Con posterioridad, se continúan tomando medidas con el objetivo de aumentar la coordinación entre las tareas encomendadas a la Policía Nacional y la Guardia Civil. Así, en 2006 se fusionan las dos Direcciones Generales en el ámbito de la Secretaría de Estado de Seguridad: la Dirección General de la Policía y la Dirección General de la Guardia Civil, que pasan a estar bajo el mando único de la Dirección General de la Policía y la Guardia Civil. Al respecto, ampliamente: PRIETO SOLLA, L. y SOLIS ORTEGA, C.: "El laboratorio de ADN", en *Policía Científica. 100 años al servicio de la Justicia*, Bilbao, 2011, pág. 219.

[10]   Como antecedente de esta Ley encontramos el Borrador de Anteproyecto de Ley reguladora de las Bases de datos de ADN del año 2000, publicado en el Boletín de Información del Ministerio de Justicia, núm. 1867, de 15 de abril de 2000,

en una nueva base de datos policial que, de acuerdo a lo establecido en el artículo 2 de la mencionada norma, dependerá del Ministerio del Interior, a través de la Secretaría de Estado de Seguridad. Esta Ley se inscribe, según su Disposición Adicional Segunda, en el marco de lo dispuesto por la LO 15/1999, de Protección de Datos de Carácter Personal, la cual resulta de aplicación directa. Respondiendo a esta normativa, con la Orden del Ministerio del Interior INT 177/2008 se procede a la unificación y centralización de los ficheros de titularidad estatal bajo las siguientes denominaciones:

1. el conocido como INT-SAIP[11], en el cual se inscribirán los datos de personas relacionadas con hechos investigados que voluntariamente se sometan al tratamiento, así como los datos de sospechosos, detenidos o imputados cuando se trate de delitos graves y, en todo caso, los que afecten a la vida, la libertad, la indemnidad o la libertad sexual, la integridad de las personas, el patrimonio, siempre que fuesen realizados con fuerza en las cosas, o violencia o intimidación en las personas, así como en los casos de la delincuencia organizada, debiendo entenderse incluida, en todo caso, en el término delincuencia organizada la recogida en el artículo 282 bis, apartado 4 de la Ley de Enjuiciamiento Criminal en relación con los delitos enumerados (tal como indicaba el art. 3 de la LO 10/2007),

2. el llamado INT-FENIX[12], donde pueden encontrarse los datos de las personas genéticamente relacionadas con restos humanos, las desaparecidas, las genéticamente relacionadas con desaparecidos, y las que determinen los Jueces y Tribunales en el uso de sus atribuciones.

En referencia a la información que se incorporará en estos registros, la LO 10/2007 establece en su artículo 4 que "*sólo podrán inscribirse en la base de datos policial regulada en esta Ley los identifi-*

---

pág. 1536. Sobre el Borrador de Anteproyecto y las anteriores iniciativas para regular esta materia en nuestro país, ampliamente: MORA SÁNCHEZ, J. M.: "Propuestas para la creación y regulación legal en España...", ob. cit. pág. 57. También ver: FERNÁNDEZ GARCÍA, E.: "La elaboración de bases de datos..." ob. cit., pág. 204.

[11]    Recoge los datos de las bases ADN-Veritas y ADNIC.
[12]    Recoge los datos de las bases ADN-Humanitas y FENIX.

*cadores obtenidos a partir del ADN, en el marco de una investigación criminal, que proporcionen, exclusivamente información genética reveladora de la identidad de la persona y de su sexo".* De esta forma, y aún sin utilizar esta terminología, la Ley deja claro que sólo podrán inscribirse los datos resultantes de los análisis realizados a la parte no codificante del ADN. Al respecto, la Exposición de Motivos de la citada Ley aclara que se trata de una medida que resulta "fundamental" para eliminar "toda vulneración del derecho a la intimidad", ya que la información que puede incorporarse a la base coincide con aquélla que ofrece una huella dactilar, además de la información sobre el sexo del sujeto. Consecuentemente, la orden INT 177/2008[13] establece que los datos inscribibles en los nuevos ficheros serán:

1. Datos de carácter identificativo: DNI/NIF/Pasaporte, nombre y apellidos, dirección postal, teléfono, y datos del perfil genético con valor identificativo.

2. Datos de características personales: Datos de filiación, datos familiares, fecha y lugar de nacimiento, edad, sexo y nacionalidad.

Añadiéndose, además, en el caso de la base INT-SAIP, los datos relativos a la comisión de infracciones penales[14]. Al respecto, es conveniente advertir que si bien resulta loable la preocupación del legislador y el esfuerzo por intentar limitar los posibles atentados contra la intimidad que la existencia de este tipo de archivos pueda suponer, no es posible sostener, tal como pretende el legislador, que estas medidas eliminen, sin más, toda posible vulneración de los derechos de los implicados. No podemos olvidar que se trata de incluir en una base automatizada no solo los datos identificativos de la persona sino también los datos de filiación y, sobre todo, los datos referentes a la comisión de infracciones penales. Con base a lo expuesto se puede deducir

---

[13]    Posteriormente, la Orden del Ministerio del Interior INT 1202/2011 (con modificaciones introducidas por las Órdenes INT 1031/2012 y INT 1444/2012) modifica los ficheros para dar cumplimiento a lo establecido en el Real Decreto 1720/2007, de 21 de diciembre, por el que se aprueba el Reglamento de desarrollo de la Ley Orgánica 15/1999, de 13 de diciembre, de Protección de Datos de Carácter Personal.

[14]    Es necesario resaltar que el nivel de seguridad requerido para ambos ficheros por dicha Orden Ministerial y, de acuerdo a la posible consideración de bajo, medio o alto, se sitúa en el nivel alto.

que si bien la LO 10/2007 constituye un buen punto de partida[15], las medidas que incorpora resultan insuficientes, siendo necesaria una revisión de sus postulados. Esta primera impresión podrá ser corroborada procediendo a analizar las infracciones penales que pueden dar lugar a la inscripción de los datos en los registros, así como también las condiciones para su posterior cancelación.

## 1.3. Infracciones que autorizan la incorporación de los datos en los archivos

Resulta relevante analizar los términos en los que la LO 10/2007 regula la incorporación de perfiles genéticos a la base de datos policial de ADN haciendo hincapié en aquellos aspectos que pueden comprometer el derecho a la protección de datos personales. Así, el primer elemento a tener en cuenta se refiere a las infracciones punibles que justifican la incorporación de datos de ADN al fichero policial. Al respecto, el artículo 3 de la LO 10/2007 señala que deberán inscribirse:

> *"a) Los datos identificativos extraídos a partir del ADN de muestras o fluidos que, en el marco de una investigación criminal, hubieran sido hallados u obtenidos a partir del análisis de las muestras biológicas del sospechoso, detenido o imputado, cuando se trate de delitos graves y, en todo caso, los que afecten a la vida, la libertad, la indemnidad o la libertad sexual, la integridad de las personas, el patrimonio siempre que fuesen realizados con fuerza en las cosas, o violencia o intimidación en las personas, así como en los casos de la delincuencia organizada, debiendo entenderse incluida, en todo caso, en el término delincuencia organizada, la recogida en el artículo 282 bis, apartado 4 de la Ley de Enjuiciamiento criminal en relación con los delitos enumerados.*
>
> *b) los patrones identificativos obtenidos en los procedimientos de identificación de restos cadavéricos o de averiguación de personas desaparecidas.*
>
> *(...)*

---

[15]   Sobre la efectividad de la base de datos unificada de perfiles de ADN se ha indicado, a modo de ejemplo, que, mientras que en el año 2007 (la LO 10/2007 no entró en vigor hasta octubre) se identificaron genéticamente 1071 autores de hechos delictivos, en el año 2010 se identificaron 2691 autores, esclareciéndose un total de 3071 asuntos. PRIETO SOLLA, L. y SOLIS ORTEGA, C.: "El laboratorio de ADN", ob. cit., pág. 220.

> *2. Igualmente, podrán inscribirse los datos identificativos obtenidos a partir del ADN cuando el afectado hubiera prestado expresamente su consentimiento".*

El derecho a la autodeterminación informativa atribuye a su titular un haz de facultades cuyo ejercicio impone a terceros diversos deberes jurídicos. Entre estas facultades se encuentra el derecho del individuo de que se requiera su previo consentimiento para la incorporación de los datos personales a una base automatizada. En la LO 10/2007 se establece una importante excepción a este derecho ya que se permite la inscripción de identificadores obtenidos a partir del ADN sin el consentimiento de su titular cuando éstos provengan de acusados de delitos "graves". De esta forma, y de acuerdo al texto de los artículos 13 y 33 del Código Penal, quedarán comprendidos todos los delitos castigados por la Ley con una pena superior a cinco años de prisión[16]. A continuación, la LO 10/2007 señalará determinados grupos de delitos que darán lugar, según el propio texto de la ley, "en todo caso" a la incorporación de los datos en los archivos. Se tratará de los delitos que afecten a la vida, la libertad, la libertad e indemnidad sexuales o la integridad de las personas.

Esta redacción genera no pocas dudas interpretativas. Así, debemos valorar si resultará exigible también en los casos expresamente mencionados el requisito de la gravedad, o bien si la comisión de cualquier hecho delictivo comprendido dentro de estos grupos puede dar lugar sin más exigencias a la inscripción de los datos. En opinión de Exteberría Guridi, habrá que hacer compatibles ambos criterios y exigir que también en el caso de los tipos penales mencionados concurra el requisito de la gravedad. Este autor apoya su decisión en el mismo

---

[16] En este sentido: ETXEBERRÍA GURIDI, J. F.: "La LO 10/2007, de 8 de octubre, reguladora de la base de datos policial sobre identificadores obtenidos a partir del ADN", en *Diario La Ley*, núm. 6901, Madrid, pág. 4. Sobre la interpretación de este precepto no existe consenso. Así, Martín Pastor considera que "delito grave" debe ser considerado aquel que lleve aparejada una pena de prisión de más de 9 años, pues será enjuiciado por el cauce del proceso penal ordinario. MARTÍN PASTOR, J.: "Avances jurisprudenciales y legislativos sobre la prueba pericial de ADN en el proceso penal. En especial, la base de datos policial sobre identificadores obtenidos a partir del ADN, creada por Ley Orgánica 10/2007, de 25 de noviembre", en SALCEDO BELTRÁN, C. (coord.): *Investigación genética y Derecho*, Valencia, 2008, pág. 73.

texto de la Exposición de Motivos de la LO 10/2007, que resalta la conveniencia de la inscripción de datos provenientes de imputados y sospechosos de "*determinados delitos de especial gravedad y repercusión social*"[17]. Es indudable que esta interpretación lleva a resultados que, en la mayor parte de los supuestos, resultan satisfactorios. A pesar de ello, debemos manifestarnos en contra de esta opción. En nuestra opinión, el texto de la Ley resulta sumamente claro al indicar que en relación a los delitos mencionados "en todo caso" se podrá proceder a la incorporación de los datos aún sin el consentimiento del titular de los mismos. Por ello, consideramos que exigir para todos los grupos de delitos el requisito de gravedad supone una interpretación forzada e, incluso, contraria al texto de la Ley.

En referencia a la decisión del legislador, y a pesar de tener en cuenta la indiscutible relevancia de los bienes jurídicos escogidos, no se alcanza a comprender por qué se decide abandonar en estos supuestos el criterio de la gravedad de las infracciones. Así, si analizamos en particular el caso de los delitos contra la libertad comprobamos que, de acuerdo al texto de la Ley, será posible proceder al almacenamiento de perfiles genéticos obtenidos de personas acusadas de un delito de amenazas simples, castigado en el artículo 169. 2 CP con una pena de seis meses a dos años de prisión, o bien de un delito de amenazas condicionales castigado en el artículo 171 CP con una pena de prisión de tres meses a un año o multa de seis a 24 meses. La situación se repite en referencia al delito de coacciones, que el artículo 172 CP castiga con una pena de prisión de 6 meses a tres años o multa de 12 a 24 meses. En este sentido, debemos considerar que la incidencia en los derechos fundamentales que produce la incorporación de datos procedentes de acusados de delitos de amenazas o coacciones resulta totalmente desproporcionada. Si el legislador hubiera decidido mantener el criterio de la gravedad del delito también en referencia a los delitos contra la libertad, se procedería únicamente a la inscripción de

---

[17] ETXEBERRÍA GURIDI, J. F.: "La LO 10/2007, de 8 de octubre, reguladora...", ob. cit., pág. 5. A favor: DE HOYOS SANCHO, M.: "Obtención y archivo de identificadores extraídos a partir del ADN de sospechosos: análisis de la regulación española a la luz de la Jurisprudencia del Tribunal Europeo de Derechos Humanos", en *Revista de Derecho Comunitario Europeo*, núm. 35, enero/abril 2010, Madrid, pág. 102.

los datos provenientes de delitos de detenciones ilegales (pena de prisión de cuatro a seis años, art. 163 CP) y secuestros (pena de prisión de seis a diez años, art. 164 CP), que sí están incluidos dentro de la categoría de "delitos graves" y que son aquellos que, en el ámbito de los delitos contra la libertad, pueden legitimar realmente una medida de estas características.

Situación similar se produce en relación a los delitos contra la libertad e indemnidad sexuales, donde quedarían incluidos delitos tales como el acoso sexual, cuya pena no supera los cinco meses de prisión (art. 184 CP), o la posesión para uso propio de material pornográfico en cuya elaboración se hubiera utilizado a menores de edad o incapaces, donde la pena se eleva de tres meses a un año de prisión o multa de seis meses a dos años (art. 189. 2 CP).

En relación a los delitos que afectan al patrimonio, el legislador exige que se trate de delitos realizados con "fuerza en las cosas o violencia o intimidación en las personas". En este ámbito, entendemos que el criterio utilizado para definir las infracciones que quedan comprendidas sí resulta adecuado, ya que la utilización de fuerza en las cosas o violencia e intimidación en las personas revela indudablemente una mayor peligrosidad en el sujeto responsable de la infracción penal. Así, si mantuviéramos la interpretación que exige necesariamente la inclusión de la infracción en la categoría de delitos graves, deberíamos excluir al delito de robo con fuerza en las cosas, tipo básico, de esta enumeración, ya que la pena prevista para esta infracción es de uno a tres años (art. 240 CP)[18], opción que no parece adecuada por la facilidad que sí puede suponer en estos casos la utilización de análisis de ADN para la investigación de estos delitos[19].

---

[18]　En este sentido: ETXEBERRÍA GURIDI, J. F.: "La LO 10/2007, de 8 de octubre, reguladora...", ob. cit., pág. 5.

[19]　La lista de excepciones se completa con una referencia a los casos de delincuencia organizada, remitiendo expresamente el legislador a las previsiones del artículo 282 bis apartado 4 de la Ley de Enjuiciamiento Criminal. Esta norma realiza una larga enumeración de delitos en algunos de los cuales no se alcanza a comprender la utilidad del recurso a las pruebas genéticas, tal como ocurre en el caso de los delitos contra los derechos de los trabajadores o los delitos relativos a la propiedad intelectual.

Consecuentemente, entendemos que hubiera resultado preferible que el legislador hubiera recurrido al método de la enumeración y hubiera señalado de forma directa los hechos delictivos con relevancia suficiente para quedar incluidos en el artículo 3 de la LO 10/2007. Por otro lado, el método escogido permite que queden incluidos hechos que por su escasa relevancia determinan la falta de proporcionalidad de la medida. Los problemas interpretativos se incrementan si consideramos que el legislador se refiere a los delitos contra "*la integridad de las personas*". No existe en el Código Penal ningún capítulo dedicado a regular, sin más, los delitos contra la integridad de las personas. Podríamos entender, por tanto, que el legislador se refiere a los delitos encargados de proteger la integridad física, esto es, los delitos de lesiones. No obstante, este precepto también podría hacer alusión a los delitos contra la integridad moral. Resulta, por tanto, imprescindible una aclaración de estos extremos[20].

Otros países de nuestro entorno han utilizado distintos criterios para limitar los datos que pueden inscribirse en las bases policiales. En el caso de Alemania, el parágrafo 81g de la StPO exige, además de tratarse de hechos delictivos de cierta trascendencia, la concurrencia de un fundamento que permita considerar que teniendo en cuenta la modalidad del hecho o su ejecución, o por la personalidad del inculpado, o por otros motivos conocidos, la existencia de un nivel razonable de probabilidad de que en el futuro se proceda a incoar otro proceso penal contra el inculpado, es decir, se requiere que se trate de delincuentes con cierto peligro de reincidencia. Al respecto, no creemos que la incorporación de una previsión de estas características en la Legislación española pueda resultar positiva. Por otro lado, entendemos que la posibilidad de que un sujeto vuelva a cometer hechos delictivos de similar naturaleza es un elemento incierto y de naturaleza subjetiva que sólo puede complicar el manejo de la base de datos policial.

---

[20] Sobre este particular EXTEVERRÍA GURIDI también se plantea la indefinición relativa a los delitos contra la vida, preguntándose si quedarán comprendidos solamente los delitos contra la vida humana independiente, o también los delitos contra la vida humana dependiente. ETXEBERRÍA GURIDI, J. F.: "La LO 10/2007, de 8 de octubre, reguladora...", ob. cit., pág. 5.

En este orden de cosas, resulta especialmente interesante atender a la previsiones de la Recomendación del Consejo de Europa (92) 1. Esta Recomendación prescinde de cualquier limitación relacionada con las características del hecho delictivo a la hora de permitir el recurso a los análisis de ADN como prueba pericial en el proceso penal ya que, según se aclara en su memoria explicativa, se pretende que estas medidas puedan ser utilizadas como vía de absolución de la persona acusada por un delito. Desde esta perspectiva resulta conveniente, por tanto, la generalización de la utilización de este medio probatorio. No obstante, a la hora de permitir la incorporación de los datos a los archivos automatizados, la Recomendación establece la condición de que se trate de muestras obtenidas a partir de infracciones graves contra la vida, la integridad y la seguridad de las personas, en virtud de la posible afectación al derecho a la protección de datos que esta inscripción puede ocasionar.

Siguiendo el criterio de la Recomendación del Consejo de Europa (92) 1 es posible aceptar la conveniencia de la utilización de este medio probatorio como elemento de exculpación y sostener la proporcionalidad de la medida aun cuando se trate de delitos de menor entidad. En el mismo sentido, es posible llegar a la conclusión de que las previsiones de la Ley de Enjuiciamiento Criminal relativas a la utilización del ADN como prueba pericial en un proceso criminal, aun cuando no limitan su utilización a los delitos graves, satisfacen en cualquier caso el juicio de proporcionalidad. No obstante, no puede trasladarse esta misma conclusión al ámbito de las bases de datos automatizadas. En esta materia el hecho de que se haya procedido a realizar una enumeración tan amplia nos lleva a pensar que el legislador no ha valorado adecuadamente la injerencia en los derechos fundamentales que la incorporación de estos datos puede suponer.

El artículo 4 de la LO 10/2007 establece que "*sólo podrán inscribirse en la base de datos policial regulada en esta Ley los identificadores obtenidos a partir del ADN, en el marco de una investigación criminal, que proporcionen, exclusivamente, información genética reveladora de la identidad de la persona y de su sexo*". De esta forma, el legislador sin utilizar expresamente esta terminología, establece que sólo se podrán inscribir los resultados de los análisis realizados sobre partes no codificantes del ADN. A pesar de estas precauciones, ello no implica que de este ADN no pueda obtenerse información que pueda vulnerar el derecho a la intimidad genética del individuo. También en esta línea, la doctrina ha aceptado que, a pesar de que los perfiles genéticos no deben expresar, en principio, información sobre la salud del individuo, ni presente ni futura, esta información sea considerada como "datos de salud" y reciba, por tanto, el tratamiento reservado a los "datos sensibles", siendo este criterio también asumido por la Exposición de Motivos de la LO 10/2007.

Además, no es posible olvidar que la realización de estas pruebas y el almacenamiento de estos datos suponen necesariamente el archivo de muestras biológicas sobre las que podrían realizarse análisis de ADN codificante. Todo ello lleva a reiterar la conveniencia de proceder a un análisis más exhaustivo que permita determinar qué infracciones revisten gravedad suficiente como para justificar la proporcionalidad de la medida a los fines perseguidos.

## 1.4. Grado de implicación del acusado por el delito

Tal como establece la Ley 10/2007 se procederá a la inscripción del perfil genético del "sospechoso, detenido o imputado". Esta redacción genera numerosos interrogantes, especialmente en relación a qué debemos entender por "sospechoso". La Ley de Enjuiciamiento Criminal también utiliza esta expresión en el artículo 363 para indicar qué individuos deberán someterse a la prueba pericial, pero sin aclarar tampoco el alcance de este término. No obstante, en este ámbito, la exigencia de una resolución judicial motivada que exprese la necesidad de la realización de la prueba y la exigencia del artículo 363 párrafo 2ª de la existencia de *acreditadas razones* satisfacen las exigencias propias del principio de proporcionalidad, teniendo en cuenta, además, que estas pruebas pueden servir como elemento de exculpación del individuo[21].

No obstante, en relación a la incorporación de los datos en un fichero automatizado, la condición de "sospechoso" no se presenta como un indicio de criminalidad suficiente como para satisfacer las

---

[21] LÓPEZ BARJA DE QUIROGA, J.: "La prueba en el proceso penal obtenida mediante análisis del ADN", en *Cuadernos de Derecho judicial*, VI-2004, *Genética y Derecho*, pág. 225.

exigencias del juicio de proporcionalidad al que han de responder las diligencias restrictivas de derechos fundamentales. De acuerdo al texto de la Ley 10/2007, el perfil genético que se obtenga como resultado del análisis de ADN realizado a un sospechoso podría pasar a integrar, sin más, la base de datos policial. Ello nos lleva a comprobar que en caso de que durante la tramitación del proceso se llegara al convencimiento de la inocencia del sospechoso, antes, incluso, de la imputación formal del delito, estos perfiles podrían pasar a integrar, de todas formas, la base de datos policial. Entonces, ¿podrán incorporarse en estos archivos datos que pertenezcan a cualquier persona sobre la que haya recaído sospechas en un momento inicial de la investigación, con independencia de que se haya esclarecido el suceso evidenciando el carácter erróneo de las iniciales sospechas? Esta situación es, además, especialmente grave si tenemos en cuenta que corresponde a la Policía Judicial y no al Juez la decisión sobre la inscripción de los perfiles de ADN[22].

Estas circunstancias revelan que no es posible conformarse con el juicio provisional existente en el momento de acordar la medida pericial para proceder a la inscripción de los perfiles genéticos. Por ello, frente a la opción de incorporar los datos en un momento inicial del proceso parece preferible la consistente en condicionar el almacenamiento de los datos a que recaiga una decisión definitiva acerca de la participación de esa persona en el hecho penal. Mientras que la primera opción es más eficaz en relación a la finalidad perseguida por

---

[22]    Al respecto, ROMEO CASABONA y ROMEO MALANDA se plantean la posibilidad de que un acto de investigación por un delito sea iniciado unilateralmente por los miembros competentes de la policía judicial, ya que esta situación podría suponer, sin más, que un sujeto adquiriera la condición de sospechoso. De esta forma, se generaría el presupuesto formal requerido para ser inscrito en la base de datos policial con el riesgo de que esta medida, además de unilateral, pueda ser arbitraria al poder sustraerse fácilmente de cualquier fiscalización. ROMEO CASABONA, C. M. y ROMEO MALANDA, S.: *Los identificadores del ADN en el sistema de Justicia penal*, Navarra, 2010, pág. 190. A favor de que los tests genéticos en sus distintas fases de recogida de muestras, análisis de los mismos, registro de los resultados y destrucción de los mismos estén en todo caso presididos por la actuación judicial: CUESTA PASTOR, P. J.: "Los mecanismos de identificación y su uso en el proceso penal: interrogantes a propósito de la 'Huella de ADN'", en ROMEO CASABONA, C. M. (ed.): *Bases de datos de perfiles de ADN y criminalidad*, Bilbao-Granada, 2002, pág. 124.

el fichero, la segunda presenta más garantías desde el punto de vista de los derechos a la protección de los datos personales del afectado[23].

## 1.5. La cancelación de los datos

El problema de la incorporación de los perfiles genéticos de sospechosos en la base de datos policial se ve agravado por los plazos estipulados para la cancelación de los mismos. El artículo 9. 1 de la LO 10/2007 establece lo siguiente:

> "1. La conservación de los identificadores obtenidos a partir del ADN en la base de datos objeto de esta ley no superará:
>
> El tiempo señalado en la Ley para la prescripción del delito.
>
> El tiempo señalado en la ley para la cancelación de antecedentes penales, si se hubiese dictado sentencia condenatoria firme, o absolutoria por la concurrencia de causas eximentes por falta de imputabilidad o culpabilidad, salvo resolución judicial en contrario.
>
> En todo caso se procederá a su cancelación cuando se hubiese dictado auto de sobreseimiento libre o sentencia absolutoria por causas distintas de las mencionadas en el epígrafe anterior, una vez que sean firmes dichas resoluciones. En el caso de sospechosos no imputados, la cancelación de los identificadores inscritos se producirá trascurrido el tiempo señalado en la ley para la prescripción del delito.
>
> En los supuestos en que en la base de datos existiesen diversas inscripciones de una misma persona, correspondientes a diversos delitos, los datos y patrones identificativos inscritos se mantendrán hasta que finalice el plazo de cancelación más amplio".

De esta forma, si una persona es imputada por un hecho delictivo se procederá a la cancelación de los datos si se ha dictado un auto de sobreseimiento libre o una sentencia absolutoria, salvo que la misma esté motivada en la concurrencia de causas eximentes por falta de imputabilidad o culpabilidad. Por otro lado, en caso de que el sujeto sea condenado, la cancelación se producirá cuando se proceda a la cancelación de los antecedentes penales. El artículo 136. 2. 2ª del Código Penal establece que, en caso de delitos graves, para que se proceda a la cancelación de los antecedentes penales deberá trascurrir, sin de-

[23]   ETXEBERRÍA GURIDI, F.: "La ausencia de garantías en las bases de datos de ADN en la investigación penal", en *Derechos Humanos y Nuevas Tecnologías*, 2003, pág. 137.

linquir de nuevo el culpable, un plazo de cinco años. No obstante, si se trata de sujetos que hayan sido considerados sospechosos durante la investigación sin llegar a existir indicios suficientes de culpabilidad como para proceder a la imputación, será necesario esperar a que trascurra el plazo de prescripción del delito para poder reclamar la cancelación de los datos. Al respecto, es necesario recordar que el tiempo señalado por la Ley para la prescripción de un delito de homicidio es de 20 años. Esto nos lleva a que los datos de una persona condenada por un delito de homicidio que haya cumplido una pena, por ejemplo, de 10 años, serán cancelados al trascurrir un plazo de 15 años, mientras que el sujeto sospechoso deberá esperar 20 años para que se proceda a la cancelación de estos datos. Se trata, por tanto, de una regulación que pone al sospechoso de un hecho delictivo en peor lugar que a una persona condenada por ese mismo delito.

Sobre esta cuestión resulta relevante el pronunciamiento del Tribunal Europeo de Derechos Humanos en el caso "S. y Marper contra el Reino Unido", de 4 de diciembre de 2008[24]. En este caso, se juzgaba la actuación de la policía frente a los siguientes hechos: en el año 2001, "S"., con once años de edad es detenido e inculpado de robo con violencia en grado de tentativa, siendo absuelto pocos meses después. En el mismo año, "Marper" es detenido por un delito de acoso a su compañera, archivándose definitivamente la causa antes de que tuviera lugar la comparecencia previa al proceso, ya que la denuncia fue retirada por su compañera con la que el acusado se había reconciliado. En ambos casos, la policía procedió a la toma de las huellas dactilares y muestras de ADN, negándose, pese a los sucesivos reclamos de los interesados, a proceder a su eliminación.

En su Sentencia, el TEDH concluye que la conservación tanto de muestras celulares como de los perfiles de ADN, por la información que puede obtenerse a partir de su tratamiento, constituye un atenta-

---

[24]    S. and Marper v. The United Kingdom (demandas núm. 30562/04 y 30566/04). Al respecto, ampliamente: GONZÁLEZ FUSTER, G.: "TEDH – Sentencia de 04.12.2008, S y MARPER C. Reino Unido, 30562/04 y 30566/04 – Artículo 8 CEDH – Vida privada – Injerencia en una sociedad democrática – Los límites del tratamiento de datos biométricos de personas no condenadas", en *Revista de Derecho Comunitario Europeo*, núm. 33, Madrid, 2009, pág. 619. DE HOYOS SANCHO, M.: "Obtención y archivo de identificadores", ob. cit., pág. 93.

do contra el derecho a la vida privada en el sentido del artículo 8. 1 del Convenio Europeo para la Protección de los Derechos Humanos y Libertades Fundamentales (CEDH)[25]. En opinión del Tribunal, el carácter general e indiferenciado del poder de conservación de los datos genéticos de personas sospechosas pero no condenadas refleja un desequilibrio entre los intereses públicos y privados en juego y determina, por tanto, que se trate de una lesión desproporcionada del derecho de los reclamantes al respeto de su vida privada, no pudiendo afirmarse su necesidad en una sociedad democrática[26]. El Tribunal, además, llama la atención sobre el preocupante riesgo de estigmatización derivado del hecho de que personas no reconocidas culpables de ninguna infracción y que gozan, por tanto, del derecho a la presunción de inocencia, sean tratados de la misma manera que personas condenadas.

Es necesario aclarar que la legislación del Reino Unido permite la incorporación a la bases de datos de los perfiles genéticos de todas las personas que hayan sido sospechosos, advertidos o condenados de un hecho delictivo, independientemente de la gravedad de la infracción y sin límite temporal[27]. La regulación que incorpora a nuestro Derecho la Ley 10/2007 dista mucho de estos extremos. No obstante, sí sería necesario realizar algunas modificaciones para impedir que en determinados casos la inscripción y/o mantenimiento de la información en la base de datos pueda ser considerada una medida desproporcionada

---

[25]  Convenio Europeo para la Protección de los Derechos Humanos y Libertades Fundamentales, de 4 de noviembre de 1950, incorporado al ordenamiento español mediante el Instrumento de Ratificación de 26 de septiembre de 1979 (BOE núm. 243, de 10 de octubre de 1979).

[26]  Según señala el TEDH, en la SENTENCIA S. y MARPER C. Reino Unido, para que una injerencia en el derecho a la vida privada de los individuos esté justificada deberán concurrir los siguientes requisitos: a) previsión legal; b) finalidad legítima; c) necesidad en una sociedad democrática para la consecución de la finalidad legítima que se persigue, lo que da lugar a la aplicación del principio de proporcionalidad.

[27]  De acuerdo a la Circular del Ministerio de Interior inglés de 1995. Al respecto: LORENTE ACOSTA, J. A.: "Identificación genética: importancia médico legal de las bases de datos de ADN", en Romeo Casabona, C. M. (ed.): *Bases de datos de perfiles de ADN y criminalidad*, Bilbao-Granada, 2002, pág. 15. Mora Sánchez, J. M.: *Aspectos sustantivos y procesales...*, ob. cit., pág. 304.

con respecto a los fines perseguidos[28]. En este sentido, compartimos la opinión de De Hoyos Sancho cuando sostiene que si en la causa abierta no se llegaran a recabar los elementos suficientes para poder imputar al sujeto sospechoso de uno de los delitos referidos en el artículo 3 de la Ley los datos deberían cancelarse "cuanto antes" del fichero policial, y no esperar, de ninguna forma, a que se cumpla el plazo de prescripción del delito[29].

## 2. LA RESPONSABILIDAD PENAL DE LOS ENCARGADOS Y RESPONSABLES DE BASES DE DATOS DE ADN

Como se ha indicado, la existencia misma de bases de datos automatizadas que contengan información personal comporta una indudable fuente de peligros para los derechos de los implicados. El legislador penal no ha sido indiferente a esta realidad determinada, muy especialmente, por el incesante desarrollo de las nuevas tecnologías, y ha incorporado en 1995 un nuevo delito que castiga a quien *"sin estar autorizado, se apodere, utilice o modifique, en perjuicio de tercero, datos reservados de carácter personal o familiar de otro que se hallen registrados en ficheros o soportes informáticos, electrónicos o telemáticos, o en cualquier otro tipo de archivo o registro público o privado. Iguales penas se impondrán a quien, sin estar autorizado, acceda por cualquier medio a los mismos y a quien los altere o utilice en perjuicio del titular de los datos o de un tercero"* (art. 197.2 CP). A efectos de nuestro trabajo resultará fundamental, además, tener en cuenta la previsión contenida en el artículo 197.5 CP, que agravará la pena resultante cuando *"los hechos descritos en los apartados 1 y 2 de este artículo se realizan por las personas encargadas o responsables de los ficheros, soportes informáticos, electrónicos o telemáticos, archivos o registros, se impondrá la pena de prisión de tres a cinco años, y si se difunden, ceden o revelan los datos reservados"*.

---

[28]    "... cualquier exceso temporal, incluso mínimo, calificaría a la medida de desproporcionada". DE HOYOS SANCHO, M.: "Obtención y archivo", ob. cit., pág. 114.

[29]    DE HOYOS SANCHO, M.: "Obtención y archivo de identificadores...", ob. cit., pág. 111.

La redacción de estos preceptos no ha dejado indiferente a la doctrina que de forma unánime ha criticado la precipitación con la que se ha conducido el legislador en la creación de estas normas. De forma generalizada se ha señalado que la nueva regulación resulta redundante y sumamente confusa[30]. Esta situación dificultará enormemente, como veremos, la delimitación de la posible responsabilidad de los encargados y responsables de las bases de datos de ADN frente a la cesión de la información contenida en los ficheros. Si bien esta conducta parece, en principio, reunir todas las exigencias incorporadas al artículo 197.5 CP, esta norma está estructurada como un tipo cualificado del delito contenido en el artículo 197.2 CP, razón por la cual, de forma previa a su aplicación deberán verificarse todos los requisitos del tipo básico.

## 2.1. El objeto material del delito de agresiones a los datos reservados de carácter personal o familiar

El primer interrogante que se plantea requiere analizar si la conducta reúne las exigencias relativas al objeto material del delito. En este sentido, el artículo 197.2 CP se refiere a los datos *"reservados de carácter personal o familiar"*. Con ello, el legislador penal utiliza una terminología ajena a la legislación administrativa sobre la materia, que en ningún momento se refiere a datos "reservados". En nuestra opinión, el término "reservado" no puede ser considerado como un sinónimo de "íntimo". Sobre este extremo coincidimos con Romeo Casabona cuando expresa que por "reservado" habrá que entender aquellos datos personales que son de acceso o conocimiento limitado para terceros ajenos al fichero en el que se hallan archivados o registrados, con lo que se tratará de un concepto formal relacionado con la mayor o menor accesibilidad a los mismos y no necesariamente con su contenido; independientemente de que el carácter no-público de estos registros venga previamente determinado por la naturaleza de la

---

[30]   En este sentido, LOZANO MIRALLES ha señalado que los dos incisos del artículo 197.2 CP son "reiterativos, confusos, oscuros e improvisados". LOZANO MIRALLES, J. en BAJO FERNÁNDEZ, M. (Dir.): Compendio de Derecho Penal (Parte Especial), vol. II, Madrid, 1998, pág. 215.

información que contienen[31]. En el caso de nos ocupa, los datos que se incorporan a las bases automatizadas cumplirán indudablemente con estos requisitos.

Además, estos datos deben pertenecer a terceros y encontrarse *"registrados en ficheros o soportes informáticos, electrónicos o telemáticos, o en cualquier otro tipo de archivo o registro público o privado"*. Como pone de manifiesto Morales Prats, esta exigencia revela que queda excluida la intervención penal en momentos previos a la inclusión de los datos en los ficheros[32]. En consecuencia, cualquier abuso sobre la información que se registre durante el período de análisis de las muestras, y hasta el momento en que los identificadores obtenidos a partir del ADN sean incorporados a las bases de datos automatizadas, queda extramuros del Derecho penal. Sobre este extremo coinci-

---

[31]    ROMEO CASABONA, C. M.: *Los delitos de descubrimiento y revelación de secretos*, Valencia, 2004, pág. 110. El autor aclara que respecto al alcance del derecho a la protección de datos el Tribunal Constitucional ha establecido un marco o espacio que puede ser considerado "de máximos" a partir del cual el legislador penal selecciona los aspectos más relevantes que merecen la protección penal, según el criterio político-criminal que se adopte en un momento determinado. ROMEO CASABONA, C. M.: "Los datos de carácter personal como deberes jurídicos penalmente protegidos", en ROMEO CASABONA, C. M. (coord.): *El cibercrimen. Nuevos retos jurídico-penales, nuevas respuestas político-criminales*, Granada, 2006, pág. 186. A favor: RUEDA MARTÍN, M. A.: *Protección penal de la intimidad personal e informática (Los delitos de descubrimiento y revelación de secretos de los artículos 197 y 198 del Código Penal)*, Barcelona, 2004, pág. 73. FERNÁNDEZ TERUELO, J. G.: *Derecho Penal e Internet. Especial consideración de los delitos que afectan a jóvenes y adolescentes*, Valladolid, 2011, pág. 192. Contra esta opinión, Jareño Leal restringe el ámbito de aplicación del tipo a aquellos casos en los que los datos contienen información sobre la intimidad del sujeto. JAREÑO LEAL, A.: *Intimidad e imagen: los límites de la protección penal*, Madrid, 2008, pág. 66. En un extremo opuesto y a favor de la protección de todos los datos personales incluidos en archivos, con independencia de que sean públicos o no: GALÁN MUÑOZ, A.: "¿Nuevos riesgos, viejas respuestas? Estudio sobre la protección penal de los datos de carácter personal ante las nuevas tecnologías de la información y la comunicación", en *Revista General de Derecho Penal*, nº 19, mayo 2013 pág. 13. PUENTE ABA, L. M.: "Los delitos contra la intimidad y nuevas tecnologías", en *Eguzkilore. Cuadernos del Instituto Vasco de Criminología*, núm. 21, San Sebastián, 2007 pág. 167.

[32]    MORALES PRATS, F. en QUINTERO OLIVARES, G. (Dir.): *Comentarios a la Parte Especial del Derecho Penal*, Navarra, 2011, pág. 467.

dimos con el autor mencionado cuando entiende que la intervención del Derecho penal en este estadio podría estar justificada[33]. Al respecto, consideramos que la vulnerabilidad del bien jurídico protegido por estas conductas, los datos personales, no es en absoluto menor por el hecho de que los datos aún no se encuentren incluidos en los archivos, sino que la necesidad de su protección se extiende con la misma intensidad durante todo el proceso de tratamiento de los mismos[34].

## 2.2. La conducta típica

Mayores dificultades encontramos en relación a la conducta típica. Así, respecto a la redacción de estos tipos, resulta especialmente criticable la opción asumida por el legislador de agrupar varios verbos típicos en dos apartados del artículo 197.2 CP para crear, supuestamente, dos modalidades de este delito. Puede sostenerse que resulta prácticamente imposible percibir la diferencia entre ambas[35]. A esta

---

[33]   MORALES PRATS, F. en QUINTERO OLIVARES, G. (Dir.): *Comentarios ...*, ob. cit., pág. 467. También al respecto: GÓMEZ NAVAJAS, J.: *La protección de los datos personales*, Navarra, 2005, pág. 356. 133. PAREDES CASTAÑÓN, J. M.: "Delitos contra la intimidad", en Luzón peña, D. M. (Dir.): *Enciclopedia Penal Básica*, Granada, 2002, pág. 413.

[34]   Contra esta opinión, Jareño Leal considera que estas conductas aunque no están tipificadas en el artículo 197.2 CP obtienen suficiente protección con la Ley de Protección de datos, no siendo necesario ampliar la tipificación. JAREÑO LEAL, A.: *Intimidad e imagen...*, ob. cit., pág. 57.

[35]   Algunos autores han intentado dotar a ambas modalidades típicas de identidad propia. Persiguiendo este objetivo Carbonell y González Cussac han mantenido que las conductas de "acceder", "alterar" y "utilizar" no se proyectan sobre los datos reservados sino sobre los ficheros o soportes informáticos o manuales. En su opinión, esta es la única explicación posible frente a la creación de estas dos modalidades típicas, y se justificaría en el hecho de que por la vulnerabilidad y entidad del bien jurídico protegido, el legislador ha querido extender la tutela a todo tiempo y lugar. CARBONELL MATEU, J. C. y GONZÁLEZ CUSSAC, J. L. en VIVES ANTÓN, T. S. (coord.): *Comentarios al Código Penal de 1995*, Valencia, 1996, pág. 1001. Contra esta opción se ha manifestado la doctrina de forma prácticamente unánime. En este sentido, Morales Prats ha sostenido que asumir esta interpretación supondría que el Código penal se encamina a la protección de los ficheros o sistemas informáticos y no a la tutela de los datos personales; además, en su opinión, no resulta coherente desde un punto de vista político-criminal adelantar la tutela penal al acceso, alteración o utilización ilícita de los ficheros cuando, por otro lado, el artículo 197.2 CP no incrimina conductas

dificultad se agrega la inclusión de verbos con significados sinónimos e, incluso, la repetición del término "utilizar". De esta forma, partiendo de la identificación de los verbos "alterar" y "modificar"[36], creemos que es posible simplificar la lista de conductas que dan lugar a la aplicación de este delito reduciéndola a las siguientes: apoderarse, acceder, utilizar y modificar. Ésta concepción implicaría sostener que el artículo 197.2 CP requiere que el sujeto se apodere, acceda, utilice o modifique datos reservados personales incluidos en ficheros sin contar con la debida autorización, es decir, de forma ilícita[37].

Será en este punto donde hallaremos importantes dificultades para subsumir en el delito el supuesto en estudio. Así, el tipo cualificado del artículo 197.5 CP sólo puede resultar aplicable cuando la difusión o cesión de los datos vaya precedida por un acceso, apoderamiento o utilización ilícitos de la información. Para emprender este análisis, es necesario partir de la premisa de que los encargados y responsables de las bases de datos automatizadas son, por razón de su cargo, personas autorizadas para el acceso a la información contenida en los registros. Esta circunstancia descarta la posibilidad de verificar un acceso ilícito a los datos contenidos en los archivos.

La misma suerte correrá la opción de subsumir la "cesión" de datos a terceros en el término "utilizar". Sobre esta expresión la doctrina ha sostenido que se trata del uso o aprovechamiento de la información[38], circunstancias que lógicamente no se verifican por la simple traslación a terceros de los datos. Al respecto, Morales Prats ha sostenido que

---

previas al momento en que los datos personales están registrados en los bancos de datos. MORALES PRATS, F. en QUINTERO OLIVARES, G. (Dir.): *Comentarios* ..., ob. cit., pág. 473.

[36] En este sentido, GALÁN MUÑOZ considera que se trata de términos "indistinguibles". GALÁN MUÑOZ, A.: "¿Nuevos riesgos, viejas respuestas?...", ob. cit., pág. 21.

[37] En este sentido se pronuncia Morales Prats sosteniendo que "ausencia de autorización" debe ser interpretado como "ilegalmente", es decir, de forma contraria a las previsiones de la LOPD. MORALES PRATS, F. en QUINTERO OLIVARES, G. (Dir.): *Comentarios* ..., ob. cit., pág. 468.

[38] LOZANO MIRALLES se refiere al término "utilizar" como "empleo o uso". Lozano MIRALLES, J. en BAJO FERNÁNDEZ, M. (Dir.): *Compendio*..., pág. 216. En el caso de Rueda Martín, la autora habla de "aprovechamiento o empleo", aunque no signifique apoderamiento. RUEDA MARTÍN, M. A.: *Protección penal* , ob. cit., pág. 78.

entender por utilización ilícita de los datos la cesión telemática de los mismos implicaría pagar el precio de asumir una interpretación forzada de los conceptos[39]. Consecuentemente, la posible subsunción de estos casos en el delito contenido en el artículo 197.2 CP dependerá de la interpretación que asumamos en relación al verbo "apoderarse".

Sobre la interpretación de este verbo típico las posturas doctrinales pueden resumirse en dos opciones. Un primer criterio, bajo la consideración de que los datos personales están dotados de un marcado carácter intangible, identifica, o al menos "acerca notablemente" el contenido de la expresión apoderarse al de acceder[40]. Así, de acuerdo con esta opinión, ambas conductas aluden a la captación o apoderamiento intelectual o visual de los datos en cuestión[41]. Esta interpretación conlleva necesariamente aceptar, por tanto, que quien visualiza unos datos en el ordenador se ha "apoderado cognitivamente" de los mismos.

Contra esta posibilidad, una segunda postura acerca el contenido del verbo típico al utilizado en los delitos patrimoniales. De acuerdo a esta interpretación, Lozano Miralles sostiene que "apoderarse" no equivale a apoderamiento cognitivo sino a apoderamiento en el sentido de apropiación[42]. Este autor propone adaptar esta tradicional visión del concepto de apoderamiento a las específicas particularidades del objeto material del delito contenido en el artículo 197.2 CP, por lo que "apropiarse" de datos reservados requeriría necesariamente la realización de cualquier conducta que implique la traslación de los mismos, ya sea por correo electrónico, por red telemática, imprimien-

---

[39]   MORALES PRATS, F. en QUINTERO OLIVARES, G. (Dir.): *Comentarios* ..., ob. cit., pág. 498.

[40]   En este sentido: GALÁN MUÑOZ, A.: "¿Nuevos riesgos, viejas respuestas?..." ob. cit. MORÓN LERMA, E.: *Internet y Derecho Penal: Hacking y otras conductas ilícitas en la red*, Navarra, 2002, pág. 62.

[41]   GALÁN MUÑOZ, A.: "¿Nuevos riesgos, viejas respuestas?..." ob. cit., pág. 21 En el mismo sentido: RUIZ MARCO, F.: *Los delitos contra la intimidad. Especial referencia a los ataques cometidos a través de la informática*, Madrid, 2001, pág. 76. GÓMEZ NAVAJAS, J.: *La protección de los datos...*, ob. cit., pág. 139.

[42]   LOZANO MIRALLES, J. en BAJO FERNÁNDEZ, M. (Dir.): *Compendio* ..., ob. cit., pág. 216. En el mismo sentido: RUEDA MARTÍN, M. A.: *Protección penal* ..., ob. cit., pág. 77. No obstante, la citada autora agrega junto a la aprehensión material de los datos la necesidad de que se verifique la captación intelectual del contenido y significado de los datos.

do los datos personales o reproduciéndolos en un soporte informático distinto del que se encuentran. De esta forma, para poder hablar de apoderamiento sería indispensable que se lleve a cabo alguna forma de reproducción no bastando en ningún caso la mera visualización[43]. En la misma línea se pronuncia Romeo Casabona, quien considera necesaria la aprehensión material o virtual, la cual deberá ser efectiva, esto es, con dominio de los datos[44].

Esta interpretación también es sostenida por Mata y Martín. Este autor parte del alcance del término "apoderamiento" en los delitos patrimoniales poniendo de relieve la diferencia de este concepto con respecto a los delitos contra la intimidad. Así, Mata y Martín aclara que mientras en el ámbito de los delitos patrimoniales deberá producirse necesariamente la desposesión del bien del sujeto pasivo, no necesariamente deberá producirse la desposesión del titular de los datos en los delitos contra la intimidad[45]. De esta forma, en el ámbito de los delitos contra la propiedad la desposesión vendrá demandada por el hecho de que la lesión del bien jurídico consiste en la privación del titular del bien del conjunto de facultades jurídico-económicas que el Ordenamiento Jurídico le atribuye sobre el objeto. Por otro lado, en el caso de la intimidad bastará con la apropiación del contenido para que la misma se vea menoscabada, sin que se verifique necesariamente la desposesión[46]. A pesar de esta diferencia, el autor considera imprescindible, para poder hablar de "apoderamiento", que exista aprehensión de algún tipo de materialización de los datos contenidos en el sistema[47].

La segunda propuesta doctrinal parece la más sugerente. Se trata de una interpretación que permite dotar al término "apoderamiento" de un ámbito de aplicación propio, diferenciándolo, por tanto, del verbo "acceder" y logrando que cobre sentido su inclusión en el tipo

---

[43]  LOZANO MIRALLES, J. en BAJO FERNÁNDEZ, M. (Dir.): *Compendio* ..., ob. cit., pág. 216.

[44]  ROMERO CASABONA, C. M.: *Los delitos de descubrimiento...*, ob. cit., pág. 120.

[45]  MATA Y MARTÍN, R. M.: *Delincuencia Informática y Derecho Penal*, Madrid, 2001, pág. 137.

[46]  MATA Y MARTÍN, R. M.: *Delincuencia Informática* ..., ob. cit., pág. 128.

[47]  MATA Y MARTÍN, R. M.: *Delincuencia Informática* ..., ob. cit., pág. 137.

penal. Para fundamentar esta postura será preciso profundizar en el alcance del término "acceder". Así, en referencia a este concepto la doctrina acepta, en general, que se trata de un concepto equivalente a "conocer". En opinión de Doval País y Jareño Leal, esta interpretación es demasiado amplia. Así, consideran que si se entendiera que acceder es sinónimo de "saber" o "enterarse" la conducta de todos aquellos sujetos a quienes se les fuera pasando la información una vez que ésta estuviera fuera de la máquina o del registro cumpliría con los requisitos típicos[48]. Por esta razón, los citados autores proponen una interpretación restringida del término "acceder", entendiendo que en todo caso se requiere una ruptura directa de la reserva, es decir, un contacto directo del agente con el continente para averiguar el contenido. Se trata de que el agente conozca los datos precisamente porque él mismo ha roto la reserva contenida en la instalación informática o en el archivo[49].

Como se desprende de lo anterior, el verbo típico "acceder" requerirá necesariamente el conocimiento de los datos[50]. Será en este punto donde pueda plantearse una clara diferenciación con el concepto de "apoderamiento". Entendemos que quien se apropia de información contenida en un registro no necesariamente llega a conocerla[51]. Así, puede presentarse la hipótesis, perfectamente viable, de que el sujeto se adueñe del continente, es decir, del soporte que contiene la información sin llegar a saber su contenido. No podemos olvidar que a través de este delito no sólo se castiga el abuso de información contenida en bases automatizadas sino también en registros manuales tradicionales. Creemos que en este contexto puede verificarse esta situación con mayor asiduidad. Se trataría de casos en los que no podría hablarse de un "acceso ilícito" pero sí de un apoderamiento de los datos

---

[48]  JAREÑO LEAL, A. y DOVAL PAÍS, A.: "Revelación de datos personales, intimidad e informática (Comentario a la STS 234/1999, de 18 de febrero, sobre el delito del art. 197.2 CP)", en QUINTERO OLIVARES, G. y MORALES PRATS, F. (coord.): *El nuevo Derecho Penal español. Estudios Penales en memoria del Profesor José Manuel Valle Muñiz*, Navarra, 2001, pág. 1484.

[49]  JAREÑO LEAL, A. y DOVAL PAÍS, A.: "Revelación...", ob. cit., pág. 1484.

[50]  MATA Y MARTÍN defiende el término "acceder" como: "captación intelectual de la información almacenada en el sistema". MATA Y MARTÍN, R. M.: *Delincuencia Informática* , ob. cit., pág. 137.

[51]  En contra: RUEDA MARTÍN, M. A.: *Protección penal ...*, ob. cit., pág. 78.

reservados. Por otro lado, sería también perfectamente posible que el sujeto acceda lícitamente a la información y luego se apodere de forma ilegítima.

En consecuencia, la teoría aquí defendida mantiene que siempre que el encargado o responsable del fichero haya reproducido de alguna forma los datos reservados, de forma previa a la cesión de los mismos, no habrá ningún inconveniente para dar por cumplidos los requisitos típicos del 197.2[52] CP. En estos casos, si bien el acceso a la información habrá sido lícito, se habrá verificado posteriormente un apoderamiento no autorizado de la información. No puede descartarse que en algún supuesto residual esta cesión pueda realizarse sin una copia previa. Así, podemos plantearnos la hipótesis en la que el responsable de los ficheros remita los datos telemáticamente a una terminal propiedad de una tercera persona (cesión) sin realizar una previa reproducción de los mismos. Así, en la medida en que no pueda hablarse de un dominio de la información por parte del sujeto creemos que no se verifica la conducta de apoderamiento. Esta situación impediría la subsunción de la conducta en el 197.2 CP y obligaría a valorar la concurrencia del delito de revelación del secreto profesional para dar una solución a estos casos[53].

---

[52]	En contra, GALÁN MUÑOZ. Este autor critica que los actos de revelación sólo estén castigados a través de tipos cualificados, circunstancia que obliga a constatar la concurrencia de los requisitos del artículo 197.2 CP, impidiendo, según su concepción del tipo, la subsunción de estas conductas. GALÁN MUÑOZ, A.: "¿Nuevos riesgos, viejas respuestas?...", ob. cit., pág. 35.

[53]	El Anteproyecto de Ley Orgánica por la que se modifica la Ley Orgánica 10/1995, de 23 de noviembre, del Código Penal, aprobado por el Consejo de Ministros el 11 de octubre de 2012, añade un apartado 4 bis al artículo 197, con el siguiente contenido: "4 bis. *Será castigado con una pena de prisión de tres meses a un año o multa de seis a doce meses el que, sin autorización de la persona afectada, difunda, revele o ceda a terceros imágenes o grabaciones audiovisuales de aquélla que hubiera obtenido con su anuencia en un domicilio o en cualquier otro lugar fuera del alcance de la mirada de terceros, cuando la divulgación menoscabe gravemente la intimidad personal de esa persona*". Según indica la Exposición de Motivos se trata de incriminar aquellos supuestos en los que las imágenes y grabaciones de otra persona se obtienen con su consentimiento pero son luego divulgados contra su voluntad, cuando la imagen o grabación se haya producido en un ámbito personal y su difusión sin el consentimiento de la persona afectada lesione gravemente su intimidad. Se trata, por tanto, a diferencia del supuesto que se analiza en este trabajo, del castigo de conductas en las que no es posible

## 2.3. La expresión "en perjuicio de"

Continuando con el análisis de los requisitos típicos del delito contenido en el artículo 197.2 CP, debemos considerar que la conducta tendrá que llevarse a cabo "en perjuicio de un tercero". De forma mayoritaria la doctrina ha interpretado este requisito como un elemento subjetivo del tipo. De acuerdo con esta visión, para la consumación del delito será preciso comprobar la concurrencia del dolo del autor (entendemos que necesariamente debería tratarse de un dolo directo de primer grado)[54] y la existencia de un especial *animus nocendi,* esto es, la intención del agente de causar un perjuicio al titular de los datos o a un tercero[55]. En este sentido, se han pronunciado Carbonell Mateu y González Cussac, considerando que esta interpretación se desprende del uso de la partícula "en", que expresa una evidente exigencia de intencionalidad. En opinión de estos autores, además, el "perjuicio" deberá interpretarse de forma amplia por lo que podría abarcar, entre otros, daños económicamente evaluables[56].

---

verificar ni un acceso ilícito ni un apoderamiento ilegítimo, precisamente porque el sujeto cuenta con facultades para desarrollar estas conductas de forma lícita. Esta situación hacía imprescindible la tipificación expresa de estos casos a través de la creación de un delito que no requiera como paso previo a la divulgación la realización de otra conducta de forma ilegítima.

[54] En este sentido: GALÁN MUÑOZ, A.: "¿Nuevos riesgos, viejas respuestas?...", ob. cit. pág. 24. En contra, Morales Prats considera que no pueden excluirse las formas de dolo eventual. MORALES PRATS, F. en QUINTERO OLIVARES, G. (Dir.): *Comentarios ...,* ob. cit., pág. 469.

[55] Especialmente perturbador resulta el hecho de que el legislador indique, en relación a la primera modalidad de este delito, que el apoderamiento, utilización o modificación de los datos deberá realizarse "en perjuicio de tercero", mientras que en la segunda modalidad se haga alusión al acceso, utilización o alteración de los mismos "en perjuicio del titular de los datos o de un tercero". Al respecto ROMEO CASABONA ha sostenido que esta disparidad no parece estar justificada ni se entiende muy bien su finalidad por lo que ha de interpretarse como perjuicio del titular de los datos o de un tercero. ROMEO CASABONA, C. M.: *Los delitos de descubrimiento...,* ob. cit., pág. 126.

[56] CARBONELL MATEU, J. C. y GONZÁLEZ CUSSAC, J. L. en VIVES ANTÓN, T. S. (coord.): *Comentarios...,* ob. cit., pág. 1000. En el mismo sentido: ROMEO CASABONA, C. M.: *Los delitos de descubrimiento...,* ob. cit., pág. 125. En el caso de Lozano Miralles, el autor considera que esta expresión hay que entenderla en el sentido de que se persiga la lesión del derecho a la intimidad de los datos personales. LOZANO MIRALLES, J. en BAJO FERNÁNDEZ, M. (Dir.):

Contra esta postura se han presentado numerosas críticas. Así, desde un punto de vista de política criminal, se ha alegado que esta interpretación conllevaría dificultades probatorias de tal magnitud que impedirían la aplicación del precepto, ya que no bastaría con la prueba del dolo del autor sino que sería necesario, además, probar que la conducta del sujeto estaba específicamente encaminada a conseguir el perjuicio del tercero[57]. Por otro lado, no puede dejar de considerarse que resultará infrecuente que el sujeto activo lleve a cabo estos hechos buscando, especialmente, el perjuicio de un tercero. Entendemos que puede ser mucho más habitual que el agente persiga un beneficio propio y actúe indiferente ante la posibilidad del perjuicio ajeno, con lo que, si se aceptara esta interpretación, el ámbito de aplicación del tipo se reduciría en exceso. No obstante, no es posible dejar de lado el hecho de que las consideraciones de política criminal no pueden, por sí mismas, resultar decisivas a la hora de interpretar los tipos penales. En este sentido, también debemos considerar que una concepción amplia del perjuicio perseguido que lo extienda a otros bienes jurídicos como el patrimonio ampliaría en demasía el objeto de protección de estas conductas, por lo que se trataría de un delito "subjetivamente pluriofensivo"[58].

Una segunda opción propone interpretar la expresión "en perjuicio de un tercero" como un elemento objetivo del tipo. En esta línea, a su vez, pueden distinguirse diversas propuestas doctrinales. La primera de ellas sugiere que este requisito debe ser interpretado como una exigencia que indica que para la consumación del delito debe verificarse la "idoneidad objetiva de la conducta para causar un perjuicio"[59]. Esta propuesta llevaría a considerar que se trata de un delito de peligro hipotético, donde, para la consumación, ni siquiera

Compendio..., ob. cit., pág. 217. Al respecto, también ver: MORALES PRATS, F. en QUINTERO OLIVARES, G. (Dir.): Comentarios ..., ob. cit., pág. 469. FERNÁNDEZ TERUELO, J. G.: Derecho Penal e Internet..., ob. cit. Pág. 190. SUÁREZ-MIRA RODRÍGUEZ, C., JUDEL PRIETO, A. y PIÑOL RODRÍGUEZ, J. R.: "Descubrimiento y Revelación de Secretos", en Delincuencia Informática. Tiempos de Cautela y Amparo, Pamplona, 2012, pág. 170.

57    En este sentido: JAREÑO LEAL, A. y DOVAL PAÍS, A.: "Revelación de datos personales...", ob. cit., pág. 1490.

58    GALÁN MUÑOZ, A.: "¿Nuevos riesgos, viejas respuestas?...", ob. cit., pág. 25.

59    MATA Y MARTÍN, R. M.: Delincuencia Informática ..., ob. cit., pág. 137.

sería necesario comprobar la concurrencia de un peligro efectivo para el bien jurídico. Entendemos que se trata de una anticipación excesiva de la barrera penal, impidiendo, por tanto, una adecuada delimitación con el ámbito de aplicación de la normativa administrativa.

Una segunda propuesta doctrinal considera más acertado sostener que la inclusión de este elemento pretende que se verifique efectivamente la lesión del bien jurídico para la consumación del tipo[60]. Según esta concepción, la inclusión de este requisito estaría precisamente encaminada a rechazar la posible interpretación del delito de agresiones a los datos reservados como un delito de peligro. No obstante, es necesario tener en cuenta que en la medida en que las conductas de acceso, apoderamiento, alteración o utilización ilícitas implican por sí mismas la lesión del bien jurídico, esta interpretación llevaría a sostener que la introducción de la expresión "en perjuicio de" resulta redundante e innecesaria. Frente a estas consideraciones, debemos tener en cuenta que una directriz interpretativa que signifique declarar que uno de los elementos del enunciado legal es redundante sólo sería aplicable en ausencia de otra explicación plausible, ya que lo contrario implicaría presuponer que la ley no logra un nivel mínimo en el uso de la lengua[61].

En opinión de Gómez Lanz, un análisis de esta problemática desde un punto de vista lingüístico aconseja interpretar el término desde una perspectiva objetiva. De acuerdo a la tesis defendida por este autor, al tener en cuenta los usos habituales de la preposición "en" se reduce la probabilidad de la interpretación en clave volitiva ya que "en" no suele emplearse para indicar la persecución de un fin por parte del sujeto. El autor entiende que las posibilidades de un entendimiento en clave objetiva se ven reforzadas por la posibilidad de sustituir la preposición "en" por "con" (dato que apunta a una interpretación objetiva) mientras que la sustitución por "para" daría lugar a una expresión de controvertible gramaticalidad[62]. Esta circunstancia, unida

---

[60]    JAREÑO LEAL, A. y DOVAL PAÍS, A.: "Revelación de datos personales...", ob. cit., pág. 1490. También al respecto, ver: SOTO NIETO, F.: "Revelación de secretos. Entidad del dato revelado", en La ley nº 6132, 2004.

[61]    GÓMEZ LANZ, J.: La interpretación de la expresión en perjuicio de en el Código penal, Madrid, 2006, pág. 261.

[62]    GÓMEZ LANZ, J.: La interpretación de la expresión..., ob. cit., pág. 259.

a la imposibilidad de defender una postura que identifique al perjuicio con la mera lesión del bien jurídico, lleva al citado a autor a sostener que el perjuicio requerido en el artículo 197.2 CP se identifica con un resultado material distinto al inmanente a los verbos típicos[63].

Se perfila, de esta forma, dentro de la corriente que analiza la expresión "en perjuicio de" en clave objetiva, una tercera vía interpretativa. En este sentido, ha sostenido Galán Muñoz que la lesión del derecho a la protección de datos producida con la realización de estas conductas sólo puede ser penalmente relevante en la medida que se constate que resulta objetivamente idónea para lesionar aquellos valores o bienes que la protección de datos trata de proteger[64]. El autor parte de una concepción del bien jurídico "protección de los datos personales" que le otorga un valor autónomo pero instrumental de la protección de otros bienes jurídicos, razón por la que considera que el elemento "en perjuicio de tercero" cumple con la función de excluir de este delito "todas aquellas actuaciones que, pese a haber lesionado los derechos que tutelan tales datos frente a posibles abusos, no llegasen a representar afección alguna para ninguno de aquellos valores o bienes que la protección de datos de carácter personal trata precisamente de garantizar"[65].

Esta es la opción que parece más adecuada, ya que permite acotar el alcance del precepto y delimitar el injusto penal y el administrativo a través de la exigencia de una cierta entidad que debe reunir la conducta[66]. Consecuentemente, en el supuesto que constituye el objeto de nuestro trabajo será imprescindible para la consumación del tipo que se verifique la lesión del bien jurídico protegido a través de estas

---

[63]   GÓMEZ LANZ, J.: *La interpretación de la expresión* , ob. cit., pág. 262.
[64]   GALÁN MUÑOZ, A.: "¿Nuevos riesgos, viejas respuestas?...", ob. cit., pág. 26.
[65]   GALÁN MUÑOZ, A.. "¿Nuevos riesgos, viejas respuestas? ...", ob. cit., pág. 25.
[66]   La LOPD establece en su artículo 44.3.k que será considerada como una infracción "grave": "*La comunicación o cesión de los datos de carácter personal sin contar con legitimación para ello en los términos previstos en esta Ley y sus disposiciones reglamentarias de desarrollo, salvo que la misma sea constitutiva de infracción muy grave*". Por otro lado, el artículo 44.4 define como infracción "muy grave": "*Tratar o ceder los datos de carácter personal a los que se refieren los apartados 2, 3 y 5 del artículo 7 de esta Ley salvo en los supuestos en que la misma lo autoriza o violentar la prohibición contenida en el apartado 4 del artículo 7*".

conductas —los datos personales— y que la entidad de esta afección reúna la entidad suficiente para que sean puestos en peligro la intimidad, el honor u otros bienes jurídicos del tercero; situación que, a nuestro modo de ver, será la más habitual teniendo en cuenta las características de los datos que se incorporan a estas bases.

## 2.4. La cualidad de "encargados" o "responsables" de los ficheros

Del análisis realizado hasta el momento se desprende que la conducta del encargado o responsable de la base de datos automatizada de perfiles de ADN que ceda la información contenida en los registros puede cumplir los requisitos exigidos en el artículo 197.2 CP como paso previo a la comprobación de los elementos del artículo 197.5 CP. Esto se verificará siempre que el encargado o responsable de estos archivos, teniendo posibilidades de acceso a los datos, se apodere ilícitamente de los mismos a través de su reproducción o copia. Tal como se ha señalado, esta conducta, además de lesionar el interés protegido en este delito, los datos personales, deberá reunir entidad suficiente para provocar un perjuicio añadido a un tercero o al titular de los datos. En este punto del análisis corresponderá, por tanto, estudiar la concurrencia de los requisitos exigidos en el artículo 197.5 CP.

El artículo 197.5 CP contiene un tipo cualificado que eleva la pena en caso de que las conductas de los incisos 1 y 2 del mismo artículo sean realizadas por *"las personas encargadas o responsables de los ficheros, soportes informáticos, electrónicos o telemáticos, archivos o registros"*. Se trata, por tanto, de un delito especial impropio que sólo podrá ser cometido por aquellos sujetos que ostenten un determinado deber jurídico, funcionando el delito de abusos de datos reservados del artículo 197.2 CP como delito común de recogida. En consecuencia, el siguiente paso en este *iter* argumentativo deberá ser la determinación de las personas que reúnen las cualidades exigidas por el tipo para ser sujeto activo del delito.

En este orden de cosas, el punto de partida deben ser las previsiones que al respecto contiene la Ley Orgánica 15/1999 de 13 de diciembre, de protección de datos de carácter personal. Así, la citada norma, en su artículo 3, apartado d, dispone que debe entenderse por "responsable del fichero o tratamiento" a toda *"persona física o jurídica, de naturaleza pública o privada, u órgano administrativo, que decida sobre la finalidad, contenido y uso del tratamiento"*[67]; mientras que "encargado del tratamiento" (art. 3.g) será "*la persona física o jurídica, autoridad pública, servicio o cualquier otro organismo que, solo o conjuntamente con otros, trate datos personales por cuenta del responsable del tratamiento"*.

Así, a la hora de interpretar las exigencias del artículo 197.5 CP, una primera opción nos llevaría a sostener que las cualidades que deben reunir los sujetos activos de este delito son elementos normativos que se dotarán de contenido con las definiciones contenidas en la LOPD. El primer problema que se plantea para poder aceptar esta opción es de índole temporal. En relación a esta cuestión, debemos considerar que en el momento en que se aprobó el Código penal de 1995 todavía estaba vigente la LORTAD, norma que sólo contenía referencias sobre el alcance del término "responsable" pero no sobre los "encargados del tratamiento", por lo que el legislador de 1995 no pudo remitirse a una normativa administrativa que no contenía referencia alguna sobre estos extremos[68]. El segundo problema se refiere a la inexactitud de los términos utilizados por el legislador penal. En este sentido, la LOPD se refiere a los "responsables del fichero o tratamiento" y a los "encargados del tratamiento", mientras que el Código penal sólo hace alusión a los responsables y encargados de los ficheros[69]. En opinión de Romeo Casabona, postura a la que nos adherimos, a pesar de los inconvenientes no quedan más soluciones razonables que aceptar la remisión a las normas de la LOPD ya que prescindir de esta regulación obligaría al legislador penal a buscar definiciones sin ningún apoyo normativo[70].

Por otro lado, y en relación con la extensión que debe darse a estos términos, coincidimos con Carbonell Mateu y González Cussac, quie-

---

[67] Con ello, en el ámbito de los ficheros públicos responsable del archivo será la persona o autoridad que esté al frente del organismo titular del fichero. GÓMEZ NAVAJAS, J.: *La protección* ..., ob. cit., pág. 348.

[68] ROMEO CASABONA, C. M.: *Los delitos de descubrimiento* ..., ob. cit., pág. 152.

[69] ROMEO CASABONA, C. M.: *Los delitos de descubrimiento* ..., ob. cit., pág. 153.

[70] ROMEO CASABONA, C. M.: *Los delitos de descubrimiento*..., ob. cit., pág. 154. A favor de la interpretación como un elemento normativo del tipo: Rueda MARTÍN, M. A.: *Protección penal* , ob. cit., pág. 101. GÓMEZ NAVAJAS, J.: *La protección* , ob. cit., pág. 347.

nes entienden que estos conceptos deben interpretarse muy restricti-
vamente, no siendo de ninguna forma posible su aplicación al simple
operario, ya que estamos frente a una condición de naturaleza normativa donde no puede ser suficiente el mero encargo o responsabilidad
de hecho[71]. Se trata de una consecuencia obligada de la redacción legal que ha despertado numerosas críticas. Al respecto, se ha sostenido
que esta solución no deja de ser paradójica y de producir perplejidad,
ya que son los empleados las personas que realmente tienen un acceso
material privilegiado a los datos protegidos[72]. Coincidimos con esta
crítica, la cual encuentra su mayor punto de apoyo en el fundamento
mismo de la agravación contenida en el artículo 197.5 CP

Sobre este extremo coincide la doctrina en indicar que el fundamento del tipo cualificado se encuentra en el incremento del injusto,
tanto en relación con el desvalor de acción como de resultado. Así, el
aumento del desvalor de la conducta se hallará en la mayor facilidad
que encontrará el agente como consecuencia de las facultades de su
cargo para vencer las barreras impuestas para la protección de los datos personales. Por las mismas razones, esta facilidad para el acceso a
la información podrá determinar que el ataque al bien jurídico pueda
ser más intenso, determinando, por tanto, un aumento del desvalor
de resultado[73]. Precisamente este aumento de las facilidades para lesionar el bien jurídico, que son proporcionadas por las facultades de
acceso, justificaría la extensión de la cualificación a empleados y ope-
rarios con funciones en los archivos.

Las previsiones del artículo 197.5 CP se completarán con un nuevo tipo cualificado aplicable al encargado o responsable del fichero
que haya difundido, cedido o revelado los datos reservados. En este
contexto, entendemos que "ceder" implica transferir o traspasar los
datos a un tercero, mientras que difundir hace referencia a la conducta de quien da publicidad a una información. De esta forma, la

---

[71]   CARBONELL MATEU, J. C. y GONZÁLEZ CUSSAC, J. L. en VIVES ANTÓN,
      T. S. (coord.): *Comentarios…*, ob. cit., pág. 1004.
[72]   ROMEO CASABONA, C. M.: *Los delitos de descubrimiento…*, ob. cit., pág.
      154.
[73]   En este sentido: MORALES PRATS, F. en QUINTERO OLIVARES, G. (Dir.):
      *Comentarios …*, ob. cit., pág. 476. GÓMEZ NAVAJAS, J.: *La protección* , ob.
      cit., pág. 357.

diferencia entre ambos verbos típicos se encontraría en que, mientras en el caso de "ceder" el verbo se refiere a dar a conocer o entregar los datos a una tercera persona, o a un número limitado de personas, en el caso de la difusión, se daría a conocer esta información a un número ilimitado o notablemente superior de sujetos. Mayores dificultades encontraremos para delimitar el alcance del verbo "revelar", que parece requerir como requisito previo el conocimiento del contenido de la información que se traslada a terceros. Se trata de una característica que podría haber limitado notablemente la aplicación del tipo de haberse incorporado como único verbo típico; no obstante, al no concurrir esta exigencia en relación al término "ceder", quedarán comprendidas en este delito todas las conductas en las que se entregan a un tercero los datos reservados sin haber tenido realmente conocimiento de la información[74].

## 2.5. Cualificación por el carácter sensible de los datos

La complejidad de la regulación dedicada a proteger a los datos personales en el Código penal actual conduce a la paradoja de que al supuesto que constituye nuestro objeto de trabajo le podrían resultar aplicables cuatro distintos y sucesivos tipos cualificados. En numerosas ocasiones se ha criticado al legislador penal por el uso y abuso del que podríamos denominar sistema de "agravantes e hiperagravantes"[75]. Como se ha señalado, esta circunstancia conduce de forma casi inexorable a un marco legal de la pena muy reducido en sus mínimos y máximos, lo que reduce excesivamente y de forma injustificada el ámbito de arbitrio judicial[76]. Posteriormente veremos que esta confusión normativa se verá incrementada por el número de normas que podrán entrar en concurso de leyes con el delito en análisis. Por el momento, es necesario señalar que a los dos tipos cua-

---

[74]  Al respecto: ROMEO CASABONA, C. M.: *Los delitos de descubrimiento...*, ob. cit., pág. 148.

[75]  En este sentido, en relación a la estructuración de los delitos contra la libertad sexual: CARMONA SALGADO, C. en COBO DEL ROSAL, M. (Dir.): *Adenda al curso de Derecho Penal. Parte Especial*, Madrid, 1999, pág. 44.

[76]  ROMEO CASABONA, C. M.: *Los delitos de descubrimiento...*, ob. cit., pág. 169.

lificados del artículo 197.5 CP podríamos sumar los comprendidos en los artículos 197.6 CP y 198 CP.

El artículo 197.6 establece: "...*cuando los hechos descritos en los apartados anteriores afecten a datos de carácter personal que revelen la ideología, religión, creencias, salud, origen racial o vida sexual, o la víctima fuere un menor de edad o un incapaz, se impondrán las penas previstas en su mitad superior*". Deberemos indagar, por tanto, si los datos contenidos en las nuevas bases de datos INT-SAIP e INT-FENIX reúnen las cualidades necesarias para la aplicación de este precepto.

La LOPDP, en su artículo 7, reconoce tres grupos de datos especialmente protegidos: los datos que revelan la ideología, la afiliación sindical, religión y creencias; los datos relativos a la salud, origen racial y vida sexual; y finalmente los datos de carácter personal relativos a la comisión de infracciones penales o administrativas. Estos tres grupos están regulados según un régimen específico, recibiendo los datos relativos a la salud las mayores garantías. Por otro lado, los datos genéticos no son mencionados en la LOPDP. Esta laguna legal, seguramente motivada por el menor desarrollo de esta materia en el momento de creación de la norma, abrió el interrogante acerca de la consideración de estos datos. Así, esta falta de regulación expresa sobre los datos genéticos llevó a la doctrina a entender que debían ser considerados como "datos de la salud". Para poder proseguir con este análisis será imprescindible realizar algunas puntualizaciones sobre las características de los distintos datos que pueden obtenerse a partir del material genético.

El ADN se divide en ADN codificante y ADN no codificante, dependiendo de sus propiedades funcionales. El ADN codificante o expresivo determinará el aspecto general de un organismo concreto, siendo en el caso de los seres humanos el encargado de establecer, entre otros rasgos fenotípicos, el color del pelo, el color de los ojos, etc. Este ADN presenta escasa variabilidad entre los individuos, es decir, es poco polimórfico, razón por la cual carece de interés en las ciencias forenses a fines de la identificación de individuos[77]. Por otro lado, el ADN no codificante presenta una enorme variabilidad entre los individuos de la población y, por tanto, de su estudio se obtiene informa-

---

[77]    MORA SÁNCHEZ, J. M.: *Aspectos sustantivos y procesales...*, ob. cit., pág. 19.

ción con un gran poder de discriminación[78]. Esta parte del ADN es la determinante de que no haya dos personas que tengan exactamente el mismo código genético, con excepción de los gemelos monovitelinos[79]. Resulta importante remarcar que, en principio, de este ADN no se puede obtener otro tipo de información paralela o adicional a la meramente identificativa, ya que este ADN carece de información directa o indirecta para la elaboración de elementos de importancia para la vida celular[80], aunque sí pueden obtenerse otros elementos de identificación como, por ejemplo, los relativos a la etnia a la que pertenece el sujeto o, bien, relaciones de paternidad o filiación[81].

Respondiendo a esta diferenciación, en el caso de los análisis genéticos en sentido estricto, es decir, del ADN codificante, debe aceptarse sin objeciones que los datos que se obtienen deben ser considerados como datos de la salud, ya que, como se ha explicado, estos proporcionan información sobre la salud del individuo presente y futura. No obstante, debemos tener en cuenta que de acuerdo con las previsiones de la LO 10/2007, en las bases de datos automatizadas sólo se incorporarán los *"datos del perfil genético con valor identificativo"*[82], esto es, los resultados de los análisis de la parte no codificante del ADN. Así, a pesar de que la inclusión de esta información en el concepto de "dato de salud" es más dudosa, la doctrina de forma mayoritaria se manifestó a favor de esta opción[83]. Al respecto, resulta relevante seña-

---

[78]   GARCÍA, O. Y ALONSO, A.: "Las bases de datos de perfiles de ADN...", ob. cit., pág. 29.

[79]   Los gemelos monovitelinos presentan las mismas moléculas de ADN, ya que provienen de la misma fecundación. MESTRES NAVAL, F. y VIVES-REGO, J.: "La utilización forense de la huella genética (secuencia del ADN o ácido desoxirribonucleico): aspectos científicos, periciales, procesales, sociales y éticos", en *La Ley Penal*, nº 61, junio 2009 (La Ley 12054/2009).

[80]   MORA SÁNCHEZ, J. M.: *Aspectos sustantivos y procesales*, ob. cit., pág. 20.

[81]   ROMEO CASABONA, C. M. y ROMEO MALANDA, S.: *Los identificadores del ADN...*, ob. cit., pág. 192.

[82]   Orden del Ministerio del Interior INT 177/2008.

[83]   A favor de esta postura: ROMEO CASABONA, C. M.: "Utilización de las identificaciones del ADN...", ob. cit., pág. 9. GUERRERO MORENO, A. A.: "La regulación de los datos genéticos y las bases de datos de ADN", en Criterio Jurídico, v. 8, núm. 2, Santiago de Cali, 2008, pág. 223. Contra esta opinión: GÓMEZ SÁNCHEZ, Y.: "Los datos genéticos en el Tratado de Prüm", ob. cit., pág. 14.

lar que también la Recomendación (97) nº 5 del Consejo de Europa considera incluidos los datos genéticos dentro de la definición de datos relativos a la salud, entendidos en sentido amplio como datos médicos. Finalmente, también es necesario destacar que la Exposición de Motivos de la LO 10/2007 reconoce expresamente el carácter sensible de los datos relacionados con el ADN. Todo ello permite sostener la necesidad de aplicar la agravación prevista en el artículo 197.6 CP cuando se revelen los datos incorporados a las bases automatizadas de perfiles de ADN. Esta conclusión, además, se verá reforzada por la capacidad de los perfiles genéticos de revelar datos relativos a la etnia del sujeto, situación recogida en el tipo a través de la expresión "datos que revelen el origen racial".

### 2.6. El tipo cualificado por la cualidad de funcionario o autoridad pública

El artículo 198 CP, por su parte, agravará la respuesta penal cuando la conducta sea llevada a cabo por una "*autoridad o funcionario público*" que actuare "*fuera de los casos permitidos por la Ley, sin mediar causa legal por delito, y prevaliéndose de su cargo*". Se tratará de casos en los que el sujeto actúa totalmente al margen de sus competencias pero aprovechando, a su vez, las facilidades que para el ataque a los datos personales le brinda su cargo[84]. No cabe duda sobre la aplicación de este precepto al supuesto en cuestión toda vez que las bases de datos en estudio dependen del Ministerio del Interior y, particularmente, de la Secretaría de Estado de Seguridad, con lo que la persona que específicamente reciba este encargo reunirá la condición de funcionario o autoridad pública.

### 2.7. El delito de revelación del secreto profesional

La especial relación en que se encuentran los responsables y encargados de estas bases de datos con respecto a la información contenida en ellos obligará a valorar también la posible concurrencia del delito de revelación del secreto profesional. El artículo 199.2 del Código

---

[84]    RUIZ MARCO, F.: *Los delitos contra la intimida...*, ob. cit., pág. 92.

Penal establece *"El profesional que, con incumplimiento de su obligación de sigilo o reserva, divulgue los secretos de otra persona, será castigado con la pena de prisión de uno a cuatro años, multa de doce a veinticuatro meses e inhabilitación especial para dicha profesión por tiempo de dos a seis años"*. Así, de acuerdo al tenor del texto legal, para que se verifique un delito de revelación del secreto profesional será preciso que concurran los siguientes elementos:

1) Debe tratarse de un profesional que incumpla la obligación de sigilo o reserva.

2) Que se divulguen secretos.

3) Que los secretos hayan sido conocidos lícitamente en el desarrollo del ejercicio de la profesión.

Partiendo de la premisa de que los responsables y encargados de los ficheros satisfacen las exigencias referidas a la profesionalidad[85], para comprobar la existencia de una obligación de sigilo o reserva por parte de estos sujetos debemos recurrir al artículo 10 de la LOPD. La citada norma establece: *"El responsable del fichero y quienes intervengan en cualquier fase del tratamiento de los datos de carácter personal están obligados al secreto profesional respecto de los mismos y al deber de guardarlos, obligaciones que subsistirán aun después de finalizar sus relaciones con el titular del fichero o, en su caso, con el responsable del mismo"*[86]. Esta disposición satisface, por tanto, el requisito implícito instituido en el artículo 199.2 CP que determina

---

[85]  Por "profesional" se entiende la persona que ejerce una profesión que requiere una titulación académica u oficial y cuyo ejercicio puede exigir necesariamente que le sean confiados aspectos de la intimidad. RUIZ MARCO, F.: *Los delitos contra la intimidad...*, ob. cit., pág. 101. También ver: BOIX REIG, J.: "El secreto profesional" en BOIX REIG, J. (Dir.): *La protección jurídica de la intimidad*, Madrid, 2010, pág. 93.

[86]  En el caso de los Ficheros Policiales, el deber de secreto establecido por la LOPD confluye con el deber que establece el artículo 5.5 de la Ley Orgánica 2/1986 para los Miembros de las Fuerzas y Cuerpos de Seguridad del Estado, los cuales: *"deberán guardar riguroso secreto respecto a todas las informaciones que conozcan por razón o con ocasión del desempeño de sus funciones. No estarán obligados a revelar las fuentes de información salvo que el ejercicio de sus funciones o las disposiciones de la Ley les impongan actuar de otra manera"*. Al respecto, ver: MARTÍNEZ MARTÍNEZ, R.: Tecnologías de la información, policía y Constitución, Valencia, 2001, pág. 210.

la necesidad de una norma jurídica estatal de carácter general que establezca el deber de discreción al que están sometidos estos profesionales[87]. Esto nos lleva a afirmar que los responsables y encargados de los ficheros y archivos son verdaderos "confidentes necesarios" cuyo deber de sigilo está tipificado en el artículo 199.2 CP[88].

También deberá verificarse por parte de los encargados y responsables de los ficheros un acceso lícito a la información y una trasmisión ilícita de la misma. Así, en la medida en que estos profesionales tienen permitido el acceso a la información en razón de sus funciones, en caso de que procediesen, posteriormente a una cesión no permitida, se verificarían todas las exigencias del delito contemplado en el artículo 199.2 CP.

No obstante, la cualidad de funcionario público o autoridad que revisten los encargados y responsables de estos ficheros de titularidad pública obliga a plantearse también la posible concurrencia de un delito de violación de secretos por parte de funcionarios del artículo 417.2 CP. Los requisitos típicos previstos en esta figura son los siguientes:

a) Debe tratarse de un funcionario o autoridad pública que tenga conocimiento de secretos o informaciones por razón de su cargo.

b) Los secretos deben estar referidos a un particular.

c) Los secretos deben ser divulgados ilícitamente.

La extrema similitud de ambos tipos penales, más allá de la exigencia de que el sujeto activo del delito sea un funcionario o autoridad, lleva a plantear la existencia de un concurso de normas entre ambos tipos, la cual deberá ser resuelta de acuerdo al principio de especialidad a favor de la figura contenida en el artículo 417.2 CP[89].

---

[87]    MORALES PRATS, F. en QUINTERO OLIVARES, G. (Dir.): *Comentarios* ..., ob. cit., pág. 491. Sobre la necesidad de que el deber de sigilo o reserva profesional esté refrendado por una reglamentación jurídica del ejercicio de la correspondiente actividad, no siendo suficiente con un simple deber ético o moral: LOZANO MIRALLES, J. en BAJO FERNÁNDEZ, M. (Dir.): *Compendio* ..., pág. 232.

[88]    Sobre el concepto de "confidente necesario", ver: CORTÉS BECHIARELLI, E.: "Delitos contra la intimidad, control de las comunicaciones y secreto profesional del Abogado", en *Revista Penal*, núm. 11, Valencia, 2003, pág. 3.

[89]    En este sentido: ROMEO CASABONA, C. M. EN DÍEZ RIPOLLÉS, J. L. y ROMEO CASABONA, C. M. (coords.): *Comentarios al Código Penal. Parte especial, T. II*, Valencia, 2004, pág. 836.

De lo expuesto con anterioridad se desprende la posibilidad de un concurso de normas entre el delito del artículo 417.2 CP y el artículo 198 CP. Una parte de la doctrina niega esta opción con base en la imposibilidad de concurrencia del artículo 198 CP. Así, en opinión de Morales Prats, la conducta del encargado o responsable de los ficheros no podrá integrar el artículo 198 CP al no satisfacer las exigencias del tipo básico del artículo 197.2 CP, ya que el acceso a la información por parte de estos profesionales siempre es lícito. En su opinión, será el delito de revelación de secretos el adecuado para dar una respuesta jurídica a estos supuestos que de otra forma quedarían fuera del Derecho penal[90].

Esta postura no coincide con la que se sostiene en este trabajo. Como se ha manifestado anteriormente, creemos que estas conductas pueden ser subsumidas en el artículo 197 CP, apartados 5 y 6, y en el 198 CP de acuerdo a una interpretación del verbo "apoderarse" que acerque su contenido a la expresión "apropiarse". Por ello, entendemos que siempre que se verifique una reproducción no autorizada de los datos quedarán satisfechas las exigencias típicas. Esta interpretación no es óbice para entender que estamos frente a supuestos en los que el acceso, esto es, el conocimiento de la información se ha realizado por medios perfectamente lícitos. Podemos llegar por tanto a la conclusión de que el encargado o responsable del fichero que conoce los datos lícitamente y luego los cede a un tercero de forma ilícita cumple con su conducta con todos los requisitos típicos del delito de revelación de secretos por parte de funcionarios. Ambas conductas (198 CP y 417.2 CP) se diferenciarán en la medida en que las informaciones o secretos a los que se refiere el artículo 417.2 CP no deben estar necesariamente incluidos en registros o archivos. Esta situación conduce, como se ha expresado anteriormente, a un concurso de leyes, que en nuestra opinión debe ser resuelto en virtud del principio de especialidad a favor del delito contenido en el artículo 198 CP[91].

---

90    El autor se refiere a los profesionales de la informática, sin analizar el supuesto específico de los archivos de titularidad pública. MORALES PRATS, F. en QUINTERO OLIVARES, G. (Dir.): *Comentarios* ..., ob. cit., pág. 498.

91    En contra: RUIZ MARCO, F.: *Los delitos contra la intimidad*..., ob. cit., pág. 94. ROMEO CASABONA, C. M. en DÍEZ RIPOLLÉS, J. L. y ROMEO CASABONA, C. M. (coords.): *Comentarios* ..., ob. cit., pág. 812. Sobre la concurrencia

## 2.8. *Responsabilidad de encargados y responsables de archivos en comisión por omisión*

Hasta el momento se ha planteado la hipótesis del responsable o encargado de un fichero que se apropia de la información contenida en el mismo cediéndola, con posterioridad, a un tercero. Durante todo el análisis se ha mantenido un criterio restrictivo a la hora de interpretar el concepto de "encargado" o "responsable". Esta circunstancia lleva a plantear un segundo interrogante. Así, encontramos oportuno analizar cuál sería la responsabilidad del encargado que no comete por sí mismo los actos de apropiación y cesión, sino que permite que sea un tercero quien los lleve a cabo. Podría tratarse de un operario con capacidad de acceso a los datos, es decir, una persona que tenga asignada alguna tarea relativa al tratamiento de los datos, o simplemente un empleado ajeno a los mismos. Se plantea de esta forma, una posible responsabilidad del encargado en comisión por omisión.

Contra la posibilidad de admitir una responsabilidad de los encargados en comisión por omisión se ha pronunciado Gómez Navajas, quien ha sostenido que el artículo 197.2 CP requiere una acción positiva, ya sea un apoderamiento, utilización, modificación o acceso, de forma que sólo sería posible la comisión por omisión si dicho apartado estuviera redactado en otros términos[92]. En la misma línea, Orts Berenguer y Roig Torres descartan esta opción al considerar que el fundamento de la agravación no se halla en una posición de garante del agente con respecto a los datos, sino en la infracción de los deberes de fidelidad y corrección en el ejercicio de sus funciones, que personalmente le incumben al sujeto en materia de confidencialidad[93].

No coincidimos con estas opiniones. Por otro lado consideramos que la redacción del precepto contenido en el artículo 197.2 CP no

---

de un concurso de leyes entre los delitos de los artículos 199.2 CP y 198 CP, a resolver por principio de especialidad a favor del artículo 198 CP: CARBONELL MATEU, J. C. y GONZÁLEZ CUSSAC, J. L. en VIVES ANTÓN, T. S. (coord.): *Comentarios...*, ob. cit., pág. 1008. Frente a este mismo supuesto, GÓMEZ NAVAJAS considera más apropiado aplicar el principio de subsidiariedad a favor del artículo 198 CP. GÓMEZ NAVAJAS, J.: *La protección*, ob. cit., pág. 365.

[92] GÓMEZ NAVAJAS, J.: *La protección* ..., ob. cit., pág. 356.

[93] ORTS BERENGUER, E. y ROIG TORRES, M.: *Delitos informáticos y delitos comunes cometidos a través de la informática*, Valencia, 2001, pág. 43.

es óbice para aceptar que el mismo pueda verificarse por omisión. En nuestra opinión, realiza la conducta típica tanto el encargado que "se apodera" ilícitamente como el que permite que un tercero "acceda o se apodere" de forma ilegítima. En relación a la posición de garante, creemos que la misma queda establecida a partir de las previsiones de la LOPD. Al respecto, debemos considerar tanto la obligación de guardar los secretos establecido en el artículo 10 como el deber de *"adoptar las medidas de índole técnica y organizativas necesarias que garanticen la seguridad de los datos de carácter personal y evite su alteración, pérdida, tratamiento o acceso no autorizado"* incluido en el artículo 9.1. Con ello, podemos comprobar que la obligación que asumen los responsables y encargados de ficheros va más allá de una responsabilidad genérica de confidencialidad en el ejercicio de sus funciones, sino que queda establecida una verdadera obligación de salvaguarda de los secretos que se resguardan en los archivos y registros[94].

De esta forma, si el encargado o responsable consiente que un tercero ajeno al fichero acceda ilegítimamente a los datos contenidos en los archivos podríamos hablar de una verdadera coautoría. Este grado de responsabilidad encontraría su fundamento en la elevada posibilidad de que una actuación del sujeto hubiera logrado evitar la producción del resultado Así, el tercero respondería por un delito del artículo 197.2 CP y 197. 4 CP, mientras que el encargado respondería por un delito del artículo 197.5 CP. Situación similar se presentaría si el encargado tolera el apoderamiento ilegítimo de una persona con acceso a los archivos. Creemos que también en este caso podríamos hablar de coautoría, donde el empleado debería responder por artículo 197.2 y 4 CP, ya que la aplicación del delito contenido en el artículo 197.5 CP queda excluida en virtud de que la mera posibilidad de acceso legítimo a los archivos no alcanza para fundamentar las cualidades exigidas en el tipo para el sujeto activo.

---

[94]   En este sentido: RUIZ MARCO, F.: Los delitos contra la intimidad , ob. cit., pág. 90. SANTOS GARCÍA, D.: *Nociones Generales de la Ley Orgánica de protección de Datos*, Madrid, 2005, pág. 139.

## 3. CONCLUSIONES

No es posible negar la poca pericia con la que se ha conducido el legislador a la hora de regular la protección de los datos personales en el Código Penal. En este sentido, resulta incuestionable la excesiva dificultad que presenta la interpretación de los tipos debido a la reiteración de verbos típicos, multiplicación de modalidades delictivas y, muy especialmente, a la acumulación de tipos cualificados que conducen a una exagerada concatenación de agravantes. Esta realidad indica la necesidad de una revisión completa de la estructura de la regulación en esta materia, tarea que sólo puede ser llevada a cabo con éxito a partir de la calmada reflexión que no suele caracterizar a las reformas penales emprendidas en los últimos tiempos.

A pesar de esta situación, creemos que el Código penal cuenta en la actualidad con armas suficientes como para dar una respuesta contundente al supuesto que se plantea en este trabajo: la responsabilidad de los encargados y responsables de bases de datos de perfiles de AND, creadas a partir de las disposiciones de la LO 10/2007, y archivos de muestras de referencia, frente a la posible cesión de los datos. En este sentido, consideramos que una adecuada interpretación de las previsiones del Código Penal puede llevar a dar una solución —aunque no completamente satisfactoria, sí apropiada—, a estos casos.

La principal dificultad que se presenta a la hora de subsumir la conducta en el delito de agresión a los datos reservados es la configuración del delito contenido en el artículo 197.5 CP como un tipo cualificado, lo que lógicamente, obliga a corroborar la presencia de los elementos contenidos en el tipo básico del artículo 197.2 CP. Con ello, será necesario que podamos sostener que el encargado o responsable accede, utiliza o se apodera de la información de forma ilícita. A pesar de ello, creemos que esta dificultad puede ser superada asumiendo una concepción del verbo "apoderarse" que lo vincule con la "apropiación" de los datos. De esta manera, siempre que de forma previa a la cesión se verifique la reproducción o copia de la información, podremos hablar de un "acceso lícito" y de un "apoderamiento ilegítimo". Finalmente, a estas figuras se sumarán los tipos cualificados previstos en los artículos 197.6 CP y 198 CP. En este sentido, resulta especialmente criticable el "encadenamiento" de tipos cualificados que conduce a reducir al mínimo el margen de discrecionalidad que le corresponde al juez al aplicar la pena.

Por otro lado, el delito del artículo 198 CP podrá entrar en concurso de leyes con los delitos de revelación del secreto profesional del artículo 199.2 CP y de revelación de secretos de particulares por parte de funcionarios del artículo 417.2 CP, ya que se trata de supuestos donde puede verificarse un acceso lícito a la información y una traslación a terceros realizada de forma ilegítima. A pesar de ello, consideramos que persistirá la necesidad de resolver estos casos a través de la aplicación del artículo 198 CP, ya que este delito castiga una conducta más específica que los mencionados anteriormente.